한국영화와
문화콘텐츠

한국영화와 문화콘텐츠

초판 1쇄 펴낸날 | 2017년 11월 30일

지은이 | 박태상
펴낸이 | 김외숙
펴낸곳 | (사)한국방송통신대학교출판문화원
03088 서울시 종로구 이화장길 54
전화 02-3668-4755
팩스 02-741-4570
홈페이지 http://press.knou.ac.kr
출판등록 1982년 6월 7일 제1-491호

출판문화원장 | 장종수
편집 | 심성미 · 이두희
본문 디자인 | (주)동국문화
표지 디자인 | 김민정

ISBN 978-89-20-02873-1 93688
값 24,000원

한국영화와 문화콘텐츠

박태상 지음

에피스테메
EPISTEME

책머리에

『한국영화와 문화콘텐츠』를 새로 출간하려고 한다. 한류와 문화콘텐츠는 전환기를 맞이하는 대한민국에 매우 중요한 의미를 지닌다. 안식년을 맞이하며 미국생활을 하면서 할리우드 영화산업, 애플, 마이크로소프트, 그리고 아마존 등을 살펴볼 때에 더욱 그렇다. 2012년에 『문화콘텐츠와 이야기 담론』을 내놓은 후 5년의 세월이 흘렀다. 또 『영화, 어떤 문화코드로 읽을 것인가』를 내놓은 지 무려 13년이 지났다. 영화는 K팝·한류 드라마·게임과 더불어 외국에 수출하는 한국문화콘텐츠의 중심을 이루는 장르이다. 그만큼 우리 민족의 미래 먹거리로서 큰 가치와 의미를 지닌다.

『한국영화와 문화콘텐츠』는 크게 5부로 구성된다. 문화콘텐츠의 개념과 범주, 영화로 바라본 한국 사회문화사, 소설텍스트의 영상화, 북한영화의 진화과정, 한류로서의 문화콘텐츠로 체제를 갖추었다. 다만, 이 책을 집필할 때 동시에 3권의 책을 쓰고 있었기 때문에 시간이 절대적으로 부족하였다는 점을 밝혀둔다. 그래서 북한영화사를 훑으려고 하던 애초의 생각을 접은 것이나 한류로서의 문화콘텐츠를 3편 정도 쓰려고 하던 계획도 한 편에서 머물고 만 것은 아쉬운 점이다. 특히 평양영화제에서 2016년에 최우수상을 받은 북한영화 〈우리 가족이야기〉를 다루지 못한 것이 못내 아쉽다. 3권의 책을 어느 정도 준비하면서 미국 노스캐롤라이나에 있는 듀크대학교(Duke University)에 안식년을 활용하여 방문교수로 떠나야 했던 사정 또한 주요한 사유에 해당된다.

이 책을 마무리하고 있을 때, 마침 제22회 부산영화제(2017.10.12~10.21)가 열렸다. 제19회 때, 지도교수로 있는 한국방송통신대학교 동아리 '영사모' 회원들을 관광버스 한 대에 싣고 방문한 것은 현장문화탐방으로서 큰 의미를 지닌다. 그 3년 사이에 부산시와 영화인들 사이에 세월호 사건을 다룬 다큐멘터리영화 상영여부를 두고 갈등을 빚은 것은 한국영화계의 불명예스러운 점으로 생각된다. 올해는 그러한 점을 치유하고 새로운 살을 돋아나게 하기 위해 문재인 대통령이 참여하여 "지원은 하되 간섭은 안 하겠다"고 언론에 선언한 것은 고마운 일이다. 문화예술은 자유로운 상상력을 발휘할 때 발전할 수 있기 때문이다.

올해 부산영화제에서 돋보이는 행사는 한국 최고의 영화배우 신성일이 80세를 맞이하여 개최한 회고전이다. 신성일은 폐암 3기의 병을 앓고 있다고 한다. 그는 자신이 주연을 맡은 영화 중에서 이만희 감독의 〈만추〉를 최고의 영화로 회상하면서 최근 한국영화의 폭력성을 신랄하게 비판하였다. 신성일은 "요즘 영화를 보면 막장 드라마가 돼 있다"며 "사람을 때려 죽이고 분노가 치미는 영화가 많다. 참 살벌하다"고 비판했다. 그러면서 "영화의 본질에서 벗어났다고 생각한다"고 자신의 생각을 밝혔다. 요즘 여배우가 등장하는 작품이 적고, 주로 남배우들이 출연하여 폭력성을 고무하는 듯해서 아쉽다는 소회를 피력했다. 그러면서 영화배우들이 딴따라라는 소리를 듣지 않고 종합예술 안에 있는 예술인이라는 자부심을 가져야 한다고 강조했다. 회고전에서는 신성일의 출연작 8편이 상영되었다. 〈맨발의 청춘〉(1964), 청춘 멜로드라마의 대표작 〈초우〉(1966), 한국영화의 모더니즘을 대표하는 〈안개〉(1967)와 〈장군의 수염〉(1968), 신상옥 감독과 함께 한 사극 〈내시〉(1968), 이만희 감독의 대표작 〈휴일〉(1968), 1970년대 멜로드라마의 대표작 〈별들의 고향〉(1974), 중년의 깊이 있는 연기를 보여준 〈길소뜸〉(1985) 등이다. 서문에서 신성일 회고전을 길게 언급한 것은 배우 신성일이 한국영화사를 상징하기 때문이다.

또 하나 제22회 부산영화제에서 주목해서 봐야 할 점은 10월 17일까지 벡스코에서 개최된 아시아필름마켓에 45개국 콘텐츠업계 관계자 1250명이 등록해서 지난해보다 30% 가량 증가한 점과 사드(고고도 마시일방어체계) 보복조치에도 빅토리아 혼 베이징하이룬픽처스 부사장, 디안 송 완다미디어 이사 등 중국영화계 인사 70여 명도 참가했다는 사실이다. 영화와 드라마, 게임 등으로 만들기 좋은 도서와 웹툰, 웹소설 등 웹콘텐츠를 소개하는 '북투필름'과 'E-IP피칭', 창작스토리를 소개하는 '스토리 투 필름', 공동영화 개발프로젝트 코너 등도 큰 관심을 모았는데, 국내 영화시장에서 40%가 원작을 토대로 제작되는 만큼 좋은 원작을 찾는 것이 수익 창출과 직결되기 때문으로 보인다. 이러한 구체적인 행사는 영화산업에서 한류의 위상을 말해준다.

올해 한국영화계에서 가장 주목되는 현상은 일본과 미국에서 한국영화가 상당한 화제를 불러 모았고, 흥행에도 어느 정도를 성과를 거두었다는 사실이다. 2016년 7월 20일 한국에서 개봉하여 1156만 명의 관객을 동원했던 블록버스터 좀비영화 〈부산행〉은 2017년 대만·홍콩·필리핀·말레이시아 등에서 상당한 호응을 얻었는데, 특히 일본에서 2017년 9월 1일 개봉하여 1위 〈덩케르크〉·2위 〈세 번째 살인〉에 이어 티켓 구매 수 4위에 오르는 기염을 토했다.

또 류승완 감독의 〈군함도〉는 2017년 9월 3일 미국에 선보인 이후 개봉 주말 매출 40만 달러(4억 5천만 원)를 기록하며 과거의 〈국제시장〉·〈암살〉을 뛰어넘어 스크린당 평균 매출 기준 북미 전체 5위에 올랐다고 전해진다. 뉴욕타임스(NYT)는 "류승완은 거대하고 복잡한 설정으로 카메라를 능숙하게 움직이고, 클라이맥스는 관객에게 강렬한 경험을 선사한다"고 평했다. 사드 여파로 중국시장에서 한계를 보인 한국영화가 일본과 미국 등지에서 새로운 조명을 받은 것은 일본 10~20대들에게 트와이스·방탄소년단의 K팝 인기로 인한 신한류 붐 조성과 더불어 커다란 의미를 지닌다.

2017년 여름방학을 활용해 라틴아메리카와 카리브해 12개국을 '잉카에서 마야까지'란 테마로 두 달 동안 배낭여행을 하고 돌아왔다. 페루와 콜롬비아·볼리비아 그리고 에콰도르 등지에서 경제적으로 한국을 롤 모델로 삼고 한류 붐이 상당함을 눈으로 확인했다. 삼성 갤럭시 핸드폰과 현대기아차가 시장에서 1~2위를 다투고 있는 것도 눈으로 목격하면서 한국인으로서 자부심을 느꼈다.

그동안 세명대학교 경영행정복지대학원·고려대학교 행정대학원과 더불어 한국방송통신대학교 대학원 문예창작콘텐츠학과에서 '문화콘텐츠론'을 강의하면서 얻은 경험을 기반으로 『한국영화와 문화콘텐츠』를 새로 펴내게 되었다. 영화는 전형적인 '고위험-고수익(high risk, high return) 상품'이다. 따라서 위험부담을 줄이기 위해서는 할리우드영화처럼 시장을 크게 키워 전 세계로 무대를 옮겨야 한다. 『한국영화와 문화콘텐츠』가 이러한 '한류의 붐' 조성에 이론적 기초와 토대로 자리잡았으면 소망해본다. 끝으로 『한국영화와 문화콘텐츠』는 한국방송통신대학교의 학술도서저작지원의 도움을 받아 저술되었음을 밝혀둔다.

2017년 11월 30일

미국 채플힐(더람) 듀크대학교에서 박태상

차 례 CONTENTS

제 I 부
문화 콘텐츠의 개념과 범주

제1장

문화콘텐츠의 개념

1. 문화콘텐츠와 디지털콘텐츠의 개념

우리나라의 경우, 2001년 제9회 국가과학기술위원회에서 '문화기술(CT: Culture Technology)'을 21세기형 미래 국가전략산업으로 채택하였다. 그리고 이의 실천을 위해 한국문화콘텐츠진흥원(KOCCA, 2009년부터 한국콘텐츠진흥원으로 개명)이 설립되었다. 문화콘텐츠의 개념은 무엇인가? 문화콘텐츠는 말 그대로 '문화'와 '콘텐츠'의 합성어이다. 콘텐츠는 콘텐트에 's'를 붙인 말이다. '콘텐트'는 내용이나 요지 그리고 용량이라는 의미를 지닌다. '콘텐츠'의 경우도 같은 의미를 지닌다. 그것에는 '속에 든 것' 또는 '내용물'이란 뜻이 담겨 있다. 그러니까 '콘텐츠'란 대중예술의 공연물이나 인터넷 가상물에 담긴 내용이나 포함된 질적인 함량을 의미한다. 이를테면 뮤지컬이나 드라마 그리고 영화 등에 포함된 내용물을 의미하며, 문자·영상·소리 등의 정보를 창작하여 그것을 1차적으로 가공하고 그것을 다시 다른 어떤 매체에 실어서 소비자에게 제공하는 정보 상품을 말한다. 한마디로 '콘텐츠'는 최근의 첨단 미디어 매체에 담겨 있는 내용물이나 정보를 의미한다. 그런데 중요한 것은 새로 등장하는 매체가 아니라 그것에 담길 내용물이나 정보의 중요성이라고 할 수 있다. 요즈음 잘 사용하는 용어로 정의를 내린다면, '문화콘텐츠'라는 말은 대중에게 인기가 있는 대중가요·영화·TV드라마·게임·애니메이션·뮤지컬·기타 공연물 등의 서로 다른 이질적 장르로 구성된 복합물이나 정보물을 의미하는 것[1]이다.

문화콘텐츠는 앞으로 국가의 경쟁력을 향상시켜줄 수 있는 최대의 요소로 부각되었다. 이미 선진국에서는 이를 경제적 부분과 결합하여 이른바 '문화산업'을 창출하고 수익으로 극대화하기 위해 여러 가지 노력을 전개하고 있다. 문화산업은 부가가치가 크기 때문에 관련 산업에도 많은 영향을 끼치게 된다. 그 경제적 가치를 잘 활용한다면 국가경쟁력과 국가브랜드에도 기대 이상의 효과를 줄 수 있다. 물론 우리나라에서도 이미 문화산업에 대한 인식을 새롭게 하여 이를 활성화하기 위한 방안을 다각도로 마련하고 있다.

2. 문화적 텍스트와 문화자본

모든 사회는 사회 자체가 지니고 있는 고유의 물질문화와 정신문화를 발전시킨다. 그렇다면 무엇에 의해 한 사회의 물질문화와 정신문화가 규정되는가? 혹은 누가 그들의 문화를 담당하고 있는가? 그것은 한 사회를 구성하는 각각의 개개인들이 생산해낸 인공적인 산물과 내재적인 정신

관념이라는 특징을 갖고 있다. 그러므로 개개인은 개체적인 문화의 운반자인 셈이다. 또한 모든 사회는 하나의 전체로서 인공적인 산물과 정신관념의 특징을 지니고 있다. 따라서 모든 사회는 집단적 문화의 운반자에 해당된다. 나아가 한 사회 내에서 개인들의 모음으로 구성된 그룹들은 인공적인 산물과 정신 관념에 따라서 특징이 드러난다. 따라서 이 그룹들도 집단적 문화의 운반자에 해당한다. 말하자면 개인뿐만 아니라 사회 또는 기관들이 독자적인 기호사용자로서 문화운반자의 기능을 담당하게 된다.

특히 개인의 경우 전통적 기호를 사용하는 발신자와 송신자, 그리고 구경꾼 및 수취인의 역할을 담당할 수 있기 때문에 역할의 중복성을 나타낸다. 개인은 전통적인 기호의 사용자로서 기능을 담당한다. 그러나 개인이 하나하나 독립적으로 구분된다면, 이러한 능력은 소멸되고 만다. 또한 전체로서 한 사회는 전통적 기호 사용자로 간주된다. 한 사회는 국가라는 형태 내에서 협상을 벌일 수 있고 국가 간 계약을 맺을 수 있거나 파기할 수 있다.

문화의 운반자이자 계승자는 기호사용자들이다. 기호사용자들은 기호과정에 참여한다. 기호과정에서 생겨나는 생산물들을 우리는 물질문화라 하며, 물질문화는 '문화적 텍스트'로 이루어진다. 하나의 문명은 한 사회에서 생산하여 사용하는 완성품을 포함한 인공적인 생산물의 총체이다. 그렇다면 인공적인 생산물, 이른바 인공물이란 무엇인가? 한 개인의 행위가 개념적으로 행위의 결과와 구분되고, 의도적인 행위와 비의도적인 행위가 구별될 수 있다면, 인공물이라는 개념은 쉽게 정의될 수 있다. 한 인공물은 행위의 결과가 그 자체로 의도적이거나 의도적이 아니든 간에 상관없이 행위결과의 총체가 된다.

하나의 인공적인 생산물, 즉 인공물이 있다고 가정해보자. 이 인공물이 한 사회 내에서 도구와 같은 기능을 가지면서, 코드로 메시지를 전달하는 기호가 된다면, 그것은 문화적인 텍스트로 간주된다. 비록 텍스트의 모든 속성들이 의도적이지는 않지만, 텍스트는 항상 의도적인 행위결과물이다. 텍스트는 인공물이기 때문에 생산될 수 있을 뿐만 아니라, 재생산되기도 한다. 여기서 사용하는 텍스트의 개념은 문화기호학의 이론적 틀 내에서 차용되었다. 문화기호학인 텍스트 개념은 20세기 후반 문헌학적 텍스트 연구로부터 출발하였다. 텍스트 개념의 변화는 세 단계로 나누어볼 수 있는데, 첫 번째 보편화 단계에서는 순차적으로 나열된 모든 언어적 기호를 '텍스트'로 간주하였다. 텍스트 개념의 두 번째 보편화 단계는 1960년대 이후에서 시작되는데, 예를 들어 수학과 논리학의 공식과 같은 비언어적인 기호연결체를 텍스트로 간주하기 시작하였다. 확장된 텍스트의 개념이 정립된 세 번째 보편화 단계에서는 언어적 표현들을 비롯하여 개개의 교통기호와 교통기호의 연속, 그리고 회화 및 건물과 악곡, 그리고 춤 또는 언어적 표현들까지도 텍스트로 간주[2]된다.

인공적인 생산물 즉 인공물이 물질문화의 근간을 이루고 있다고 보면, 한 사회의 기질은 그 사회를 구성하는 구성들의 정신관념, 즉 정신문화를 구성한다. 즉 정신관념이란 한 사회의 구성원들이 적용하고 표현하는 것을 규정하는 사고와 가치관 그리고 전통이다. 광의의 의미에서 사고란 한 사회가 그 사회 자체를 해석하고 현실을 해석하는 모든 범주들이다. 하나의 정신관념이 전달할 메시지를 담고 있는 실체를 지니고 있다면, 다시 말하면 무엇인가를 표현할 상징적 형태가 존재한다면, 즉 하나의 기표가 있고 그것의 기의가 정신관을 표현한다고 말할 수 있다. 그렇다면, 그 정신관념은 한 사회에서 모종의 역할을 수행할 수 있다. 기표와 기억의 체계가 코드이기 때문에 우리는 정신이 코드의 집합으로 이해될 수 있다고 결론을 내릴 수 있다. 이러한 코드는 전통으로부터 온다. 따라서 정신문화는 한 사회의 구성원들이 공유하고 있는 전통적인 기억의 체계라고 볼 수 있다.

한 사회가 기호 사용자의 집합체로, 물질문명이 텍스트의 집합체로, 정신이 전통적인 코드의 집합체로 정의된다면, 이 세 영역은 필연적으로 서로 맞물려 있다. 기호사용자가 텍스트를 이해하기 위해서는 코드에 의존하기 때문이다. 따라서 기호학은 '문화란 특별한 기호 체계다'란 명제를 내걸고 문화를 기호체계로서 상정한다. 따라서 문화는 개인 및 집단적 기호사용자로 구성된다. 기호사용자는 텍스트를 생산하고 수용한다.[3]

문화자본이란 무엇인가? 문화상품의 생산과정에 투입되는 자본으로 물적 자본·인적 자본·자연자본에 이어 문화자본이 등장하고 있다. 물적 자본은 유형적인 것으로 쉽게 보이거나 접촉할 수 있으며, 생산자나 중개상, 운송과 의사소통의 수단으로 사용되는 기계·공장·설비·원자재·재고품 등을 말한다. 예를 들어 화폐는 물적 자본의 한 요소이다. 인적 자본은 노동시장에서 개인의 생산성을 향상시키는 교육, 직장 내 훈련과 같은 행동으로 투자에 대한 집합체로 이해 할 수 있다. 최근 이런 개념이 확장되어 자본은 개인이 일생을 통해서 취득하고 개발하는 본유적 능력과 지식·기술의 집합체로 정의되고 있다. 자연자본은 공유자원 또는 사회적 공통자본이라고도 불리며 공기·하천·호수 및 국가나 지방자치단체가 소유하고 있는 토지 등을 말한다. 토지·산하가 비록 사유일지라도, 이것이 가져다주는 아름다운 자연경관 등은 사회 전체의 것이라고 할 수 있으므로 자연자본에 해당된다.

프랑스의 사회학자 부르디외(Bourdieu, 1984)에 따르면, 대표적인 자본

부르디외(문화기호학자)

형태로는 경제자본·사회자본·문화자본의 세 가지가 존재한다. 경제자본은 흔히 이해되고 있듯이 실물자본과 금전적 자본을 의미하며, 사회자본은 한 개인이 집단에 소속됨으로써 제공받는 네트워크로부터 얻게 되는 잠재적인 자원이다. 그리고 문화자본은 문화와 지식시장에서 전문가들이 보유하고 있는 권력수단으로서 계급 간의 불평등 관계를 야기하고 유지하는 자본의 형태이다. 부르디외가 이러한 자본형태들 중에서 문화자본에 특히 주목하는 이유는 사회질서가 유지되고 지배와 권력 관계가 재생산되는 과정에서 경제자본만큼이나 문화자본이 중요한 역할을 수행하기 때문이다.

부르디외는 문화자본을 세 가지 형태로 분류[4]하고 있다.

1) 체화된 상태의 문화자본

체화된 상태의 문화자본은 소유한 사람에게서 풍기는 품위·세련됨·교양 등을 의미한다. 이것은 그것을 소유하고 있는 사람과 물리적으로 분리하여 생각될 수 없는 신체적 상황이다. 각 개인은 품위·세련됨·교양으로 불리는 활동을 직접 집행함으로써 체화된 상태의 문화자본을 축적할 수 있고 내면화할 수 있다.

2) 객관적 상태의 문화자본

그림·책·사전·도구·물건 등의 문화적 재화 형태의 자본을 말한다. 이러한 객관적 문화자본은 경제자본을 이용하여 구매하고 소장함으로써 물질적으로 이용될 수 있고 체화된 문화적 성향을 통해 그림이나 책을 감상하고 평가하는 행위를 통해 상징적으로도 이용 가능하다.

3) 제도화된 상태의 문화자본

제도화된 상태의 문화자본은 대개 학위나 자격증을 의미한다. 이러한 제도화된 문화자본은 상징적인 능력의 지표로서, 그것을 보유한 사람을 사회적으로 능력 있는 사람으로 확인시켜준다. 이러한 교육 자격증을 보유한 사람은 사회적 차이를 발생시킬 수 있고 사회적 지위를 보장받을 수 있다.

한편 트로스비(Throsby, 1999)에 의하면, 문화자본을 유형적인 것과 무형적인 것으로 분류하였으며 전자를 문화산업으로 후자를 문화의식의 총칭으로 보았다. 이러한 문화자본은 경제성장에, 또는 사회의 지속가능성에 중요한 역할을 한다는 것이다. 경제성장의 결과 문화발전이 있는 것이 아니라 경제성장에 문화가 중요한 요소로 작용한다고 인식하는 것이다. 그리고 지나친 자원개발로 생태계가 파괴되듯이 사회적으로 문화자본의 축적에 소홀하게 되면 정체성의 상실 등으로 사회의 지속성에 문제가 생긴다는 것이다. 그런데 그의 논의에서는 문화산업이 문화자본으로 기능한다는 것을 강조한 나머지 문화산업이 쓰레기와 같은 문화상품을 만듦으로써 오히려 부정적인 영향을 미칠 수 있다는 점을 간과하고 있다. 이상의 부르디외와 트로스비의 견해를 종합하여 '문화자본'을 정의해본다면, '개인이나 사회의 문화적 역량에 영향을 미치는 유·무형적인 것'으로 정리[5]할 수 있다.

한편 일본의 경제학자 이케가미 준, 우에키 히로시, 후쿠하라 요시하루(1998)는 문화자본을 문화의 창조·생산에 이용되는 수단, 즉 용구·기기·시설·조직 등의 문화 스톡(cultural stock)으로 정의하고 있다. 또한 문화자본의 구성요소로서 하드 스톡과 소프트 스톡이 있다고 한다. 여기서 하드 스톡은 음악의 경우, 악기나 연습장, 공연장 등을 예로 들 수 있다. 영상예술 제작에 컴퓨터가 사용된다면 컴퓨터도 문화자본의 위상을 갖게 된다. 또한 과거로부터 전해오는 문화유산, 예를 들어 건축물이 갖는 아름다움을 현대의 우리들이 향수하고 있다면 건축미라고 하는 것은 서비스를 제공하는 문화 스톡이다. 소프트 스톡은 노하우·조직·제도 등을 말한다. 예를 들어 축제에서는 지역의 중요한 문화행사로서 문화적 서비스가 생산된다. 이런 축제를 계승·실행하는 노하우나 조직은 소프트한 스톡이다. 이들 무형의 소프트 스톡은 일반적으로 역사(시간) 속에서 형성되어온 것으로 하드 스톡은 '공간 속의 형태'인 데 비해, 소프트 스톡은 '시간 속의 형태'라고 부르고 있다. 이들의 정의는 문화자본이 무형적 요소와 유형적 요소로 이루어질 수 있다는 측면에서 인식[6]하고 있다.

3. 21세기 초의 시대상황과 문화예술의 위기

21세기 초의 시대상황을 특징적으로 보여주는 현상은 인류문명사적 변환인 정보혁명, 세계화, 범지구적인 환경재앙, 고실업과 사회갈등, 국가 간 빈부격차의 심화, 단일 국가 내부에서 빈부격차의 심화, 선진국들에서 나타나는 고령화·고령사회의 전개, 후진국들에서의 기아와 질병의 증대, 울리히 벡이 지적한 위험이 상존하는 사회의 지속적 전개, 과학기술 분야에서 정보통신공학·생명공학·나노공학과 같은 첨단 과학기술의 비약적 발전 등으로 요약[7]할 수 있다.

20세기 초에는 서구 제국주의 열강들에 의한 세계 분할과 제국주의 전쟁이 지구의 곳곳에서 벌어졌고, 서구 문명을 도입하여 근대화에 성공한 일본이 동아시아 지역에서 제국주의 침략전쟁을 자행하였으며, 제1차 세계대전의 전운이 감돌고 있었다. 20세기 초 인류의 삶에 가장 결정적 영향을 미치는 영역은 군사와 정치영역이었다. 그러나 21세기 초 인류의 삶에서 군사와 정치의 영역은 상대적으로 감소하고 절대적 빈곤에 시달리는 국가들을 제외하고는 경제와 문화 영역의 비중이 증대되었다. 특히 경제와 문화의 두 영역을 상호 독립적인 영역으로 이해하지 않고 상호간에 밀접한 관련을 맺고 있는 영역으로 파악하려는 시도가 일반화되면서 문화 영역에 대한 관심이 올라가고 있는 것이 21세기 초의 시대정신이기도 하다. 문화영역에 대한 관심 증대는 21세기 최대 산업으로 부상한 문화산업의 급속한 팽창과 성장에 기인하고 있다는 사실을 부인하기는 어렵다.

문화산업(Cultural Industries)이란 용어는 제2차 세계대전 중 집필되어 1947년 네덜란드에서 출판된 문명비판서인『계몽의 변증법』에서 최초로 사용되었다. 이 책의 저자들인 막스

테오도어 아도르노(문화비평가)

호르크하이머(Max Horkheimer)와 테오도어 아도르노(Theodor W. Adorno)는 문화산업을 나치즘과 같은 전체주의 사회에서 대중의 비판의식을 근본적으로 차단시키는 데 결정적으로 악용되는 지배수단의 한 형식으로 보았으며, 따라서 문화산업을 대중기만과 동일한 개념으로 파악하였다. 문화산업이란 개념은 이처럼 탄생 초기부터 전적으로 부정적 의미를 내포[8]하고 있었다.

그러나 1970년대와 1980년대를 거치면서 문화산업이란 개념은 더 이상 부정적 의미로서 쓰이지 않고 가치중립적인 개념으로 변모되었다. 이것은 1960년대부터 미국에서 정보혁명이 진행되고 1990년대부터 미국 주도의 세계화가 자본주의에 의한 세계통합을 가속화시키면서 문화산업이 비약적으로 팽창하고 성장한 것에 기인한다고 보는 것이 타당하다.

초강대국 미국이 주도하는 WTO체제가 1995년 출범되고 경제와 미디어 영역에서 국경이 사라지는 현상이 가속화되면서 세계화는 더욱 진척되었으며, 인터넷 혁명이 일어나고 아날로그 기술이 디지털 기술로 대체되면서 정보화는 그것의 양적 성장과 질적 진보 면에서 이 시간에도 한계를 모르고 진행되고 있는 실정이다. 경제적 거래와 정보의 교류에서 세계화와 정보화는 상호 간에 승수효과를 증대시키면서 21세기 초 인류의 운명과도 같은 현상이 되었다. 이 과정에서 문화산업은 21세기 최대의 산업으로 부상한 것이다.

미국이 주도하여 세계적으로 통합된 거대시장의 모습을 보이는 문화산업은 문자·그림·기호·영상과 음향·사진과 동영상 등으로 표현된 문화콘텐츠를 신문·잡지·출판·방송·TV 등 전통적 매체들뿐만 아니라 비디오·CD·DVD·인터넷처럼 유통속도와 분량에서 전통적 매체들을 압도하는 새로운 매체들을 통하여 전 세계에 유통시키고 있다. 더구나 문화산업은 자신의 영역을 과거의 출판·공연·영화·전시·디자인·광고·관광 등에서 게임·애니메이션·캐릭터 등으로 넓혔고, 심지어는 테마파크산업·컨벤션산업·문화정보산업·문화인력산업·문화교육사업·문화클러스트산업 등으로까지 확대하면서 현대인들의 일상을 문화산업에 종속[9]시키고 있는 실정이다.

그러나 문화산업의 팽창·성장은 인류 문화의 위기이며, 특히 문자·음성·시각·몸짓 등 전통적 표현수단에 기초한 순수예술의 존립을 심대하게 위협하는 결정적 요인으로 작용한다. 오락과 상업성을 핵심적 본질로 내포하고 있는 문화산업은 인류가 장구한 세월 동안 유지해온 자연과 인간에 대한 사랑·평화·박애·희생·봉사정신들과 같은 보편 가치의 유지와 발전에 부정적 영향을 미칠 수 있으며, 자연에 대한 외경과 자연의 아름다움을 표현하고 인간이 추구해야 될 보편 가치를 형상화시켜 인간에게 감동을 부여하고 동시에 계몽·비판정신을 매개함으로써 인간의 교육에 기여해온 순수예술의 입지를 결정적으로 약화시킬 수 있다. 더구나 고전으로 평가받은 순수예술작품들은 인간에게 끊임없이 인간의 삶과 세계, 현실에 대하여 비판적으로 인식하고 성찰하게 하는 계기를 부여함으로써 인간의 삶에 새로운 의미를 매개하고 이를 통해 의미를 형성하게 하는 기능까지 갖고 있으며, 현실에 대한 선취력까지 제공한다. 이처럼 귀중한 문화유산인 순수문화예술이 문화산업의 절대적인 위력 앞에서 위기에 처한 것은 분명하다. 순수문화예술의 위기가 증대될수록, 인간의 삶은 물질적 풍요와 편리함, 그리고 오락과 소비만을 추구하는 삶으로 전락[10]하게 되는 것이다.

4. 정보자본주의와 세계화의 여파

미래학자 앨빈 토플러는 이미 1960년대에 정보혁명을 예측했다. 정보혁명은 인류 문명사에서 기원전 7000년 전부터 기원전 4000년 전까지 진행된 농업혁명, 1730년 무렵 영국에서 시작되어 현재까지 지구의 곳곳에서 진행 중인 산업혁명에 이어 인류의 삶의 구조를 근본적으로 바꾸는 제3의 물결인 것은 틀림없다. 21세기 초의 시대상황을 표면적으로 볼 때, 이 시대를 가장 결정적으로 특징짓는 현상은 정보화와 세계화이다. 정보통신 기기들의 비약적 발달은 공간과 시간에 대한 인간의 지각을 혁명적으로 바꾸어놓았다. 정보혁명은 지구촌 전체를 하나의 가능한 의사소통 공간으로 축소시켰다. 정보혁명은 사생활 침해·사이버 테러·포르노의 범람·국가에 의한 시민의 완전한 통제 가능성과 같은 부작용을 낳은 것으로 인정된다.

정보혁명은 정치영역에서는 전자 투표와 같은 형식을 가능하게 함으로써 정치적 의사표현과 결정 방식에 영향을 미친다. 미디어 정치·인터넷 정치·전자민주주의와 같은 새로운 개념들을 탄생시킨 것도 정보혁명의 결과이다. 미디어 선거가 가능해짐으로써 토론을 활성화시키고 정치 비용을 감소시키는 효과를 발휘하면서도 다른 한편으로는 이미지 정치와 정치적 상징 조작까지 하는 부정적 결과를 낳기도 하

앨빈 토플러(미래학자)

는 것이 정보화 시대에서 드러나는 정치의 모습[11]이다.

정보의 자유롭고 신속한 생산·유통·소비체계의 구축은 재화와 용역을 생산·유통·소비시키는 시스템인 경제 영역에 막대한 변화를 초래하였다. 컴퓨터에 의해 조종되는 생산과 유통 시스템의 구축과 소비자들의 수요와 욕구를 신속하게 파악할 수 있는 마케팅 시스템의 구축은 산업시대의 생산 방식인 소품종 대량생산을 다품종 소량생산으로 변모시켰다. 정보혁명이 공급자 중심의 산업구조를 소비자 중심의 산업구조로 바꾸어놓은 것이다. 정보혁명은 또한 생산현장과 사무실 현장에 자동화 시스템 도입을 가능하게 함으로써 대량 실업 사태를 유발시키는 부작용을 가져왔다. 미국의 경제학자 제레미 리프킨은 1994년『노동의 종말』에서 각 산업분야에서 진행된 인력 감축 현상을 실증적 자료 분석을 통해 제기했다. 또 정보혁명은 정보와 지식의 생산활용 능력에 따른 경제적 불평등의 확대 재생산이라는 부작용을 낳고 있고, 국가 간 빈부격차를 심화시키며, 세계 경제를 다국적 기업들이 지배하는 초국가경제로 변화시킴으로써 경제 영역에서 국가 간·기업 간 무한경쟁의 원리를 고착시켰다.

정보자본주의는 사유재산제·이윤획득·가격 메커니즘·노동력 상품화·생산의 무계획성·무정부성이라는 자본주의 생산의 일반적인 특징을 가지며, 독점 강화·시장의 지구화·국제 금융자본의 통제력 증대라는 또 다른 경향이 추가된다. 동시에 정보자본주의는 초국적·다국적 자본들이 장악한 미디어와 결합하여 정보를 기초로 축적한 자본은 지속적으로 확대 재생산하는 속성을 지니고 있다. 정보사회에서 정보는 경제를 작동시키는 핵심 요소이며 상품화하여 재화를 창출하고 정보 하드웨어와 소프트웨어는 산업화하여 정보산업을 형성한다. 정보는 이미 확고한 경제권력[12]이다.

정보혁명은 미디어영역에서 촉발되었다. 대량의 정보를 신속하게 매일 또는 일주일 간격으로 전달하던 최초의 매스 미디어인 신문이 19세기 말에 출현한 것은 당시로서는 충격적이었다. 그러나 뒤이어 라디오와 영화는 정보를 전달하는 속도에 있어서는 신문과 비교가 되지 않았지만 매체 발달의 결정적이고도 획기적인 계기는 역시 TV의 출현이었다. TV는 동영상으로 제작된 각종 정보들을 공간의 제약을 뛰어넘어 실시간으로 모든 시청자들이 원하는 지역으로 송출하는 능력을 보이는 혁명적인 매체였다. TV 이후 등장한 비디오·CD·DVD 등의 미디어와 복합적 미디어 기능을 가진 멀티미디어는 현대 사회를 미디어에 의해 지배되는 사회로 탈바꿈시켜 놓았다고 해도 지나친 표현이 아닐 정도로 발달되고 있다. 미국의 거대 자본들이 지배하는 미디어들은 세계화되면서 미국 중심의 세계관을 전 세계에 전파하는 이데올로기의 기능까지 발휘하고 있으며, 이러한 시대상황을 미디어제국주의라고 표현하는 것도 결코 낯설지 않은 현실이 되었다.

더구나 인터넷이 20세기 말 새로운 미디어로 출현하면서 인류는 현실공간이 아닌 가상공간인 사이버 공간이라는 새로운 공간에서 살게 되었다. 세계 최고의 사회학자 앤서니 기든스는 미디어 기술이 현대사회의 변화에서 핵심을 이루고 있다는 점을 강조한다. "많은 사람들은 인터넷을 20세기 말에 나타나고 있는 새로운 전 지구적 질서를 예

보드리야르(문화사회학자)

시하고 있는 것으로 본다. 인터넷 사용자들은 사이버공간 속에서 산다. 사이버공간은 인터넷을 구성하는 전 지구적 컴퓨터 네트워크에 의해서 만들어진 상호 작용의 공간을 의미한다. 사이버 공간 속에서 보드리야르(Baudrillard)가 말하는 것처럼, 우리는 더 이상 '사람'이 아니라 다른 사람의 스크린 속의 메시지이다. 이메일 밖에서는 사용자들이 자신들을 알지만, 인터넷에서는 누가 누구인지를 알 수 없다."[13]

정보혁명을 주도하는 것은 컴퓨터이다. 컴퓨터는 인간의 글쓰기·그림그리기·정보의 기록·저장·전달 등의 행위를 컴퓨터가 없던 시대와 비교해볼 때 근본적이고도 혁명적으로 변화시켰으며, 음악·사진·영상분야에서의 생산과 유통·수용의 형식까지 바꾸어놓았다. 컴퓨터는 벤야민이 말한 진품의 유일무이성을 의미하는 아우라(Aura)의 개념까지도 무력화시켰다. 컴퓨터에 의해 유통되는 사진과 영상들은 과거의 영화를 통해 전달되었던 방식과는 그 속도와 분량에 있어서 비교할 수 없을 정도로 신속하고 대량적이기 때문이다. 컴퓨터는 사회조직의 모든 업무와 개인의 모든 일상, 인문사회과학·자연과학·공학·의학 등 모든 학문분과에 응용되고 있는 실정이며, 컴퓨터가 갑자기 작동이 중지되는 것을 사회구성원들이 사회적 혼란과 사회 질서의 위기로 받아들일 만큼 현대사회는 컴퓨터에 결정적으로 의존하는 것

발터 벤야민(문화평론가)

이다.

한편 세계화(Globalization)는 1980년대 후반부터 구소련과 동구권 사회주의 국가들이 일시에 붕괴하면서 정치적으로는 제2차 세계대전 이후 미국을 중심으로 한 서방세계에 속한 국가들과 대립각을 세웠던 공산국가들이 소멸하고 경제적으로 계획경제를 경제운용의 기본으로 선택하였던 사회주의 경제의 종말과 더불어 지구촌이 자본주의에 의해 통합된 현상을 의미한다. 세계화의 가장 결정적 특징은 지구촌에 사는 모든 사람들의 삶이 전 지구적으로 상호의존되는 현상이란 점이다. 세계화는 과거 인류 역사에서 기업이나 개인의 모든 행위를 규율하고 통제하던 국가 권력의 약화를 의미하기도 한다. 독일의 사회학자 울리히 벡은 세계화를 "국민국가들과 그 주권이 초국민적인 행위자, 이들의 권력기회·방향설정·정체성·네트워크를 통해 서로 연결하는 과정"[14]이라고 정의하고 있다. 서로 연결되는 과정이 가장 먼저 시작된 영역은 경제영역이었으며, 경제영역에서의 세계화를 작동시키는 권력은 자본이다. 벡이 말하는 초국민적인 행위자를 움직이는 힘은 자본이다.

세계화는 자본의 생리에 따라 작동되는 시장권력이 마침내 세계를 지배했음을 알리는 범세계적 현상이며, 문화적으로 볼 때는 미국문화의 세계화와 거의 동일한 의미를 지닌 개념이다. 세계화를 추동한 두 가지 중심 영역은 경제와 매스 미디어이며, 두 영역을 작동시키는 절대적 기초는 자본이다. 따라서 자본과 자본주의 원리에 의해 세계경제와 세계의 미디어가 통합되었음을 알리는 현상이 바로 세계화이기도 하다. 미국이 주도하여 1995년 출범시킨 WTO체제는 경제적 국경의 소멸과 경제의 국제적 무한경쟁을 알리는 신호탄이었다. 자본과 기술, 인력이 국경을 넘어서서 자유롭게 교류하면서 세계경제가 시장경제 체제에서 하나의 단일한 경제권을 형성함으로써 지구촌에서 활동하는 거의 모든 기업조직들과 심지어는 개인들의 경제 행위까지 전 지구적 차원에서 상호의존성을 보이는 범세계적 현상이 바로 경제의 세계화이다. 세계 금융시장은 단일 시장으로 통합[15]되었다.

정보혁명과 더불어 급속도로 발전한 미디어는 세계시장 통합과 더불어 세계화를 추동시키는 결정적 요소이다. 경제의 세계화와 미디어가 추동시키는 세계화는 상호간에 밀접한 관련을 맺고 있다. 경제는 신문·방송·통신사·TV·광고·잡지 등 정보를 대량으로 전달하는 전통적인 미디어뿐만 아니라 1990년대부터 촉발된 인터넷 혁명으로 인해 미디어와 더욱 밀접한 상호 관계에 놓이게 되었다. 인터넷 혁명은 경제 정보를 실시간에 전 세계적으로 교환할 수 있는 시스템을 구축하여 전자상거래가 세계적으로 일반화되는 등 과거와는 전혀 다른 환경을 구축[16]하였다. 구글·야후·유튜브·페이스북·트위터처럼 전 세계적으로 정보를 실시간에 매개하는 포털 사이트에서 인류는 시간과 공간에 제약을 받지 않고 정보를 교류하고 있으며, 이러한 추세는 더욱 가속화될 것이다. 요즈음 유행하는 SNS(Social Network Service, 또는 Social Network Sites)도 공통의 관심사를 가진 사람들을 연계해주는 관계망의 일종이다. 특정한 관심이나 활동을 공유하는 사람들 사이의 관계망을 구축해주는 온라인 서비스인 SNS는 최근 페이스북(Facebook)과 트위터(Twitter), 그리고 인스타그램 등의 폭발적 성장에 따라 사회적·학문적인 관심의 대상으로 부상했다. 현대적인 SNS는 1990년대 이후 월드와이드웹 발전의 산물이다. 신상 정보의 공개, 관계망의 구축과 공개, 의견이나 정보의 게시, 모바일 지원 등의 기능을 갖는 SNS는 서비스마다 독특한 특징을 가지고 있다. 위키피디아(Wikipedia, 2012)는 SNS를 “관심이나 활동을 공유하는 사람들 사이의 교호적 관계망이나 교호적 관계를 구축해주고 보여주는 온라인 서비스 또는 플랫폼"으로 정의한다. 보다 이론적인 관점에서는 보이드와 엘리슨(Boyd & Ellison, 2008)의 정의가 대표적인데, 이들은 SNS를 "개인들로 하여금 ① 특정 시스템 내에 자신의 신상 정보를 공개 또는 준공개적으로 구축하게 하고, ② 그들이 연계를 맺고 있는 다른 이용자들의 목록을 제시해주며, 나아가 ③ 이런 다른 이용자들이 맺고 있는 연계망의 리스트, 그리고 그 시스템 내의 다른 사람들이 맺고 있는 연계망의 리스트를 둘러볼 수 있게 해주는 웹 기반의 서비스"라고 규정한다.

문화의 관점에서 볼 때 세계화는 긍정적으로는 다양한 문화의 세계적 교류를 촉진시킨다는 요소를 갖고 있기도 하다. 그러나 맥도널드 햄버거·코카콜라·청바지·팝송·할리우드 영화·힙합 등으로 상징되는 미국문화는 이미 1950년대부터 세계적으로 전파되어 세계인들의 일상에 깊숙이 파고드는 데 성공하였고, 1960년대부터 시작된 정보혁명과 더불어 미국 자본과 다국적·초국적 거대 자본이 장악하는 매스 미디어들은 미국문화의 세계화를 가속시켰다. 미국이 주도하는 문화산업에 의해 하나의 통일적인 세계 문화가 표준적으로 형성되는 현상이 문화 영역에서 특징적으로 나타나는 세계화의 모습이다. 그래서 톰린슨은 미국문화의 세계화는 문화제국주의에 다름 아니라고 비판[17]했다.

제2장

디지털 시대의 문화콘텐츠와 문화콘텐츠학

앞서 언급한 것처럼 오늘날 우리는 과거와 다른 새로운 문화적 환경 속에서 살아가고 있다. 세계 인류가 처한 문화적 환경의 변화를 읽어내는 핵심적 코드 가운데 하나가 디지털이다. 디지털 기술은 인류의 삶의 방식과 라이프사이클에 대한 일대 변화를 초래하였다. 무엇보다도 디지털 기술은 인류의 문화 향유의 틀을 혁명적으로 바꾸어놓았다. 그러한 변화의 정점을 이루는 것이 '디지털문화콘텐츠'다. 인류는 다양한 디지털 문화콘텐츠의 '창출–소통–향유'를 통해 단순한 '문화–체험'을 뛰어넘는 '문화–창조–향유'의 신시대를 열어 나가고 있다. 바야흐로 한국 사회에서 '디지털문화콘텐츠 현상'이라 부를 만한 '문화적 유행'이 일어나고 있다.

그러면 디지털문화콘텐츠란 무엇인가? 법률에 근거해서 개념정의를 내려보기로 한다. 「콘텐츠산업 진흥법」은 콘텐츠산업의 발전에 필요한 사항을 정함으로써 콘텐츠산업의 기반을 조성하고 그 경쟁력을 강화하여 국민생활의 향상과 국민경제의 건전한 발전에 이바지함을 목적으로 하는 법이다. 이 법에서는 "콘텐츠"를 "부호·문자·도형·색채·음향·이미지 및 영상 등(이들의 복합체를 포함한다)의 자료 또는 정보를 말한다"라고 정의내리고 있다.

이에 비해 「문화산업진흥 기본법」은 문화산업의 지원 및 육성에 필요한 사항을 정하여 문화산업 발전의 기반을 조성하고 경쟁력을 강화함으로써 국민의 문화적 삶의 질 향상과 국민경제의 발전에 이바지함을 목적으로 제정된 법이다. 이 법에서는 콘텐츠·문화콘텐츠·디지털콘텐츠·디지털문화콘텐츠·멀티미디어콘텐츠에 대한 정의를 각각 내리고 있다. 우선 '콘텐츠'란 부호·문자·음성·음향 및 영상 등의 자료 또는 정보를 말하며, '문화콘텐츠'란 문화적 요소가 체화된 콘텐츠를 말한다. 그리고 '디지털콘텐츠'란 부호·문자·음성·음향 및 영상 등의 자료 또는 정보로서 그 보존 및 이용에 효용을 높일 수 있도록 디지털 형태로 제작 또는 처리한 것을 말한다. '디지털문화콘텐츠'란 문화적 요소가 체화된 디지털콘텐츠를 말하며, '멀티미디어콘텐츠'란 부호·문자·음성·음향 및 영상 등과 관련된 미디어를 유기적으로 복합시켜 새로운 표현 및 저장기능을 가진 콘텐츠를 의미한다.

두 개의 법에 나오는 정의를 살펴보면, '문화'는 콘텐츠의 내용을 적시하는 것이며, '디지털'과 '멀티미디어'는 콘텐츠의 형식을 가리키는 것이다. 따라서 '디지털문화콘텐츠'란 디지털 기술을 통해 재창조되어 유통·소비되는 다양한 문화적 정보 혹은 내용물[1]로 요약된다.

문화와 콘텐츠는 기존에 이미 존재하였던 개념들이다. 다만 이 둘이 결합하면서 그 의미는 사뭇 달라진다. 기존의 콘텐츠는 주로 신문·서적 등의 인쇄 및 출판물의 형태나 혹은 라디오·TV 등의 단방향적인 매체에

〈표 1-2-1〉 **나라별 문화콘텐츠산업 규모와 점유율**(단위: 달러)

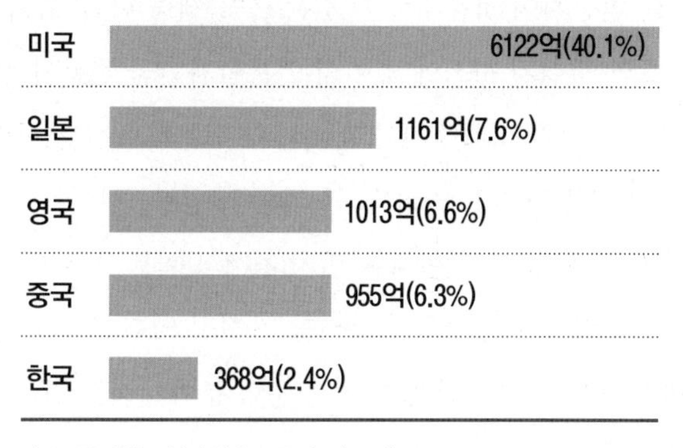

자료: 프라이스워터하우스쿠퍼스(2007)

담겨 있었다. 하지만 디지털의 영향으로 인해 이와 관련된 기술 공학이 발전을 거듭하면서 결국 콘텐츠를 담는 매체가 확장되고 그 형태도 다양해진 것이다. 이러한 콘텐츠는 항상 문화적 요소를 수반하게 된다. 문제는 문화콘텐츠 담론이 문화콘텐츠라는 용어가 내포하고 있는 의미 중에서 어느 부분에 치중하느냐는 것이다. 이러한 담론은 문화콘텐츠를 구성하는 가장 큰 축인 인문학·예술학·기술공학·사회과학 분야로 나눌 수 있다. 인문학에서의 콘텐츠와 관련한 변화는 우선 문학의 영역에서는 문화콘텐츠 소재로서의 신화 및 전설을 인터랙티브 스토리텔링의 분야인 게임에 제공하며 뉴미디어로의 접근을 모색하고 있다. 또한 비교적 전통적인 미디어인 영상 미디어를 강조한 영상 역사학·영상 민속학·영상 사회학·영상 고고학·영상 인류학 등도 콘텐츠와 관련한 인문학의 변화이며, 문화유산 D/B 및 관련 콘텐츠 등도 해당된다. TV프로그램에서의 역사 및 문화유산 관련 콘텐츠물, 박물관에서의 디지털 기술의 응용 등도 인문학과 디지털의 결합을 통한 문화콘텐츠라고 할 수 있다. 방법론으로는 포스트모더니즘과 연관지어 구술 및 미시사의 문화사 관련 연구 등 문화콘텐츠와 연관지어 적용시킬 수 있는 틀을 제공[2]할 수 있다.

문화콘텐츠와 관련된 소스에 있어서 인문학자만큼 전문가는 없다. 하지만 인문학의 위기가 도래하기까지 기존의 인문학에서는 이런 역량에 대한 잘못된 인식을 가지고 있었다. 즉 기존의 일부 인문학 분야의 내부에서는 인문학 자체의 가치는 다른 가치(경제·사회는 물론 기술적 가치까지)와 비견될 수 없다는 보수적인 논리를 가지고 있다. 문화콘텐츠란 소스를 이용한 일종의 가공물인데, 아직 인문학 분야에서는 인문학의 연구 성과물들이 콘텐츠라는 인식에서 벗어나지 못했기 때문이다. 이러한 논리의 저변에는 미디어를 기존의 인문학인 역사·철학·문학 등의 부수적 차원에서 일종의 보조적 형태로 해석하고 있다는 인식이 깔려 있다. 즉 콘텐츠를 좀 더 개방적인 관점에서 파악하여야 하는 것[3]이다.

예술학 분야에서는 콘텐츠의 의미를 콘텐츠 '고유의 의미'로 해석하려는 경향이 더 크다. 예술은 그 자체 고유의 내용물로서 공공성 및 교육적 목적과 효과에 치중하여 활용되어야 한다는 것이다. 이는 상품성 등의 경제적 목적보다는 예술의 가치를 중시하는 '순수예술로서의 콘텐츠'를 지향한다고 할 수 있다. 그러므로 순수예술 자체로서 그 가치를 가지므로 가치부가의 면에서 본다면 타 영역에 비해 공공성에 큰 의미를 부여하고 있다. 때문에 순수예술 분야에서는 현재의 문화콘텐츠론(경제성, 디지털라이징)보다는 그간 국내에서 비교적 소외되어 왔던 순수예술의 부흥에 더 무게를 두고 있었다.

하지만 예술학 분야 역시 문화콘텐츠와 연관지어 변화가 모색되기는 한다. 즉 디지털 시대의 특징인 가상현실성·비선형성·탈주체성 등은 기존 예술학의 영역과는 대치되는 성격이기 때문이다. 예술학 분야에서 제기될 수 있는 문화콘텐츠론 또한 디지털 기술을 떼어놓고는 언급할 수가 없다. 디지털 기술은 종합데이터작품이라는 형태를 구현해낼 중요한 수단으로 간주되고 있다. 소리·이미지·텍스트·속도가 동시적으로 현존하는 디지털 기술을 통해 이제 예술·기술·현실의 종합적 표현으로서의 매체작품이 성립하고 있는 것이다. 그리고 이러한 매체작품은 다름 아닌 문화콘텐츠가 될 수 있음을 예술학 분야에서는 인식하여야 한다. 순수와 응용의 경계가 확연히 구분되는 것은 아니지만, 예술학의 범주 내에서도 응용예술학 분야에서는 문화콘텐츠론이 좀 더 확대되어 적용된다. 여기서의 응용 예술학은 비교적 기존 산업과 맞물려 자리를 잡아온 산업디자인·공업디자인 등 분야가 포함된다. 또한 최근의 웹 디자인 및 인터페이스 연구·미디어 아트·영상 예술 등 시각적 예술학 분야와 컴퓨터 음악 및 공연예술과 관련된 음악 공학·삼차원 음향 등이 해당[4]된다.

기술공학 분야에서 언급하는 콘텐츠는 가장 실질적이고 그 목적과 과정 그리고 결과가 일치하는 영역이라고 볼 수 있다. 문자·영상 등을 디지털화하여 특정 미디어를 통해 소비자에게 공급하는 것이 문화콘텐츠라고 볼 수 있기 때문이다. 문화콘텐츠론은 '콘텐츠'에 치중하는 디지털기술적인 면에 초점을 맞추고 있다. 따라서 문화콘텐츠가 아닌 디지털콘텐츠라는 용어를 더욱 선호하는 것은 이들의 성향을 반영하는 것이기도 하다. 이들의 콘텐츠 범위는 D/B산업, S/W산업, 그리고 인터넷을 기반으로 새롭게 등장하고 있는 솔루션 등의 IT 관련 신산업 등도 포함된다. 특히 기술공학 분야에서 주목할 만한 문화콘텐츠 영역은 VR, 즉 가상현실 분야의 연구이다. 이는 HCI(Human Computer Interaction)와 인터페이스 연구를 통한 구현의 과정을 거치며, 이는 인공지능을 목표로 연구가 수행되고 있다. 문화콘텐츠에 대해 언급할 때는 대개 기술공학 분야에서의 문화콘텐츠를 떠올린다. 그 직접적 성과는 게임·애니메이션·교육용 콘텐츠·각종 소프트웨어 그리고 웹 사이트의 자료들 등 대다수의 매체에서 접할 수 있는 것들이다. 또한 VR도 기초적인 형태가 이미 웹 서비스 등을 통해 서비스되고 있다. 하지만 이러한 콘텐츠론의 맹점은 디지털 기술과 관련된 개발에만 치중한다는 점이다. 콘텐츠의 본래 개념인 '내용물'이라는 개념에 충실하지 못한 채, 디지털 기술에 의한 감각적인 파생물에만 급급하는 경향을 보이는 것이다. 또한 애니메이션·영화 등의 제작에 만연한 기술 공학적 문화콘텐츠론은 문화콘텐츠를 단방향에서 접근하여 실제 업계에서의 실패 사례를 낳기도 하였다. 즉 필요한 막대한 자금과 시간을 투자했으나 스토리나 기획보다는 특수효과 등의 그래픽·영상 등에 치중하여 소비자들의 관심을 끌지 못하는 사례[5]가 있기도 하였다.

사회과학 분야에서의 문화콘텐츠 담론은 크게 세 영역으로 나뉜다. 경영학·경제학 측면에서의 비즈니스 및 마케팅 영역과 문화콘텐츠의 사용과 관련된 법학적 측면 그리고 미디어론 측면에서의 커뮤니케이션 영역이 그것이다. 우선 비즈니스/마케팅의 영역에서는 문화콘텐츠 자체보다는 생산·유통·소비의 측면에서 기존의 재화와는 성격이 다른 문화콘텐츠를 통해 더 많은 수익을 창출하기 위한 과정에 치중한다. 경영과 마케팅에 있어서 대립된 관계에 있었다고 인식되었던 미술관·박물관·공연회·전시회 등 순수예술 분야에서 '문화예술 경영 및 마케팅'의 측면을 새롭게 인식하고 있다는 점은 중요하다.

실질적으로 양질의 문화콘텐츠라 할지라도 이것이 법적인 보호를 받지 못한다면 문화콘텐츠로서 기능을 하지 못한다. 기존의 상품과는 달리 문화콘텐츠는 '무형'으로서의 가치를 지닌다는 점에서 큰 차이를 가진다. 이는 문화콘텐츠라는 속성상 감성·경험·메시지·브랜드를 판매하는 것이기 때문에 법적 관리인 라이센스(licence)의 획득이 중요하다는 것이다. 그러나 이와 관련된 실제 법적 근거는 아직 미약하다. 미디어론을 다루기 위한 기존의 영역은 신문방송학에서 넓게는 사회학까지 이른다. 이 분야에서는 문화콘텐츠를 기존의 미디어인 신문·방송 등에서 출발하여 디지털 환경에 의해 방송·통신 등이 융합되어 미디어가 확장되는 과정을 중시한다. 특히 무선 인터넷과 양방향 TV가 가지고 있는 잠재성에 대해 관심을 가지며, 이를 그 자체의 독특한 속성을 내재한 '방송통신 융합 시장'은 21세기의 새로운 시장으로 구분될 필요성이 있음을 강조한다. 다만 이러한 담론은 뉴미디어 및 플랫폼의 애플리케이션(application)의 측면에만 치중된다는 것이 문제점이다. 기존의 커뮤니케이션론인 공급자와 수용자의 엄격한 분리에서 벗어나지 못하는 점이 아쉽다. 양방향 미디어의 발전 및 이와 관련하여 수용자의 변화는 급속도로 빠르게 바뀌고 있으며, 이로 인해 이미 공급자와 수용자의 구분은 모호해지고 있는 프로슈머(prosumer)라는 용어의 확산에서도 그러한 변화에 대한 예측이 가능[6]하다.

제3장

대중문화론과 영화

1. 대중문화와 문화포퓰리즘

문화의 개념은 각 나라의 역사적 배경과 개별 민족의 다양한 환경을 반영하면서 다소 복잡한 의미로 발전되었다. 한때 그것은 문명과 같은 의미로 또 다른 시기에는 문명과 대립되는 개념으로 통용됐다. 18세기에 들어서면서 경작 또는 교양이라는 의미의 문명(cultivation이나 cultivated)이 더 흔히 사용되지만 어느 정도 '계급'의 의미를 내포하게 된다. 이런 변화를 설명하기 위해서는 독일어에서 일어난 의미의 변천을 알아야 한다. 18세기 말에 프랑스에서 들어온 문화(culture)라는 단어는 '인간성의 역사적 자기계발'의 의미를 갖는다.

이와 비슷한 맥락에서 낭만주의 운동에서는 하나의 "정통적이고 지배적인 '문명'에 대한 대안"으로 '민족문화'를 포함한 '민족적이고 전통적인 문화들'이 등장하게 된다. 이것은 후에 '그 당시에 등장한 새로운 문명의 기계적인 성격' 즉 그 문명의 '추상적 합리주의'와 '현대 산업발달의 비인간성'을 공격하는 데 사용된다.

레이먼드 윌리엄스(문학비평가)

이렇게 '문명'은 '물질적 발달'을, '문화'는 '인간적 혹은 정신적 발달'을 의미하게 된다. 이러한 다양하게 발전되어온 문화의 개념에 대해 '문화'는 "영어 단어 중에서 가장 난해한 몇 단어들 중 하나이다"라고 레이먼드 윌리엄스(Raymond Williams)는 말하면서 문화의 의미를 세 가지로 압축했다. 첫째, 문화는 지적·정신적·심미적 능력을 계발하는 일반과정을 일컫는다. 이를테면 서유럽의 문화발전에 대해 얘기하면서 그중 지적이고 정신적이며 미학적인 요소들(위대한 철학자나 화가, 시인)에 대해서만 언급하는 경우이다. 둘째, 문화는 한 인간이나 한 시대, 혹은 한 집단의 특정한 생활방식을 가리킨다. 이 정의를 가지고 서유럽의 문화발전을 논한다면, 지적이고 미학적인 요소만이 아니라 교육 정도나 여가, 스포츠와 종교적 축제까지 포함하게 된다. 셋째, 문화는 지적 산문이나 지적 행위, 특히 예술 활동을 일컫는다. 바꾸어 말하면, 이는 의미를 나타내거나 생산하는 혹은 의미 생산의 근거가 되는 것을 그 주된 기능으로 하는 텍스트나 문화적 행위를 말한다. 이 경우 문화는 구조주의자들과 후기 구조주의자들이 말하는 의미를 나타내는 실천행위와 동일하다. 이 정의를 사용한 예로 시나 소설·발레·오페라 그리고 순수미술을 생각할 수 있다.[1]

'문화'라는 단어가 가진 포괄적인 의미에도 불구하고 최근에는 주거문화·복식문화·식생활문화 등 삶의 기본적인 부분까지도 세분화하여 '문화'라는 단어를 빌려 설명하려는 경향이 있다. 또 전통적인 엘리트 위주의 고급문화에 대한 반발로 소외된 계층이나 보통 사람들의 일상생활을 설명하려는 대중문화에 대한 고조된 관심을 반영한다. 다른 한편으로는 이런 문화의 상업화 경향에 대한 반발로서 저항문화의 발생을 경험하게 된다. 즉, 제국주의적 외래문화에 대한 민족문화, 상업적 지배문화에 대한 민중문화, 억압적 남성문화에 대한 여성문화, 보수적 기성문화에 대한 젊은이 문화, 전통적 문자문화에 대한 미디어문화 혹은 영상문화 등이 등장한다. 앞에서 언급한 대중문화에 대해서도 학계에서 두 가지로 해석된다. 첫 번째 의미의 대중문화는 대중으로부터 생겨난 혹은 대중에게 인기 있는 문화(popular culture)를 의미한다. 두 번째 의미의 대중문화는 대중(the masses)을 위해 대량으로 만들어지는 문화(mass culture)를 지칭한다. 이런 구분을 위해 후자를 '대량의 문화'로 번역하기도 한다.

대중문화는 현대 한국사회의 중요한 문화형태이다. 한국사회에서 대중문화현상이 출현한 시기에 대해서는 여러 학설이 있다. 주로 해방 이후 발생했다는 이상희 교수의 견해부터 1960년대 후반에 출현했다는 강현두 교수의 견해가 있다. 1968년 전후에 대중적 주간지들이 창간되었으며 상업방송사가 전국망을 형성하였기 때문에 이 시기를 원년으로 볼 수 있으며 1970년대에 이르러 대중적 여가와 대중적 풍요 현상마저 보여 대중문화 발전이 가속화되었다는 입장이다. 이 시기에 이르면 앨빈 토플러가 말한 문화폭발(culture explosion) 현상이 나타난다는 것이다. 미국의 경우, 고급문화가 대중화하는 문화폭발의 상황에서 한때는 거리가 멀고 생소하다고 느껴졌던 고급 문화예술이 이제는 대중의 일상생활의 일부가 되었다. 그리고 고급 문화예술을 수용하는 미국의 대중을 토플러는 문화소비자(culture consumers)라고 불렀다.[2] 한국에서도 비슷한 현상이 일어났다.

한국사회에서는 이러한 대중문화의 등장과 함께 문화엘리트주의자들에 의한 비판과 우려의 목소리도 동시에 나왔다. 지식인에게 대중문화란 인간의 지적 탐험의 길을 보이지 않게 흐려 놓는 것이며 문화적 취향을 타락시키는 천박한 내용의 문화로 인식된다. 때문에 대중문화는 반문화의 성격마저 띠는 것으로 생각되었다. 그래서 지식인들은 대중문화를 멀리하고 경멸한다.[3]

한국사회에서는 대중문화의 등장과정에서 전통문화 내지 민족문화와의 갈등 그리고 80년대의 민중문화와의 충돌현상도 빚어졌다. 서구사회에서 봉건 제도가 무너지고 산업화가 시작되면서 이에 따르는 경제적 변화, 기술 및 교통의 변화에 따라 농촌인구가 도시로 몰려왔다. 이와 같은 사회변화 속에서 고급문화를 후원하고 수용하던 귀족들은 이제 정치적·경제적 세력이 약해지고, 결국 계급적 몰락의 길을 걷게 되었다. 반면 도시로 몰려온 새로운 중산층이 형성되면서 이들의 문화적 오락적 욕구가 급격히 늘어났다. 고급 예술가들은 중산층을 위한 문화를 만들기 시작하였다. 이리하여 역사상 처음으로 중산층을 위한 문화, 대중을 위한 문화가 탄생하였던 것이다. 이리하여 서구사회에서는 고급문화·대중문화·서민문화가 모두 어느 정도 연속성을 갖고 있다. 이에 반해 한국사회에서는 고급문화·대중문화·민속문화가 심한 불연속성을 보여주고 있다.[4]

1980년대에 들어와서 한국사회에서는 '민중문화론'이 등장하였다. 여기에서 대중은 익명의 상태에서 서로 분리된 채 조직도 없고 단합된 행동능력도 없으며 통일된 의식도 없는 집합체를 가리키지만, 민중은 정치적으로 활성화될 잠재능력을 지닌 채 역사적 경험에 근거하여 나름대로의 의식을 공유하는 기본적으로 참여지향적인 집합체를 말한다. 1980년대 말로 오면서 민중문화론은 입지를 상실하게 되었다. 그 이유는 두 가지인데, 하나는 1987년 6월 항쟁 이후의 사회적 변화가 문화 전반에 대한 정치적 영향력을 약화시켰다는 것이다. 다른 하나는 동구권의 변혁에 따라 이념적 대립의 논리 위에서 지탱되어오던 진보의 기반이 허물어진 것을 들 수 있다. 1990년대 들어서서 서구에서 수입된 포스트모더니즘의 담론은 대안적 틀로 자리잡게 되었다. 대중문화·고급문화·민중문화 등 다양한 문화영역의 구분이 사라지고 뒤섞이는 현상이 후기 산업사회의 일반적 현상이라는 포스트모던의 논리는 좋은 문화와 나쁜 문화에 대한 기존의 명백한 이분법적 관점을 근본부터 뒤흔들었다.

19세기까지 전반적으로 대중문화에 대해 비판적인 시각이 지식인들 사이에 우세했지만, 20세기 후반 들어와서 현대 소비사회에서의 대중문화에 대한 순기능을 옹호하는 견해들이 많아졌다. 그러한 견해 중 유력한 이론적 관점의 하나가 '문화 포퓰리즘(cultural populism)'이다. 그것은 상업적 대중문화로부터 모종의 긍정적 가능성을 찾아내려는 이론적 추이를 일컫는다. 이것에 따르면 대중문화는 보통 사람들의 창조성과 즐거움을 표현한다는 것이다. 이러한 관점은 1970년대 중반 영국 버밍엄학파의 문화연구에 알게 모르게 잠복해 있다가 1980년대 중반 이후 본격적으로 부상하기 시작했다. 이 점은 소비문화의 부상과 깊은 관련이 있으며 좀 더 일반적으로 말하면 소비대중 시대에 고급문화나 인문주의의 비극적 운명을 예고하는 측면도 있다. 언제부터인지 서구 학계에서 매스컬처라는 개념은 거의 쓰이지 않게 되었다. 경멸적인 대중의 개념 대신에 중립적이거나 긍정적인 함의를 가진 대중성의 개념을 가진 파퓰러 컬처라는 용어를 보편적으로 쓰고 있다. 파퓰러 컬처라고 할 때 대중문화는 '다수의 사람들이 향유하는 문화'라는 의미에 가깝다. 매스컬처가 주로 문화적 생산과정에 초점을 맞춘 개념이라면 파퓰러 컬처는 문화의 소비 내지 수용과정에 초점을 맞춘 개념[5]이라 할 수 있다.

문화 포퓰리즘은 영국 버밍엄학파의 전성기에 일어났다는 견해가 있다. 짐 맥기건의 논의가 그렇다. 여기서 문화 포퓰리즘이란 "보통 사람들의 상징적 경험과 실천이 고급문화보다 분석적으로나 정치적으로나 더 중요하다는 지적 전제"를 뜻한다. 이 경우 대중문화는 보통 사람들의 이해와 경험과 가치를 표현한다고 보기에 대중문화에 대한 비판적 해부보다는 무비판적 옹호가 득세하기 십상이다. 맥기건은 1970년대 중반부터 버밍엄대학의 현대문화연구소를 중심으로 이루어진 청년문화 및 하위문화 연구를 일별할 경우, 문화 포퓰리즘의 단초가 드러나며 1980년대 중반 이후 본격 문화 포퓰리즘의 시대가 열렸다고 주장한다. 그 연속선상에서 오늘날 문화연구의 주류가 무비판적 포퓰리즘으로 방향전환을 하기에 이른다[6]는 것이다. 문화엘리트주의가 청중을 멍청이라고 규정한 다음 청중을 지도하고 후원하려 했다면, 문화 포퓰리즘은 청중을 정복자라고 규정한 다음 후원·관리하려 했다. 1980년대 중반 이후 문화 포퓰리즘은 만개하기에 이른다. 여기서 특징적인 것은 문화개념이 '소비문화'와 거의 동의어로 취급된다는 점인데 이를 웅변하는 대표적인 사례가 문화이론가 존 피스크(J. Fiske)의 작업이다.

한국사회에서 90년대 말부터 21세기 초로 들어오면서 디지털문화와 인터넷의 발달은 '대중문화의 폭발'을 가져왔다. 이제 생산자와 문화소비자의 개념이 애매해진 것이다. 90년대에 들어서면서 시작된 쌍방향

TV·주문형 신문·컴퓨터를 이용한 다양한 쌍방향 커뮤니케이션 등은 일방성을 특질로 하던 매스 커뮤니케이션 시대와는 다른 성격의 대중문화 출현의 가능성을 예견케 했다.[7] 이처럼 생산자로 변모해가는 문화수용자들의 문화에 대한 관계의 변화는 디지털 기술에 의해 더욱 고무되고 지지되고 있다. 예컨대 모든 대중문화는 다운로드되어 블로그를 통해 급격하게 퍼져나갔으며, 수요자 및 문화소비자가 이니셔티브를 지니는 형태로 변모되어가는 양상을 보이고 있다. 물론 지적소유권의 분쟁이 끊임없이 일어나고 있지만, 과거에는 생각할 수 없을 정도로 소비자의 입김이 강해지고 있는 것이다. 즉 드라마를 연출하는 PD가 문화수용자들이 좌우하는 인기도의 추락으로 인해 도중하차하는 현상이 일어난다든지, 드라마의 결론이 소비자들의 입김에 의해 뒤바뀌는 현상마저 벌어지고 있다.

21세기로 접어들면서 '대중문화의 폭발'은 학자들로 하여금 대중문화를 연구하는 방법론을 심각하게 검토해야 하는 단계로 발전된다. 이러한 방법론의 모색과정에서 서구에서 많이 활용되었던 프랑크푸르트학파의 대중문화론과 포스트모더니즘에 입각한 대중문화론 그리고 기호학을 응용한 문화기호학적 방법론이 주로 거론[8]되었다.

2. 포스트모더니즘과 영화

포스트모더니즘은 무엇인가? 현대 대중미디어 문화 속에서 포스트모더니즘을 찾아볼 수 있을 것인가? 포스트모더니즘은 어떠한 배경 아래 출현하게 되었는가? 이러한 것들은 21세기에 들어와서 가장 많이 접해

본 질문일 것이다. 한때 매스미디어는 광범위한 사회현실과 모습을 반영하는 모범적인 거울이라고 생각되었다. 그런데 지금은 매스미디어라는 거울 표면에 비추어지는 것만이 우리의 현실이 되어버렸다. 사회가 매스미디어 내에 흡수되어 버린 것이다.

자유주의적 미디어이론은 미디어는 하나의 거울과 같은 것으로서 더 넓은 사회현실을 나름대로 정확하게 반영한다는 관점을 취한다. 이에 대하여 급진주의적 미디어이론은 미디어라는 거울이 사회를 제대로 반영하기는커녕 오히려 이를 왜곡하고 있다고 주장한다. 그러나 이와는 달리 더욱 추상적이고 개념적인 미디어와 문화이론의 시각에서는 미디어가 우리의 사회 현실감을 형성하고 또한 우리들도 이 현실의 일부라는 존재의식을 갖게 하는 데 부분적으로 이바지하고 있다고 주장한다. 이러한 미디어와 문화이론의 주장은 어느새 미디어만이 우리의 현실감을 구축한다는 주장에까지 이르게 되었다. 다시 말해서 미디어라는 이 거울이 제시하는 현실만이 우리의 유일한 현실이라는 것이다. 나아가서, 포스트모더니즘 조건에서 경제와 대중문화의 구별이 더욱 어려워진다는 생각은 바로 이러한 주장과 관계되는 것이다. 소비영역, 즉 우리가 무엇을 살 것인지를 결정하는 그 무엇은 대중문화에 의해 영향받고 있다.[9]

1) 내용보다 스타일

포스트모더니즘의 첫 번째 특징이 함축하는 결정적인 의미는 포스트모던 세계에서 중요하게 부각되는 것은 표면적인 것과 스타일이며, 이는 결국 '디자이너 이데올로기'를 낳게 된다는 것이다. 특히 하비(Harvey)의 표현대로라면, '이미지가 내러티브를 지배한다'고 하겠다. 즉, 우리는 더욱 이미지와 기호들을 소비하게 되는데, 이러한 소비는 어떤 '실용성'의 가치나 어떤 깊은 상징적 가치를 위한 소비가 아니라 단지 소비를 위한 소비일 뿐이다. 우리가 이미지와 기호를 소비하는 이유는 단지 그것들이 이미지와 기호이기 때문이다. 이는 실용성과 가치의 문제와는 아무 관계가 없다. 대중문화를 지배하는 것은 그 내용이나 본질 또는 의미 등이 아니라 외양·스타일·사물의 모습·장난스러움 그리고 농담 같은 것이다. 결과적으로 대중문화에서는 예술적인 가치·통합성·진지함·진솔함·현실성·지적인 깊이 그리고 내러티브의 힘 등과 같은 질적 요소들이 손상되는 경향이 있다.

2) 예술과 대중문화 구별의 와해

포스트모더니즘이 갖는 내용과 스타일의 특징을 받아들인다면 포스트모더니즘 문화에서는 무엇이든지 스타일과 시뮬레이션, 그리고 외양이 절충적으로 결합되어 결국 하나의 농담이나 참조 또는 인용이 되어버린다. 이제 더 이상 예술을 대중문화로부터 구별하는 데 도움이 될 신성한 분리 기준이 존재하지 않는다. 이를 대중문화가 종국적으로는 고급문화를 전복시킬 것이라고 주장하는 종래의 대중문화 비판론자들의 주장과 비교하여 볼 때, 유일한 차이점이 있다면 일부 포스트모더니즘 이론가들은 이러한 변화에 대하여 낙관적인 반면에 대중문화 비판론자들은 회의적이라는 것뿐이다. 레오나르도 다빈치의 유명한 〈모나리자〉를 이미지로 처리한 앤디 워홀(Andy Warhol)의 판화작품은 포스트모더니즘 이론이 구체화된 좋은 본보기라고 할 수 있다. 이 판화에서 워홀은 실크스크린 기법을 사용하여 다빈치의 원작을 무한히 재생산할 수 있음을 보여줌으로써 모나리자가 가지는 독특함과 예술적인 아우라를 파괴한다. 워홀이 캠벨표 수프 깡통이나 코카콜라 병 또는 달러 지폐와 같이 소비자

앤디 워홀의 〈메릴린 먼로〉

들이 일상적으로 대하는 사물뿐만 아니라 메릴린 먼로와 엘비스 프레슬리와 같은 유명한 대중문화 아이콘들을 대상으로 한 판화작업을 통하여 명성을 획득했다는 사실이다. 이러한 예가 제시하는 의미 중 한 가지는 예술이 점점 더 경제 안으로 통합된다는 것이다. 이러한 예술의 경제로의 통합은 우선, 광고에 이용되곤 하는 예술의 기능이 그것의 본래적인 기능을 넘어 확대되어 사람들의 소비를 부추기는 기능을 수행함으로써 나타나며, 예술작품 자체가 상품화됨으로써 또한 이루어진다.

3) 시간과 공간의 혼동

매스미디어의 지배력은 전 지구의 공간과 시간을 밀착시키는데, 이는 우리가 지금까지 유지해온 공간과 시간에 대한 통합적이고 일관성 있는 생각들이 손상되고 왜곡되며 혼동됨을 의미한다. 신속한 자본·돈·정보 그리고 문화의 국제적 흐름은 시간의 선형적 통합성과 종래의 지리적 거리감을 혼란시킨다. 근대 매스커뮤니케이션의 속도가 빨라지고 그 영역이 확장되는 동시에 사람들과 정보가 더욱 빠르고 쉽게 이동할 수 있게 되면서, 시간과 공간에 대한 개념은 불안정해지고 난해해지는 반면에 더욱 혼동되어 종잡을 수 없게 된다. 포스트모더니즘 대중문화는 이러한 혼동과 왜곡을 표현하는 것으로 보이며, 따라서 조리가 맞는 공간이나 시간관념을 반영한 것 같지 않다.

4) 메타내러티브의 몰락

오늘날 우리는 일관성 있게 지속되는 선형적 '내러티브', 즉 뚜렷하게 사건들이 이어지는 연속으로의 역사 개념이 점차 상실되고 있음을 보게 되는데 이는 바로 포스트모던 세계에서 메타내러티브(metanarratives)가 몰락하고 있다는 주장과 같은 것이다. 지금까지 종교·과학·예술·모더니즘 그리고 마르크시즘 등의 메타내러티브들은 지식과 진리의 절대성·보편성 그리고 포용성 등을 주장한다. 그런데 포스트모더니즘에서는 이러한 메타내러티브에 대하여 매우 회의적이며 이러한 것들은 비판되어야 한다고 본다. 포스트모던 세계에서 이러한 메타내러티브들은 붕괴되고 그 타당성과 정통성은 몰락의 길로 들어선다. 결과적으로 포스트모더니즘은 절대 지식을 추구하는 어떠한 이론적 주장이나 보편타당성에 근거하는 어떠한 사회적 실천도 거부한다. 자연과학 분야에서도, 결정론적이고 절대적인 메타내러티브로부터 벗어나서 좀 더 진리의 우연성과 개연성을 주장하는 방향으로 나아가려는 움직임[10]이 있다.

5) 영화

포스트모더니스트들의 논의는 분명히 시각적인 것에 관심을 표명한다. 그중에서도 내용·등장인물·본질·내러티브 그리고 사회적 논평보다는 스타일·스펙터클한 것·특수효과 그리고 특히 이미지를 두드러지게 강조하는 영화들에서 포스트모더니즘의 특징을 찾을 수 있다. 이를 잘 나타내는 영화로는 〈딕 트레이시(Dick Tracey)〉(1990)와 〈나인하프위크(9 ½Weeks)〉(1986)를 들 수 있다. 〈인디아나 존스(Indiana Jones)〉(1981, 1984, 1989, 2008)나 〈백투더퓨처(Back to the Future)〉(1985, 1989, 1990) 시리즈와 같이 스티븐 스필버그(Steven Spielberg)와 그의 팀이 감독하고 제작한 영화들 또한 마찬가지로 포스트모더니즘적인 요소들을 드러내고 있는 것이다. 왜냐하면 이 영화들이 참조하는 주요 특징들 그리고 가장 빈번히 인용되는 자료는 바로 만화영화·B급 공상과학영화, 그리고 스필버그 세대가 어린 시절에 많이 보았던 모험영화 시리즈 등과 같은 초기 대중문화 형식들이기 때문이다. 이들 영화가 강조하는 것은 교묘한 이야기

영화 〈인디아나 존스〉

줄거리와 등장인물들의 심리변화를 둘러싼 복잡성과 미묘한 뉘앙스보다는 정교한 테크놀로지의 장면과 엄청난 추격 장면들을 이용한 시각적으로 재미있는 볼거리와 액션이다.

포스트모더니즘 영화는 고전적 리얼리즘에서 요구되는 내러티브의 중요성을 점점 더 중시한다고 한다. 더구나 〈백투더퓨처〉 시리즈, 〈브라질(Brazil)〉(1985)이나 〈블루벨벳(Blue Velvet)〉(1986)과 같은 영화들은 서로 다른 시공간을 넘나드는 표현방식을 취하며 이 때문에 포스트모더니즘 영화라고 한다. 한편 〈보디히트(Body Heat)〉(1981) 같은 영화들은 1940년대의 범죄 스릴러를 재생하여 이용하기 때문에 과거 영화에 기생한다고 하여 또 포스트모던하다고 본다. 이런 까닭에 이런 영화들은 '레트로-노스탤지어(retro-nostalgia)'의 영화로 분류된다. 또한 어떻게 하면 흥행에 엄청나게 성공할 수 있는가를 알게 되자 만들어진, 〈록키(Rocky)〉의 속편들(1979, 1982, 1985, 1990, 2006, 2015)이나 〈람보(Rambo)〉의 수많은 속편들(1985, 1988, 2008), 그리고 이와 유사한 방식으로 제작된 다른 영화들의 많은 속편들처럼 그 영화 자체를 재생 이용하는 영화들을 또한 포스트모던하다고 할 수 있다. 이러한 경향을 포스트모던하다고 주장하는 근거는 부분적으로, 그러한 제작경향이 모더니즘이 요구하는 예술적인 창조성이나 독창성을 무시하기 때문이다. 하지만 이보다 더 중요한 이유는 이러한 경향이 사회현실을 반영하는 영화를 만들기보다는 단순히 다른 영화를 모방하는 영화를 만들어내어 단지 얼마 지나지 않은 과거를 재생할 뿐, 그 이상은 아무것도 아닌 영화[11]이기 때문이다.

3. 21세기와 한국영화의 르네상스

할리우드 영화가 전 세계를 시장으로 하고 있듯이 대한민국의 대중문화는 아시아전역을 석권하고 있다. 특히 1990년대 말 K팝으로 시작된 열풍은 '한류'라는 용어를 만들어냈고, 대만과 중국을 중심으로 광풍으로 확산되었다. 이러한 열기는 TV드라마 〈겨울연가〉가 일본의 중년 여성 청취자들을 휘어잡자 일본, 중국은 물론이고 아시아 전역으로 광풍이 몰려갔다. 2000년대 말 아이돌 가수 소녀시대·원더걸스, 그리고 카라의 대중가요가 큰 인기를 끌자 한국의 대중문화는 아시아를 넘어서서 전 세계로 퍼져나가게 된다.

'한류'는 1999년에 중국 언론에서 사용하기 시작한 신조어로 2000년 2월, H.O.T의 중국 베이징공연이 중국 젊은이들 사이에 선풍적인 인기를 모으면서 젊은이들이 열광하자 중국 언론매체들이 '한류'라는 용어를 처음으로 사용하고 우리나라 언론이 이 용어를 다시 옮겨와서 사용하자, 세계적으로 널리 공인된 용어가 되었다. 〈별은 내 가슴에〉 이후 〈사랑이 뭐길래〉가 대만에서 선풍적인 인기를 끌고 그 여세를 몰아 중국에서까지 큰 호응을 얻게 되자, '한류'는 잠시 지나가는 미풍이 아니라 강풍으로 아시아를 강타하게 된다. 중국에서는 '한국 팬'을 의미하는 '하한쭈(哈韓族)'와 '한국 마니아'를 뜻하는 '한미(韓迷)'라는 신조어도 생겨났다. 또한 '한류'는 '다른 문화가 매섭게 파고 든다'는 뜻의 '한류(寒流)'와 동음이의어이기도 하다. 최근의 한류는 '대중문화에 대한 열광'에서 나아가 "한국 문화·한국 상품·한국인 등 한국 자체를 동경하고 선호하는 현상"[12]으로 발전하고 있다.

영화 장르에서 대중문화가 아시아권으로 퍼져나가는 데 크게 기여한

영화로는 〈쉬리〉(1999)를 들 수 있다. 국내에서도 큰 인기를 끌었지만, 일본으로 수출되어 큰 반향을 불러일으켰다. 〈쉬리〉는 한국영화사에 큰 획을 그었다. 〈쉬리〉는 한국영화사에서 최초로 250만 명의 관객시대를 열었고(서울 기준), 상영일수로도 2,633일이라는 진기록을 세웠다. 또 서울지역 외 전국 74개 극장에서 상영되어 한국영화사상 최대 상영극장 수를 기록했다. 이처럼 〈쉬리〉는 여러 기록을 갈아치우면서 1999년을 한국영화의 르네상스의 원년으로 삼게 한다.

1979년 대통령 시해사건에 이어 그 다음 해인 1980년에는 '서울의 봄'이 올 것으로 국민들과 언론은 기대했으나 12·12사태에 이어 비상계엄령의 전국 확대, 5·18광주민주화운동, 언론통폐합(1980.11.14), 제12대 대통령 취임식(1981.2.25) 등 짧은 기간이었지만 불행한 정치적 암흑기가 도래한다. 이 시기에 다른 대중문화도 위축되었겠지만, 한국영화는 빈사상태에 빠진다. 영화제작사 수의 연도별 현황을 이 시기부터 1999년까지를 정리해볼 때 1981년부터 1984년까지 4년 동안 영화제작자 수는 20개로 전혀 변화를 보이지 않아 완전폐업상태였음을 확인하게 된다. 그러다가 정치가 안정되고 경제가 활기를 띠면서 변화의 기운이 감지된다. '86아시안게임이 개최된 1986년의 경우, 전년 대비 128%가 증가하고, '88서울올림픽이 열린 1988년의 경우, 1986년 대비 260%의 신장을 거듭해 급격한 영화제작자의 수적 증가를 보여준다.

그러나 이런 증가추세도 서울올림픽의 성공적 개최와 이에 따른 파급효과가 효력을 상실하면서 1998년까지 10여 년 동안 110개 사 안팎을 오가며 제작사 수의 증감을 멈춘다.

오랜 기간 주춤하던 영화제작사 수가 1999년을 기해 1998년 대비 216.4%의 폭발적 증가를 보이며 367개 사로 급격하게 늘어나는데, 이런

수적 변화의 결정적 요인은 1999년 2월에 개봉한 〈쉬리〉의 250만 명 관객 동원에 힘입은 바 크다.[13] 이후 영화 제작사의 수는 매년 기하급수적으로 늘어나 다음 해인 2000년에는 1999년 대비 94.8%가 늘어나 거의 두 배 가까운 증가세를 보였고, 2004년 말 영화제작사 수는 1,375개 사로 1999년 대비 274.7%의 경이적인 증가세를 보인다. 이는 통계조사의 시작연도인 1981년을 기준으로 할 때 영화제작사 수가 23년 만에 약 68.8배 증가한 것이다.

〈표 1-3-1〉 한국 영화제작사 수의 연도별 현황

연도	1981	1982	1983	1984	1985	1986	1987	1988	1989	1990	1991	1992
제작자 수	20	20	20	20	25	57	72	90	96	102	100	106
연도	1993	1994	1995	1996	1997	1998	1999	2000	2001	2002	2003	2004
제작자 수	110	123	108	117	118	116	367	715	918	1,081	1,218	1,375

대한민국에서 영화 관람객 수는 1981년에 2,134만 6,232명으로 집계된 이후 1998년까지 침체를 벗어나지 못했다. 관람객 수는 약 57만 명이 늘어난 다음 해인 1982년을 제외하고는 1990년까지 8년 동안 계속해서 감소해 1990년 조사 첫해인 1981년의 절반수준인 1,000만 명 선에 머문다.[14] 1992년부터 1996년까지 1,000만 명을 밑돌던 관람객 수는 1997년부터 반등하여 1998년까지 2년 연속 1,200만 명 수준으로 회복된다.

〈쉬리〉가 250명 관객을 동원하던 1999년에 와서야 드디어 2천만 명을 넘어서게 되고 밀레니엄 시대의 첫해이자 〈공동경비구역 JSA〉가 250만 명의 관객(서울 기준)을 동원하던 2000년에는 2,188만 9,184명으로 증가한다. 아울러 한국의 누아르 〈친구〉가 약 258만 명의 관객(서울 기준)을 동원하던 2001년에는 4,481만 3,519명으로 관객이 거의 2배로 폭증하고

〈쉬리〉의 배우 한석규와 최민식

2002년에는 5천만 명을 넘어서는 관객 수를 기록하게 된다. 2003년에는 6,300만 명, 2004년에는 6,900만 명의 관객을 동원하여 지속적으로 관객이 증가했다. 2005년에는 1억 2,335만 2,059명으로 1억 관객시대를 맞이했고, 2013년에는 2억 1,334만 6,935명으로 2억 명의 관객을 돌파하는 쾌거를 이루었다. 2016년에는 3억 관객을 동원하는 것이 아닌가 기대를 불러일으켰으나, 총 관객 수는 2억 1,702만 6,182명에 그쳤다.

그러면 1999년을 기점으로 하여 한국영화가 르네상스를 맞이하게 된 계기와 요인은 무엇일까? 첫째, 스크린 수의 증가와 극장의 고급화 멀티플렉스화를 빼놓을 수 없다. 전국의 스크린 수는 한국영화의 전성기 후반에 해당하는 1971년의 717개를 정점으로 계속해서 감소하다가 1979년 시작된 오일쇼크와 1980년의 컬러TV 등장, 1981년 제5공화국의 탄생 등 극심한 정치 사회적 혼란이 겹쳐지면서 1981년 마침내 정점 대비 41.0%가 줄어든 423개로 스크린 수가 대폭 축소되어 영화시장 전체가 긴 동면에 들어간다. 이에 정부는 스크린 수가 404개로 가장 적었던

〈표 1-3-2〉 연도별 한국영화 관객 수와 점유율

연도	개봉편수	상영편수	매출액	관객수	점유율
2004	74	95	239,143,250,406	37,741,433	54.5%
2005	82	116	451,707,494,794	71,346,379	57.8%
2006	110	159	568,090,373,200	91,745,620	63.6%
2007	111	183	479,858,559,900	75,791,003	49.9%
2008	110	252	407,327,224,301	62,047,324	42.1%
2009	119	211	526,482,459,500	75,644,847	48.7%
2010	142	275	508,426,689,450	68,843,175	46.6%
2011	152	334	613,722,968,100	82,868,189	51.9%
2012	175	387	836,115,505,004	114,613,505	58.8%
2013	183	489	909,916,552,105	127,289,254	59.7%
2014	217	513	820,629,096,302	107,702,562	50.1%
2015	257	568	879,658,333,660	112,941,598	52.0%
2016	337	682	927,865,427,723	116,555,959	53.7%
합계	2,069	4,264	8,168,971,303,445	1,145,135,019	53.1%

자료: 영화진흥위원회

1982년 300석 이하의 소극장 설립을 신고제로 전환하고, 신고제에 힘입어 소극장이 늘어나면서 스크린 수도 점차 증가 추세로 돌아선다. 그러나 이런 증가 추세도 1990년 789개(소극장 544개 포함)의 스크린 수를 정점으로 다시 감소하기 시작해 1997년 497개(262개 소극장 포함)로 1990년의 62.9% 수준으로까지 감소한다.

이때 새로운 돌파구를 찾기 위한 본격적인 움직임이 시작되는데, 그것이 극장의 고급화와 멀티플렉스화 같은 새로운 유통 시스템의 도입이다. 홍콩의 골든하베스트와 호주의 빌리지 로드쇼, 한국의 제일제당(CJ)이 공동으로 출자한 CGV는 1998년 국내 최초의 멀티플렉스 극장 'CGV

〈표 1-3-3〉 연도별 대한민국 영화 관객 수와 매출액

연도	개봉편수	상영편수	매출액	관객 수
2004	280	300	440,728,906,206	69,254,626
2005	307	415	780,364,979,467	123,352,059
2006	351	481	892,442,138,000	144,256,035
2007	393	611	965,486,624,538	152,022,992
2008	380	800	961,453,297,251	147,428,639
2009	362	711	1,083,196,004,950	155,398,654
2010	429	792	1,157,254,738,250	147,759,214
2011	442	941	1,235,799,464,200	159,724,465
2012	641	1,227	1,455,140,354,435	194,890,587
2013	907	1,669	1,551,317,717,721	213,346,935
2014	1,095	1,947	1,664,220,374,660	215,067,760
2015	1,203	2,113	1,715,501,571,678	217,299,523
2016	1,573	2,583	1,743,194,424,370	217,026,182
합계	8,363	14,619	15,646,147,037,226	2,156,832,964

자료: 영화진흥위원회

강변 11'을 오픈하고, 롯데는 1999년 '롯데시네마 일산점'을, 동양그룹은 2000년 5월 동양 최대 규모의 멀티플렉스 영화관 '메가박스' 1호점 코엑스관을 개관한다. 이들 재벌기업에 의한 극장의 대형화·고급화·멀티플렉스화·지방화 사업은 스크린 수를 급격하게 늘어나게 해 1998년 507개이던 스크린 수가 한국영화 르네상스 원년인 1999년에는 599개로 18.1%가 증가하고, 2000년에는 720개, 2004년에는 1,451개로 98년 대비 각각 42.0%, 186.2%의 증가를 기록한다. 하지만 스크린 수의 증가가 영화상영관 수의 증가를 의미하지는 않는다. 다시 말해 2000년에서 2004년 사이 스크린 수는 720개에서 1,451개로 101.4% 늘었지만, 상영관 수

〈표 1-3-4〉 영화상영관 연도별 현황

연도	2000	2001	2002	2003	2004
상영관 수	376	354	310	280	302
스크린 수	720	829	977	1,132	1,451

자료: 박장순, 『문화콘텐츠학개론』, 75쪽

는 반대로 376개에서 302개로 19.7%가 줄어들었다. 이는 극장의 대형화·멀티플렉스화를 반증하는 자료이기도 하고, 영화상영관의 부익부 빈익빈의 모습을 보여주는 또 다른 증거이기도 하다. 하지만 스크린 수의 증가는 일반인들의 접근을 용이하게 함으로써 관객 수의 증가에 기여하는 호재로 작용한다.[15]

둘째, 노무현 정부와 이명박 정부, 그리고 박근혜 정부 등 일본과의 독도 영토분쟁과 위안부 배상 갈등, 중국의 동북공정 추진에 따른 외교 갈등 등으로 민족주의의 분위기가 고조되어 자국 영화, 즉 한국영화 관람의 물결이 밀려온 것도 영화관객을 끌어올리는 데 큰 기여를 하게 되었다. 여기에 편승하여 잘 만들어진 한국영화가 칸 영화제 등 국제영화제에서 감독상과 작품상을 수상하게 되어 관객몰이에 성공한 것도 큰 힘이 되었다.

아이엠픽처스가 제공한 '2006년 1월 영화시장 분석' 자료에 따르면, 1월 말 현재 서울 전체 관객 631만 870명 중 493만 6,970명이 한국영화를 관람해 관객점유율 78.2%를 기록한 것으로 나타난다. 이 수치는 2003년 12월과 2004년 2월에 각각 〈실미도〉(11,081,000명)와 〈태극기 휘날리며〉(관객수 11,746,135명)가 개봉하며 세웠던 한국영화 최고 점유율 87.7%에 이어 2000년 이후 두 번째로 높은 기록이다. 이는 〈왕의 남자〉와 〈투사부일체〉의 동반 흥행 성공 때문이다. 아이엠픽처스는 "〈왕의 남자〉와

〈투사부일체〉, 두 편의 한국영화가 전체 시장의 53.8% 점유율을 기록하며 한국영화 점유율 상승에 큰 역할을 했다"면서 반면 외화의 경우는 "이월작인 〈나니아 연대기: 사자, 마녀 그리고 옷장〉을 제외하고는 흥행에 성공한 작품이 없어 한국영화 점유율 상승에 영향을 미쳤다"[16]고 분석했다.

〈표 1-3-5〉 역대 박스오피스 순위(~2016, 관객 650만 이상)

순위	영화명	개봉일	매출액	관객 수	스크린 수		대표 국적	국적
				(S:서울 기준)	(S:서울 기준)			
1	명량	2014-07-30	135,748,398,910	17,613,682		1,587	한국	한국
2	국제시장	2014-12-17	110,913,469,630	14,257,115		966	한국	한국
3	아바타	2009-12-17	128,447,097,523	13,624,328		912	미국	미국
4	베테랑	2015-08-05	105,168,155,250	13,414,009		1,064	한국	한국
5	괴물	2006-07-27	66,716,104,300	13,019,740	S	167	한국	한국
6	도둑들	2012-07-25	93,665,568,500	12,983,330		1,072	한국	한국,홍콩
7	7번방의 선물	2013-01-23	91,431,914,670	12,811,206		787	한국	한국
8	암살	2015-07-22	98,463,132,781	12,705,700		1,519	한국	한국
9	광해, 왕이 된 남자	2012-09-13	88,900,208,769	12,319,542		810	한국	한국
10	왕의 남자	2005-12-29	66,015,436,400	12,302,831	S	94	한국	한국
11	태극기 휘날리며	2004-02-05		11,746,135	S	110	한국	한국
12	부산행	2016-07-20	93,178,283,048	11,565,479		1,788	한국	한국
13	해운대	2009-07-22	81,934,638,201	11,453,338		753	한국	한국
14	변호인	2013-12-18	82,871,759,300	11,374,610		923	한국	한국
15	실미도	2003-12-24		11,081,000	S	83	한국	한국
16	어벤져스: 에이지 오브 울트론	2015-04-23	88,582,586,366	10,494,499		1,843	미국	미국
17	겨울왕국	2014-01-16	82,461,504,400	10,296,101		1,010	미국	미국
18	인터스텔라	2014-11-06	82,291,089,200	10,275,484		1,342	미국	미국,영국

19	검사외전	2016-02-03	77,319,445,264	9,707,158		1,812	한국	한국
20	설국열차	2013-08-01	67,010,077,500	9,349,991		1,128	한국	한국
21	관상	2013-09-11	66,005,451,500	9,134,586		1,190	한국	한국
22	아이언맨 3	2013-04-25	70,806,191,000	9,001,309		1,381	미국	미국
23	캡틴 아메리카: 시빌 워	2016-04-27	72,672,111,827	8,677,249		1,990	미국	미국
24	해적: 바다로 간 산적	2014-08-06	66,370,682,706	8,666,046		838	한국	한국
25	수상한 그녀	2014-01-22	62,696,639,249	8,656,397		692	한국	한국
26	국가대표	2009-07-29	60,896,633,308	8,487,894		580	한국	한국
27	디워	2007-08-01	49,340,084,700	8,426,973		622	한국	한국
28	과속스캔들	2008-12-03	53,940,101,534	8,245,523		405	한국	한국
29	웰컴 투 동막골	2005-08-04	40,329,355,500	6,436,900		356	한국	한국
30	트랜스포머 3	2011-06-29	74,841,350,500	7,784,807		1,409	미국	미국
31	히말라야	2015-12-16	60,173,306,015	7,759,431		1,009	한국	한국
32	미션임파서블: 고스트프로토콜	2011-12-15	57,795,846,000	7,575,899		1,038	미국	미국
33	트랜스포머: 패자의 역습	2009-06-24	51,478,531,663	7,505,700		1,129	미국	미국
34	최종병기 활	2011-08-10	55,827,861,500	7,470,633		615	한국	한국
35	트랜스포머	2007-06-28	47,710,604,338	7,440,531		863	미국	미국
36	써니	2011-05-04	54,034,235,100	7,362,467		472	한국	한국
37	베를린	2013-01-30	52,354,931,637	7,166,199		894	한국	한국
38	터널	2016-08-10	57,529,484,417	7,120,508		1,105	한국	한국
39	어벤져스	2012-04-26	59,557,853,478	7,074,867		967	미국	미국
40	내부자들	2015-11-19	56,598,076,057	7,072,015		1,075	한국	한국
41	인천상륙작전	2016-07-27	54,634,785,603	6,987,967		1,049	한국	한국
42	은밀하게 위대하게	2013-06-05	48,700,887,413	6,959,083		1,341	한국	한국
43	곡성	2016-05-12	55,848,623,882	6,878,091		1,485	한국	한국
44	화려한 휴가	2007-07-25	44,098,824,600	6,855,433		1,485	한국	한국
45	좋은 놈, 나쁜 놈, 이상한 놈	2008-07-17	43,768,628,939	6,686,912		825	한국	한국
46	늑대소년	2012-10-31	46,593,107,500	6,654,837		706	한국	한국
47	미녀는 괴로워	2006-12-14	36,292,848,900	6,619,498		418	한국	한국

제 II 부
영화로
바라본
한국
사회문화사

제1장

자유연애와 불신시대에 대한 저항

—— 1950년대 사회현실과 〈자유부인〉

1. 전쟁의 상흔과 서구문화의 범람

3년 1개월간 계속된 한국전쟁은 쌍방에서 약 150만 명의 사망자와 360만 명의 부상자를 내고 한반도 전체를 거의 초토화한 채, 끝이 났다. 한국전쟁의 과정은 4단계로 나눌 수 있다.[1] 제1단계는 초기 인민군의 총공격으로 대구와 부산 일원을 제외한 전 국토가 그 점령 아래 들어간 시기이다. 인민군은 개전 4일 만에 서울을 점령했고(6.28), 이어 급파된 미군의 제24사단과 싸워 대전을 점령했다(7.20). 이후 인민군의 공격은 계속되어 8월과 9월 사이에는 경주·영천·대구·창녕·마산을 연결하는 경상남북도의 일부만을 남긴 전체 국토를 점령했다.[2]

제2단계는 대구와 부산을 근거지로 하여 반격전을 벌이던 유엔군이 인천상륙(1950.9.15)을 계기로 전세를 일시에 뒤집어 서울을 탈환하고(9.28) 38선을 넘어(9.30) 평양을 점령한(10.19) 후 계속 진격하여 한중 국경선 근처인 박천·태천·운산·희천·이원을 잇는 선까지 나아가고, 그 일부가 압록강변의 초산까지 진격하는(10.26) 기간이다.[3]

전쟁의 제3단계는 중공군의 개입으로 전세가 다시 뒤집혀서 유엔군이 전체 전선에서 총 퇴각하여 평양(12.4), 흥남(12.24), 서울(1951.1.4)에서 차례로 철수하고 오산 근처까지 후퇴했다가 반격에 나서 서울을 다시 수복하고(3.14) 38선을 다시 넘어(3.24) 중부전선의 요지 철원·김화 등을 점령했으나(6.11) 비밀리에 공군을 참전시키고 있던 소련의 유엔대사 말리크가 휴전을 제기함으로써(6.23) 휴전교섭으로 들어간 때까지이다.[4]

전쟁의 제4단계는 휴전회담의 진행과정과 휴전협정 성립 과정이다. 소련 유엔대표 말리크의 휴전제의를 미국 측이 즉각 받아들임으로써 불과 15일 만에 예비회담이 개성에서 개최되고 이어 본회의(1951.7.10)가 속개되었다. 회담의 초점은 비무장지대 설치를 위한 군사경계선 설정문제, 휴전실시를 위한 감시기관 구성 문제, 포로교환 문제 등이었다.[5]

휴전회담 의제 중 휴전선 문제는 공산군 측이 38선을 주장한 데 반해 그보다 북진하고 있었던 유엔군 측은 양군의 '접촉선'을 주장하여 맞섰다가 결국 공산군 측이 접촉선에 동의하여 타결되었다(1951.10.31). 휴전회담의 최대 난관은 포로교환 문제였다. 유엔군 측이 제출한 인민군과 중공군의 포로 수는 13만 2,474명이었고, 공산군 측이 제출한 한국군 및 유엔군의 포로 수는 1만 1,559명이었다. 인민군이 점령한 38선 이남지역에서 의용군으로 동원된 사람들이 섞인 이들 포로들 중에는 송환을 원하지 않는 사람이 많았다. 공산군 측은 모든 포로가 그 본국으로 돌아가야 한다고 맞서서 회담이 난항에 빠졌다.[6]

그러나 공산군 측이 일단 포로들의 자유의사를 확인하는 데 동의하여

회담이 속개되었다. 유엔군 측이 공산군 포로들의 자유의사를 물은 결과 송환 희망자가 8만 3천 명이었다. 이에 대해 공산군측은 그 자유의사를 믿을 수 없다 하여 다시 회담은 중단되고 전투는 치열해졌다.

중단상태에 빠졌던 휴전회담이 미국에서의 정권교체, 소련에서의 스탈린의 죽음(1953.3.5) 등 국제정치적 변화를 겪고, 공산군 측의 회담재개 제안과 부상병 포로 교환협정이 이루어지면서 재개되었다(4.26). 그러나 휴전회담이 진전될수록 이승만 정권의 반대운동도 격화되었다. 여러 가지 방안으로 미국은 이승만을 설득했으나 휴전회담에서 포로송환협정이 서명되자 일방적으로 2만 5천 명의 반공포로를 석방하여(6.18) 세상을 놀라게 했다. 반공포로 석방으로 휴전회담은 또 한번 위기를 맞을 뻔했으나 미국 측의 적극적인 자세와 공산군 측의 동의로 마침내 휴전협정이 체결되었다(1953.7.27).[7] 이보다 앞서 미국은 한미상호안전보장조약의 체결, 장기간의 경제원조, 한국군의 증강 등을 조건으로 이승만의 휴전동의를 얻었다.

한국전쟁의 후유증은 매우 컸다. 우선 첫째, 인간정신의 황폐화를 가져왔다. 생존 자체를 최우선시하는 현실은 인간을 동물의 수준으로까지 내몰았다. 그 외에도 모든 것이 폐허상태가 됨으로써 먹고 사는 방법 모색이 쉽지 않았다. 소문과 루머가 실제와 다르게 퍼져나가고 진실과 거짓이 혼동되는 사회로 나아가게 되었다. 누구나 생존을 위해 소위 '빽'이라는 뒷배경을 잡으려고 노력하게 되었다. 그 '빽'의 근원은 관료주의의 폐단과 미군에 의존하는 외세지배의 분위기를 형성하게 되었다.

둘째, 한국전쟁은 이데올로기 갈등을 유발하게 되었고, 분단상황을 고착화시켰다. 종전이 되자 남한의 경우, 반공을 국시로 내세워 매카시즘의 광풍이 불었다. 이승만 정권의 정권유지를 위해 야당을 탄압하는 등 억압적인 정치 환경이 조성되었다. 이러한 폭압정치는 획일적인 문화를 양산하게 되었다. 반공을 빌미로 검열이 공공연하게 이루어졌고, 자유롭고 창의적인 창작 환경은 배제되기 일쑤였다. 기형화되는 정치 환경은 불신시대를 유발하였고 부패가 만연하는 사회가 생성되었다. 한국전쟁이 가져다준 분단상황은 70여 년이 흐른 지금도 지속되고 있다.

셋째, 한국전쟁은 국토의 폐허화와 극한적인 빈궁을 유발하였으며, 미국의 원조를 바탕으로 한 예속자본과 관료자본이 사회경제구조를 형성하게 만들었다. 전쟁고아들이 거리의 걸인으로 돌아다니면서 미군 부대 근처에서 동냥을 일삼는 모습은 종전 후 쉽게 볼 수 있는 장면이었다. 1950년대를 사실적으로 묘사했던 박수근의 〈판잣집〉, 〈아기 업은 소녀〉, 〈아기 업은 소녀와 아이들〉을 보면 당시의 빈궁의 상황을 대체적으로 파악할 수 있다.

소설가 박완서가 서양화가 박수근을 만나게 된 계기를 쓴 글을 인용해 보면 당시의 미군 중심의 원조가 한국사회에 어떠한 영향을 미치고 있었는가를 알 수 있다.

> 서울의 번화가는 거의 폐허가 되었고 한강 이남의 피난민의 도강은 엄격히 금지되어 있어 온전한 주택가도 텅텅 비어 있었다. 직장이 있을 리 없었다. 그 일대의 큰 건물들이 다 불타고 파괴된 가운데 오직 그 건물만이 온전했다. 그러나 비록 폐허가 됐을망정 PX에서 흘러나오는 미군 물자와 PX를 드나드는 미군을 상대로 한 장사로 그 일대는 딴 세상처럼 화려했고 시끌시끌한 활기에 넘치고 있었다. 장사꾼뿐 아니라 오물을 한 깡통씩 들고 다니며 PX걸을 협박해서 돈을 구걸하기도 하고, 미군의 소지품을 슬쩍 하기도 하며 눈을 찡긋해가면서 "넘버원 색시 해브 예스 오케이?" 하기도 하는 거지와 소매치기와 뚜쟁이를 겸한 소년들의 중심지이기도 했다. 그때 전쟁의 불안과 가난에 찌든 우리가 밖에

서 보기에 PX야말로 별세계였다. 알리바바의 동굴처럼 들어가기가 어려워서 그렇지 일단 들어가기만 하면 온갖 진기한 보물이 널려 있는 꿈의 보고였다.[8]

이러한 미군 PX를 통해 흘러나온 서양 생필품들은 남대문 시장의 거리 상인들을 통해 활발하게 유통되었다. 한형모 감독의 영화 〈자유부인〉(1956)에서 여주인공 선영은 서양 제품들을 파는 양품점의 지배인쯤으로 취업하는데, 그곳에서 유통되는 거의 대다수의 외제 제품들은 이러한 미군 PX를 통해 흘러나오거나 밀수를 통해 수입된 제품들이었다. 좋은 제품을 구입해주겠다고 유혹하여 큰돈을 받고는 모른 척하다가 경찰에 체포되는 사기꾼 무역회사 사장 또한 이러한 미국의 원조를 바탕으로 한 예속자본과 연줄이 있는 것처럼 위장한 인물인 것이다.

넷째, 미국의 원조품으로 생활해가던 1950년대 한국인들에게 심어준 꿈은 아메리칸드림이었고 외제에 대한 선호도도 매우 높았다. 특히 여성들의 경우, 댄스홀 출입, 외제 화장품 사용, 고급 외제 가방이나 향수에 대한 선호, 미국영화 취향의 증대 등 서구적 물신의 노예가 되어간다. 전쟁의 상흔은 전통적 가치를 몰아내고, 그 자리에 근대적 가치로 위장한 서양적인 것의 욕망으로 채워진다. 특히 미국영화의 유입은 여성들의 물신화와 욕망의 분출을 더욱 자극하게 된다. 현실과 동떨어진 달콤한 낭만의 향연에 빠져들어 서구문화를 꿈꾸고 그러한 거품에 몸을 내맡기게 되는 것이다.

2. 상업신문의 등장과 신문연재소설의 인기

전쟁은 전 국토의 황폐화를 가져왔고 난민들의 생활의 피폐화를 유발했지만, 종전이 되자, 교육에 대한 소중함을 인식하고 배움에 대한 열풍이 불어오게 된다. 상층계층으로 진입하기 위해서는 관료제하의 기득권계층과 연고가 있거나 배움을 통해 단계적인 신분상승을 꾀해야 한다는 경험이 생긴 것이다. 교육의 증대는 언론이 크게 신장되는 데에 혁혁한 공로를 세우게 된다. 언론계에서는 1950년대를 '신문의 연대'라고 부를 정도이다. 식자층이 크게 늘어나자 신문 구독층이 증대된 것이다.

1950년대는 학생 수·교원 수·취학률 등에 급격한 신장을 보인 시기였다. 취학률의 경우 1940년도에 31.75%였으나 1945년도에는 64%, 1950년 전쟁 직전에는 81.8%로 급증했으며, 전쟁으로 일시 감소했다가 1954년에는 전쟁 이전 수준을 회복하였고, 1960년에는 95.3%에 이르렀다. 1950년대에는 해방 직후 어떤 정책보다도 선행해서 이루어진 의무교육제도의 보급과 국민의 높은 교육열의 영향으로 식자층이 급증하는 계기가 되었고, 그에 따라 신문의 독자도 증가[9]하게 되었다.

1950년대에는 신문들의 지면 또한 급격하게 증가했다. 이러한 점도 신문소설 독자층의 확충에 주된 요인으로 작용했다. 당시 각 신문의 증면은 대체로 세 차례에 걸쳐 이루어졌다. 1955년 1월에 각 신문들은 2면에서 4면으로 증면되었고, 1958년 후반에는 6면으로 증면되었다. 1959년 전반기에 이르러서는 주요 신문기업들은 조·석간 8면을 발행하기에 이르렀다. 1950년의 경우 일간신문은 지방지를 포함하여 40여 개 수준을 유지했다. 전쟁 이후 약간 감소하긴 했지만, 주요 신문의 발행부수가 증가하였으므로 신문 발행상황은 악화된 것이 아니었다. 이 가운데 유력한 중앙일간지는 『동아일보』·『조선일보』·『경향신문』·『서울신문』·『한국일보』 등 5개 정도를 꼽을 수 있지만, 대구에서 간행된 『매일신문』 등도 무시할 수 없는 영향력을 끼쳤다.

1950년대 신문의 연간 총 발행부수는 대략 50만 부에서 80만 부 내외로 추산된다. "이를 기준으로 당시의 가구당 보급률을 살펴보면, 13.15%에서 18.24% 정도이고, 인구 100명당 2.3부에서 3.2부 수준으로 유네스코(UNESCO)가 정한 개발도상국의 최저 보급 기준인 인구 100명당 10부에 훨씬 미치지 못했다."[10] 하지만 당시의 독자 수가 발행부수보다 훨씬 더 많았을 것으로 추정된다. "한국의 어느 도시에서나 흔히 볼 수 있는 광경의 하나는 신문사 게시판에 붙여놓은 그날 신문을 읽으려고 군중이 모여 있는 것"이라거나 "시골에 가 보면 어느 신문이 몇 년 전에 어떤 걸 썼다는 걸 아는 사람들이 많아요. 신문에 글 난 것을 오려가지고 있는 사람들이 많단 말씀이에요. 우리나라의 신문 발행부수가 아직 100만 부가 못되는 것같이 들었는데, 우리나라에서는 한 장 가지고 몇 사람씩 돌아간다고 생각할 수 있을 것이에요"[11]라는 등의 언급은 그것을 확인해준다. 신문 발행부수가 독자 수보다 오히려 많은 근래의 경향과는 전혀 다른 환경이었다는 것이다.

또한 독자의 대도시 편중은 지금보다 훨씬 심했다고 할 수 있다. 당시는 농어촌에서 대중매체를 접하기가 쉽지 않았다. 1958년 농촌의 매체 접촉상황을 보면 조사 대상 가구 609호 가운데 일간지 구독 103호(16.8%), 잡지 구독 146호(24%), 라디오 소유 25호(4.1%) 등으로 나타났다. 특히 신문의 경우 주간지를 구독하는 6호까지 합쳐 109호인 반면, 미구독인 경우 503호(83%)에 달했다. 당시는 농촌인구가 더 많았던 점에 미루어볼 때, 농촌가구의 83%가 신문을 전혀 구독하지 않았음은 신문의

〈표 2-1-1〉 1958년 농촌의 매체 접촉 상황(대상 : 609가구)

매체	접촉 상황	호수	비율(%)
신문구독	미구독	503	83
	일간지	103	
	주간지	6	
잡지구독	미구독	463	74
	구독	146	
라디오 소유	미소유	584	96
	1대 소유	25	
국내외 소식의 청취	듣지 못한다	54	9
	신문	126	21
	라디오	28	5
	잡지	57	9
	타인으로부터	344	56

자료: 김영희, 2003, 324쪽

수용자들이 대부분 도시민이었음을 확인해주는 것이라고 할 수 있다.

이러한 조사에서 두 가지 점을 확인할 수 있다. 하나는 대중매체 접촉에 열악한 농촌의 상황을 알게 해주기도 하지만, 당시 신문의 영향력이 컸다는 점도 파악할 수 있게 된다. 다른 하나는 당시 농촌인구의 상당수가 문맹자임을 확인할 수 있다. 글을 읽지 못하기 때문에 신문을 구독할 수 없었을 것임을 알 수 있다. 그런데 정부의 역할이 아무것도 없었음도 동시에 확인하게 된다. 문맹률을 낮추는 정책이 요구되었지만, 별다른 조치를 취하지 않았다는 점은 비판받아야 할 점이다. 또 신문을 읽지 못하는 상황이라면, 그 대신 라디오의 보급률을 높여야 했지만 그나마도 여의치 않았던 것으로 생각된다. 식민지를 청산하고 국내 산업을 추스르고 중흥시키는 것이 단시일 내에 이루어질 수 없기 때문이다.

당시 신문사의 운영은 오늘날과는 달리 광고수입보다는 신문 판매수입의 비중이 훨씬 높았음에 주목할 필요가 있다. "당시 1등 신문이었던 『동아일보』만 하더라도 (…) 1959년에 18억 환의 수익을 올리는 등 제법 장사를 잘하고 있었지만, 광고수입이 30% 전후로 신문 판매수입에 크게 의존하고 있었다"[12]는 것이다. 신문판매량에 따라 그 운영이 좌우되는 형편이었으니 신문판매고를 높이기 위한 방안 모색에 신문사가 골몰했을 것임은 쉽게 짐작할 수 있다.

1950년대의 또 다른 특징은 언론의 상업주의적 경향이 발양되기 시작했다는 것이다. 물론 그 중심에는 신문사가 있었다.

> 한국언론기관에 상업주의가 비롯된 시기는 1950년대라고 할 수 있다. 이 시기에는 전파매체가 아직 발달하지 못했기 때문에 주로 신문매체를 중심으로 상업주의가 움트기 시작했다. 또한 1950년대는 한국동란의 종결과 함께 한국사회의 구조적 전환기이며 동시에 서구문화가 도입된 시기로, 근대화와 서구화에 대한 시대적 요청이 커지고 도시의 인구집중으로 말미암아 대중사회, 대량생산이 움튼 시기였다. 이때에 창간된 신문들은 정치지향성을 탈피하여 신변잡기와 퀴즈 등으로 채워진 일요판과 부록 등 서비스 페이지를 중심으로 전통 있는 신문을 누르고 경이적인 발행부수를 기록하게 되었다. 따라서 여타 신문들도 대중의 기호에 알맞은 방향으로 편집을 전환해나갔다. 이와 같이 상업주의 경향은 언론사적인 측면에서 당연히 거쳐야 할 과정이었으며 기업과 편집의 양면에서 현대적인 체질 개선을 이룬 것이다.[13]

이러한 지적은 사회 구조적인 변동과 관련하여 신문매체의 상업주의, 즉 신문사의 사기업적 성격을 설명하고 있다. 이 시기를 '대중사회가 움튼 시기'로 규정한 점도 주목할 만하다. 당시 창간된 신문은 『한국일보』로, 『한국일보』 창간은 "1950년대 한국 상업주의 신문의 대두를 상징적으로 보여주는 현상"[14]이었다.

이렇게 신문의 영향력이 커진 가운데 도시민들 중심의 독자층이 형성되었다는 점, 신문 판매수입에 신문사들이 의존할 수밖에 없었다는 점, 상업주의적 경향이 노골화되었다는 점 등은 신문소설의 환경과 관련하여 매우 중요한 부분들이다. 독자들이 도시민 중심이었다는 점은 당시 신문소설에서 대도시의 세태가 주로 그려진 점과 밀접한 관련이 있을 것이고, 신문 판매수익에 의존한 점은 신문소설의 구독자확보 여부에 좌우되는 운명이었음을 보여준다.[15]

정비석의 『자유부인』은 신문소설의 한 획을 그은 작품이다. 신문사의 신문 판매수입 의존도가 절대적인 시기에 정비석은 사회적으로 큰 반향을 일으켰다. 정비석은 "『자유부인』을 연재하는 동안에는 『서울신문』의 부수가 기하급수적으로 불어나다가 연재가 종결됨과 동시에 5만 2천 부 이상이 일시에 격감되었다"[16]고 언급한 바 있는데, 1954년 『서울신문』 발행부수가 6만 3천 부였음을 감안하면 엄청난 영향력이었다. 이는 신문의 상업주의를 본격화하는 또 하나의 계기로 작용하였다. "『자유부인』의 놀라운 대중적 반향을 접한 이후 신문의 경영주 측은 새삼 신문소설의 위력을 실감하게 되었고 마침내는 기왕의 연재소설을 십분 활용해 판매고를 올려보자는 계산에까지 이르게 되어 이제 신문사 측은 아예 신문연재소설의 가장 중요한 기능은 자사 발행 신문의 판매고 신장이라는 등식을 내세우게 되었"던 것이다.[17]

1957년에 있었던 '문학과 신문문화면'이라는 좌담회는 신문소설에 대한 당시의 인식을 잘 보여준다. 이헌구의 사회로 진행된 이 좌담회에는 이희승·정인섭·김이석·이무영·안수길·모윤숙·이인석·주요섭·이하윤·송지영·김용호가 참석하였다. 당시 신문을 '상업신문'으로 규정한 송

영화 〈자유부인〉 전단지

지영은 다음과 같이 말했다.

> 일부 관능적이라 하는 것은 신문발행자에게 책임이 있다고 생각합니다. 신문소설이 독자에게 주는 영향이라는 것은 신문 발행 수에 비해 볼 때에 논설의 위치보다도 중요한 것입니다. 신문소설이 관능적으로 들어가면 들어갈수록 독자가 많아진다고 생각합니다. 발행인이 이 신문을 많이 팔기 위해서 될 수 있으면 그런 것을 써달라고 하는데 이렇게 나간다면 신문 본래의 사명이 어데 있는 것인지? 이런 것을 발행인이 조장하는 경향이 없지 않아 있습니다.[18]

신문발행인이 신문을 많이 팔기 위해서 관능적인 소설을 써달라고 부탁한다는 것이다. 송지영은 독자의 수가 신문소설이 재미없다고 해서 줄어든다는 것은 기우가 아니냐는 정인섭의 질문에 "우리나라에서는 절대 영향이 있다"고 단정했다.[19] 이 좌담회에서 안수길은 "신문소설이라는 것이 결국 문화부에 소속되어 있는 것이 아니고 판매부에 소속되어 있어 가지고 판매부가 독자에게서 어떤 여론이나 통계를 냈는지를 모르겠지만, 어떤 소설은 싣다 보니까 재미가 없다고 해서 중간에서 끊는다든지 이런 짓을 한다고 발언[20]한다.

이러한 상업성을 충족시키지 못하는 소설은 연재 도중에 중단되기도 했다. 1950년대 중반 김팔봉이 『서울신문』에 역사소설 『군웅(群雄)』을 연재하다가 일방적으로 집필을 거부당해 작가와 신문사 간에 공방이 오갔던 사건은 상업성과 관련한 연재중단의 대표적인 예라고 할 수 있다.

신문사에서는 신문 판매수입에 크게 의존하고 있었고, 신문소설의 영향력을 익히 감지하고 있었기 때문에 인기 작가를 연재작가로 유치하려고 심혈을 기울였다. 『한국일보』가 그런 의도에 따라 전략적으로 창간 직후 염상섭을 연재소설의 필자로 끌어들였음은 그것을 입증한다.

> 『한국일보』의 새출발을 빛내기 위하여 연재소설에 횡보 염상섭(橫步 廉想涉) 씨가 『미망인(未亡人)』을 집필 되어, 오는 16일자부터 게재합니다. 염상섭 씨는 이미 다 아는 우리 문단의 거장, 최근에 해군 현역을 물러나 앞으로는 오직 문학창작에만 정열을 기울이기로 한 후 그 첫 번 작품인 만큼 반드시 천의무봉(天衣無縫)의 문제작이 나올 것을 기대하여 의심치 않습니다.[21]

해군에서 전역하여 쓰는 첫 작품이며 천의무봉의 문제작을 기대한다고 했지만, 『미망인』에 대한 독자들의 반응은 그리 좋은 편이 아니었다. 염상섭은 이 소설을 연재하면서 "독자의 쾌락이나 비위를 맞추어서 여러분이 손뼉을 치며 깔깔대는 그런 재롱감의 소설을 쓰려는 생각은 없다"[22]고 말하였다. 독자에게 영합하여 흥미 위주로 작품을 전개하는 것을 배격하고 참된 문학작품을 쓰고자 했던 것이다. 진지하고 의욕적인 작품에 치중하다 보니 염상섭의 작품은 대중성을 확보하는 데 실패하고 말았던 것이다.

『한국일보』는 『미망인』 연재가 독자 유인에 성공하지 못하자 곧바로 『자유부인』으로 낙양의 지가를 높인 정비석을 끌어들였다.

곧 이어서 문단의 총아 정비석 씨의 『민주어족(民主魚族)』을 싣게 되었습니다. 정비석 씨의 이번 작품에서 그 제목이 가리키는 바와 같이 민주통일의 과정에 놓여 있는 우리 한국과 한국민의 숨가쁜 생활을 그리며 그 가운데서 민족의 장래를 위하여 투쟁하는 애국자의 모습을 그리려는 것이니 참으로 과거 작품에 볼 수 없었던 문제작이 아닌가 기대됩니다.[23]

정비석(소설가)

'문단의 총아'라는 표현을 쓰며 정비석을 추어올리고 있다. 『한국일보』는 2년 후 『낭만열차』 연재를 앞두고서는 "본사는 여기 또다시 정비석 씨에게 재차의 집필을 앙탁(仰託)하였습니다"[24]라면서 정비석의 명성에 의존하였다.

『경향신문』은 인기 대중작가인 김내성 소개에서 『청춘극장』과 『인생화보』 등 인기를 끌었던 작품들을 거명하고 있다. 그리고 『애인』이 인기를 끌자, 『실락원의 별』 연재에 앞서서는 '선풍적 인기를 독점'하였다는 점을 상기시키고 있다.[25]

우리 문단의 중진 김내성 씨의 신작 장편소설 『애인』을 연재하기로 되었습니다. 씨는 8·15 해방 후에 『청춘극장』 5부작을 발표함으로써 문단에 선풍을 일으키었고 또한 사변 후에는 『인생화보』 3부작을 내놓아 더욱 명성을 올린 바 있거니와 이번에 다년간 간직해두었던 소재를 가지고 작가로서의 온갖 정열을 이 작품에 기울이게 된 만큼 만천하 애독자의 절찬을 받으리라 자부합니다.[26]

작가 김내성(金來成)씨는 새삼 소개할 필요도 없이 일찍이 『청춘극장(青春劇

영화 〈청춘극장〉(1959)

場)』『인생화보(人生畫報)』 등으로 장편소설 작가로서의 관록을 보여주었을 뿐 아니라 본지에 연재된 바 있는『애인』은 실로 선풍적 인기를 독점하였던 것입니다. 더구나 이번 작품은 일 년 유여의 오랜 동안 구상을 가다듬은 끝에 발표되는 것이니 만큼 반드시 전작『애인(愛人)』에 못지않은 절찬을 받으리라 믿는 바입니다.[27]

이처럼 1950년대 신문사들은 신문연재소설을 통한 독자확보에 심혈을 기울였다. 지면은 급증하였지만 뉴스에서 별로 차별성을 드러내지 못함에 따라 연재소설로써 자사신문에 대한 독자들의 관심과 흥미를 끌어보려는 노력을 경주했던 것이다.

신문기업주는 뚜렷한 목적을 가지고 신문에 연재하는 만큼, 작자 측에서도 신문연재소설에 대할 때에는 암묵리에 그 요구조건을 승인하는 결과가 된다. 즉 기업주로 볼 때에는 연재소설 자체가 순수한 독자 봉사이므로, 독자가 읽어서 반드시 자미(滋味) 있는 소설 — 다시 말하면 독자가 연재소설로 인해서 그 신문에 애착을 가질 만한 소설을 쓰지 않아서는 안 된다는 것이다. 결과적으로 보아서 성패는 여하간에 우선 그만한 부대 조건만을 염두에 두어야 한다. 예술적이거나 비예술적이거나, 신문사로서는 그런 점에는 관여하려 하지 않는다. 다만 만인이 읽어서 재미있는 소설, 그럼으로 해서 독자를 한 사람이라도 더 많이 끌 수 있는 소설이었으면 그만이다. 그것은 비록 성문화된 조건은 아니지만,

신문소설에 따르는 하나의 불문율적 요구가 아닐까 한다. 신문소설이 자칫하면 저속한 통속소설에 떨어지기 쉬운 위험성이 여기에 잠재한다. 그러한 위험성을 어떻게 피해가면서 모든 독자들에게 최대공약수의 문학작품을 꾸며나가는가 하는 것이 신문소설 집필가의 고민인 것이다.[28]

신문사 측에서는 훌륭한 예술작품보다는 독자들에게 구매력을 지닌 상품을 작가들에게 요구하게 되었던 것이다. 또 신문소설에 대한 신문사의 의도적인 상업적 전략을 작가들이 무시할 수는 없었다. 이무영이 『계절의 풍속도』 연재 예고에서 언급한 글은 당시의 그런 분위기에 처한 신문사와 작가 간의 역학관계를 잘 드러내고 있다.

"너무 작자 본의로만 고집하지 말고 신문사 생각도 좀 해가며 쓰시오." 이렇게 웃으며 말하는 편집자 앞에 나는 또 "신문사 생각만 마시고 작자 생각도 해주시오" 하고 웃으며 협상이 되었다. 이쯤 되면 신문사도 작자도 별로 손해를 보지 않을 수 있을지도 모른다.[29]

이무영과 신문사의 편집진이 타협을 해나가는 과정이 설명되어 있다. 신문의 판매부수를 늘리려는 신문사 측과 예술성을 어느 정도 견지해나가려는 작가가 적당한 선에서 타협을 할 수밖에 없게 된다.

인기 작가 김내성도 『실락원의 별』 연재에 앞서 신문사 측으로부터 부탁을 받았다.

졸작 『애인』에 등장하는 임학준 교수는 '인생황혼'에 대하여 자기철학을 상실하고 자기회의에 빠졌던 일순간이 있다. 그러나 거기에서는 뜻하지 않은 사건의 발생으로 말미암아 그러한 회의사상의 발아가 육성을 보지 못하고 자연적으로 소멸해버리고 말았다. 이 작품 『실락원의 별』은 임 교수의 그러한 자기회의에 싹튼 인생관조를 최후의 일선까지 추구해보고자 하는 의도에서 붓을

> 들었다. 이 작품에서 임교수는 이미 백발을 머리에 인 칠십 노령으로서 등장하고 그의 외아들인 소설가도 이미 인생의 고개를 굴러내려 가기 시작한 중년신사가 되어 있는 것이다. 그러나 그렇다고 해서 『실락원의 별』은 신문사나 독자들이 요망하는 『애인』의 속편으로서 집필하는 것은 아니고 어디까지나 주제를 달리하는 단독적인 작품으로서 제작되고 있다는 것을 부기하며 성원이 있기를 바라는 바이다.[30]

작가 김내성의 글에는 신문사에서 김내성의 『애인』이 인기리에 연재되었음에 힘입어 그 뒷이야기를 써달라는 식으로 작가에게 요청한 것으로 파악된다. 이는 『애인』의 영화화와도 관련이 있다고 판단된다. 『애인』은 홍성기 감독, 서춘광 제작, 주증녀·전택이 주연으로 신신영화사에서 영화로 제작되어 인기를 얻었는데, 『실낙원의 별』 연재가 시작된 6월은 촬영이 마무리되는 시점이었던 것이다. 그런 분위기에서 『애인』의 인기를 이어보고 싶었던 게 신문사의 바람이었던 것으로 보인다.[31]

심지어 작가들은 소설작품 속에 특정 신문사를 노출시켜 홍보효과까지 챙겨주는 경우도 있었다. 김말봉의 『환희』(1958~1959)에서는 소설연재지인 『조선일보』를 작품 내용 가운데에 여러 차례 노골적으로 표출함으로써 신문사를 홍보하고 있다. 사무실에서 조선일보사에 전화를 걸어 『조선일보』를 구독 신청하는 장면(156회), 『조선일보』를 통해 신인배우 합격자를 발표하겠다고 하는 장면(168회), 백모집에서 『조선일보』를 구독하지 않자 조선일보사까지 신문 구하러 가는 장면(169회) 등이 그려져 있다.

『경향신문』에 연재된 『실락원의 별』(1956~1957)에서도 'K신문'이라 하여 연재지를 간접적으로 홍보하고 있다. 주인공 '강석운'이 K신문에 소설을 연재한다든지, 강석운이 애정의 도피행각을 벌이고 '김옥영'이 가출하자 큰딸이 부모에게 호소하는 편지를 K신문에 게재한다든지, '송찬'이라는 신문기자가 등장하는 것 등이 그것이다. 물론 당시로서는 『국도신문』도 K신문일 수는 있지만 별로 영향력을 행사하지 못한 신문이기 때문에 독자들은 K신문이라 하면 당연히 『경향신문』을 떠올렸을 것이다.

이러한 측면 이외에도 작가들 스스로 작품 속에서 상업주의를 부추기는 장면을 삽입시켜 통속성을 심화시키는 경우가 많았다. 작가들이 관능성·감상성·야만성 등 통속적인 요소를 더 많이 끌어들이면서 독자의 관심을 모으려던 경향이 많아졌던 것이 1950년대 신문소설의 특징이었다. 1950년대 신문소설에서 관능성은 성 개방 풍조가 밀려든 당시 상황에서는 시대변화에 부응한 것이기도 했거니와, 특히 미국영화의 영향을 많이 받았을 것으로 판단된다. 미국영화 속에 비춰진 에로틱한 장면들은 한국의 관객들에게 상당한 충격을 주었을 것이며, 신문소설에서는 그런 영상적인 감각을 살리면서 성의 관능성을 표출하고자 노력했을 것으로 보인다. 감상성은 한국의 대중문학에서 전통적으로 두드러지게 나타났던 통속성의 요소라고 할 수 있는바, 1950년대 신문소설에서의 감상성은 주로 기구한 사랑·모성애·죄책감·서러움 등에 따른 눈물로서, 전통적인 한과 눈물의 정서에 연결되어 있다고 할 수 있다. 야만성은 이전의 한국대중소설에서 두드러진 요소가 아니었으나 1950년대 들어서 특징적으로 부각된 통속성의 요소다. 이는 전쟁이라는 엄청난 폭력적 상황을 경험한 것과 관련됨은 물론이요, 할리우드 액션영화나 서부극의 영향을 많이 받은 것으로 판단된다. 관능성과 감상성은 1930년대에도 두드러진 요소였던 것이 이어진 것이며, 야만성은 1950년대에 부각되었다[32]고 할 수 있다.

또 하나 1950년대 신문소설의 위상을 보여주는 증거로는 영화와의 통섭이다. 1950년대를 한국영화의 전성기 혹은 성장기로 말하는데 거기에는 신문소설이 큰 역할을 담당했기 때문이다. 이는 당시 대중문화에서 신문소설이 절대적인 위상을 확보하고 있었음을 입증하는 현상이다. 우리나라에서 신문소설의 영화화는 1952년에 처음으로 시도되었다. 『영남일보』에 180회 연재된 정비석의 『여성전선』의 영화화 시도가 그것으로, 연재 도중에 영화화가 결정되어 1952년 6월 25일자 신문에 주연배우 공모 광고가 실렸다. 제작에 김천운, 기획에 변종근, 각색·연출에 김소동, 연기지도에 이경선, 촬영에 강영화, 음악에 박시춘, 주제가 작사에 장만영 등이 참여하였으나 끝내 완성되지는 못하였다.

이후 우리나라에서 신문소설이 처음으로 영화화된 것은 박계주 원작의 『구원의 정화』가 아닌가 생각된다. 1954년 3월 1일부터 9월 30일까지 『경향신문』에 179회 연재된 이 작품은 조선말 기독교신자들의 순교를 다룬 작품으로 윤인지·한은진·이용·서춘광 등이 출연하고 이만흥이 감독을 맡아 영화로 제작되었으며 1956년 1월 21일 국도극장에서 개봉하였다. 하지만 신문소설의 영화화가 위력을 발휘하며 뚜렷하게 인식된 것은 『자유부인』에 이르러서다. 『자유부인』 신문연재는 『구원의 정화』보다 2개월 먼저 시작되어 1개월 먼저 끝났지만, 영화화는 몇 개월 늦었다. 김정림·박암·이민·김동원 등의 출연에 한형모가 감독을 맡았고, 1956년 6월 9일 수도극장에서 개봉되었는데, 45일간 상영되어 11만 명의 관객을 동원함으로써 당대의 최대 히트작이 되었다.[33] 『자유부인』을 기점으로 신문소설의 영화화 작업은 계속 이어졌고, 1950년대의 경우 대부분 관객동원에 성공했다.

당시 누구보다 신문소설을 영화화하는 데 앞장선 감독은 홍성기였다. 홍성기는 여성 멜로드라마를 많이 만들었는데, 그 원천은 당대의 신문소설이었다. 홍성기 감독은 자신이 직접 시나리오를 쓰는 등 무척 심혈을 기울여 만든 〈열애〉(1955)가 흥행에 참패하고, '국제 커뮤니티' 사건에 관련되었다는 이유로 형무소에 수감당하는 고초를 겪고 나자, 흥행작만을 만들겠다는 결심을 하게 된다. 이후 그는 몇 편의 영화를 제외하고 대부분 당시 이미 인기를 끌고 있던 신문소설에 기대어 안정적인 영화제작을 추구[34]하게 된다. 홍성기 감독이 영화로 제작한 1950년대 신문소설은 김내성의 『애인』·『실락원의 별』(전·후편)·『청춘극장』, 박계주의 『별아 내 가슴에』·『대지의 성좌, 홍성유의 『비극은 없다』 등이다. 홍성기는 「여성전선」(1957)의 각색도 담당하였다.

작가를 기준으로 보면 정비석의 신문소설이 당시에 가장 많이 영화화되었다. 〈자유부인〉(속편은 김화랑 감독)을 비롯해서 〈낭만열차〉(박상호 감독)·〈슬픈 목가〉(김기영 감독)·〈유혹의 강〉(유두연 감독) 등의 작품이 당대에 영화로 만들어졌다. 김내성·박계주·홍성유의 작품들은 홍성기 감독에 의해 영화화되었고, 김말봉의 〈생명〉(이강천 감독)·〈푸른 날개〉(전택이 감독), 박화성의 〈고개를 넘으면〉(이용민 감독), 임옥인의 〈젊은 설계도〉(유두연 감독) 등 많은 신문소설이 영화로 제작[35]되었다.

한국영화는 사극과 멜로드라마의 흥행 성공에 힘입어 1958년을 정점으로 제작편수가 급격하게 늘어나게 되었는데, 이는 신문소설 영화화의 한 요인이 되었다. 제작편수에 비해 시나리오가 부족하게 되자, 외국 원작을 번안·각색하고, 소설·라디오드라마·신문소설이 집중적으로 영화로 옮겨지는 현상이 나타났기 때문이다.

3. 여성의 욕망 분출과 가부장제에 대한 도전

정비석의『자유부인』은 신문소설로서의 흥행과 영화로서의 인기에 힘입어 단행본으로 발매되었을 때 무려 14만 부가 팔리는 대성공을 거둔다. 당시 3천 부만 팔려도 베스트셀러로 평가받던 시절이니 인기의 정도를 가름할 수 있다.

정비석이 1954년『서울신문』에 연재해서 큰 인기를 누렸던『자유부인』[36]은 영화로 제작되어서도 대중들의 큰 호응을 얻었다. 한형모 감독의 〈자유부인〉은 1956년 6월 9일 수도극장에서 개봉되었는데, 45일간 상영되어 11만 명의 관객을 동원함으로써 당대의 최대 화제작이 되었다.

영화의 흥행의 뒷면에는 박인수 사건의 파장도 자리 잡고 있었다. 전후의 대혼란기에 박인수 사건까지 터져 여성들의 서구화와 모럴헤저드를 두고 수십 년간 화제가 꼬리를 물고 다녔다.

한국전쟁이 끝나고 불과 2년 후 한국판 카사노바 사건인 '박인수 사건(1955)'이 터졌다. 당시 전통적인 유교적 윤리와 가치가 한국사회의 중심

정비석 장편소설『자유부인』

自由夫人

『서울신문』의『자유부인』연재

「朴仁秀」一年六個月求刑

混亂避해突然開廷

被告、處女는單하나였다고陳述

◇사진…공판정에서 진술하는 朴피고

'박인수' 사건 보도 지면

「法은價値있는貞操만을保護」

「돈판」朴仁秀에無罪言渡

檢事는即席에서控訴提起

'박인수 사건' 무죄 판결

축을 이루던 시기에 한 명의 제비족에 가까운 인물이 화려한 언변과 말쑥한 얼굴로 100여 명의 여성을 농락한 사건은 사회적으로 큰 파장을 불러왔다. 특히 박인수는 주로 여대생을 비롯하여 고등교육을 받은 인텔리 계층의 여성만을 주 타깃으로 삼았다는 점에서 충격의 여파가 더 컸던 것이다. 이 사건의 첫 공판이 열린 1955년 7월 초순경 검찰은 박인수라는 호색한에게 1년 6개월을 구형하지만, 7월 23일에 열린 판결에서는 무죄가 선고된다. 재판부가 판결문 중 '법은 보호할 만한 가치가 있는 정조만을 보호한다'란 판결을 내린 것도 화제였고, 박인수에게 농락당한 단 한 명의 여성도 법정에 증인으로 출석하지 않아서 범죄를 입증하는 데 어려움이 있었다는 점과 함께 박인수가 재판정에서 답변하는 중 내뱉은 자신과 관계한 여성 중 처녀는 단 한 명이었다는 진술도 큰 파장을 불러왔다.

1) '자유와 욕망'이라는 이름의 목마

영화 〈자유부인〉은 장태연 교수의 부인이자 주인공인 오선영이 자신의 가부장제적 집을 벗어나 서구적 문물로 넘쳐나던 거리로 나서는 것에서 출발한다. 오선영은 이웃의 추천을 받아 양품점의 지배인으로 출근을 하게 된 것이다. 그런데 재미있는 것은 오선영이 출근하게 된 공간은 도심 한복판에 있는 서구적 상품을 포장하여 파는 '파리양품점'이라는 점이다. 이제 그녀는 매력 없는 가정주부에서 비약하여 자본주의의 교환가치가 판을 치는 무대로 나선 것이다. 그녀의 옷은 그동안의 고상한 한복에서 단아한 서구적 양장차림으로 변신하게 된다. 주인공 오선영은 서구적 소비문화에 노출되면서 육체의 상품교환가치를 분명하게 인식하게 된 것이다.

그녀의 생활공간이 장태연 교수의 아내라는 직책의 '안방'에서 도심 한복판의 서구적 가치와 물질을 파는 '파리양품점'으로 옮겨왔다는 사실은 큰 의미를 지닌다. 그것은 주인공 오선영을 육체적 변신에서 정신적 변화까지 짧은 기간 안에 체득하게 만드는 것을 뜻한다. 파리양품점은 사용가치가 아니라 교환가치에 의해서 움직이는 공간이다. 오선영은 남편과 아들을 돌보는 여성에서 모든 근대적 도시인들의 욕망을 충족시켜주는 판매원으로 변신하게 된 것이다. 서구적 소비문화의 흐름에 몸을 내맡겼다는 것은 전통적 육체에 새로운 근대성의 옷을 입히게 되었다는 것을 말해준다. 오선영은 출근한 다음 날부터 조금씩 변모하게 된다. 그녀는 판매고를 높이기 위해 단순하게 산수와 구구단에만 의존해서는 안 된다는 것을 깨닫게 된다. 서구적 도시인답게 세련됨과 화려함을 갖추어야 한다는 점을 알게 된 것이다. 깨달음의 매개체는 저명인사들의 부인들과의 사교모임과 댄스파티이다.

오선영은 스스로 가치관의 변모를 가져오지 못한다. 애초에는 수동적이고 보수적인 여성이었기 때문이다. 그녀를 움직이게 만드는 인물은 친구인 최윤주이다. 그녀는 저명인사의 아내로 등장한다. 오선영을 찾아와서 저명인사 부인들의 모임에 참여하라고 권유한다. 최윤주는 남편과의

영화 〈자유부인〉

사이에 불화가 생기자 여성들이 경제적인 힘을 얻어서 자립해야만 성공할 수 있다고 오선영의 사회적 진출을 자극한다. 결국 오선영은 최윤주가 주관하는 저명인사 부인의 사교모임에 참석하고, 특별하게 준비한 2차 모임인 댄스파티에까지 참여하기로 약속한다.

하지만 오선영은 고민에 빠진다. 그녀는 한 번도 사교모임에 참여한 경험이 없고 사교춤을 배워본 적도 춤을 추어본 적도 없기 때문이다. 하루는 퇴근하는 길에 옆집에 사는 춤꾼 신춘호를 찾아간다. 신춘호는 오선영의 귀에 "아주머니는 젊고 아름답고 양장이라도 하시면 스타일이 베리 굿일 것입니다"라고 자신에게 춤을 배울 것을 권하면서 집밖으로 그녀를 이끌면서 유혹을 한다.

이 시점에서 르네 지라르(René Girard)의 '삼각형의 욕망' 이론을 떠올리게 된다. 뤼시앵 골드망(L. Goldmann)은 『소설 사회학을 위하여』에서 그의 이론적인 출발점이 된 두 권의 책을 들고 있는데, 그 하나는 루카치(G. Lukacs)의 『소설의 이론』이고 다른 하나는 바로 르네 지라르의 『낭만적

영화 〈자유부인〉의 여주인공 오선영은 춤을 배우기 시작한다.

거짓과 소설적 진실』이다. 서사시에서는 주인공이 살고 있는 삶과 그가 소속된 집단의 이념 사이에 단절이 없는 일치현상이 있는 반면 소설에서는 주인공의 이상과 그가 살고 있는 현실 사이에 단절이 있기 때문에 모든 소설의 주인공은 그 단절을 극복하고자 한다는 루카치의 이론과, 소설 주인공의 욕망은 중개자에 의해 암시된 가짜 욕망으로서 삼각형의 구조를 가지고 있다는 지라르의 이론을 토대로 골드망은 시장경제체제의 자본주의의 사회와 소설 사이에서 구조적 동질성을 발견하고 이를 이론화하여 소설사회학을 정립하고자 한다.

특히 르네 지라르는 욕망이라는 심리적 기제의 구조를 통해서 기독교적 구원의 가능성을 모색하고자 한다. 『낭만적 거짓과 소설적 진실』에서 맨 먼저 분석의 대상이 되는 것은 세르반테스의 『돈키호테』이다. 그가 이 소설의 분석에서 얻어낸 결론은 『돈키호테』의 주인공들의 욕망은 간접화된 욕망이라는 것이다. 이상적인 기사도에 도달하고자 하는 돈키호테의 욕망은 아마디스라는 중개자(médiateur)에 의해 간접화되고 있으며,

주체와 대상 사이에는 간접화 현상(médiation)이 일어난다. 즉 주체의 욕망이 수직적으로 상승하는 것이 아니라 비스듬히 상승하여 중개자를 거쳐 대상에 이르게 된다[37]는 것이다. 이것을 도표로 그려보면 다음과 같다.

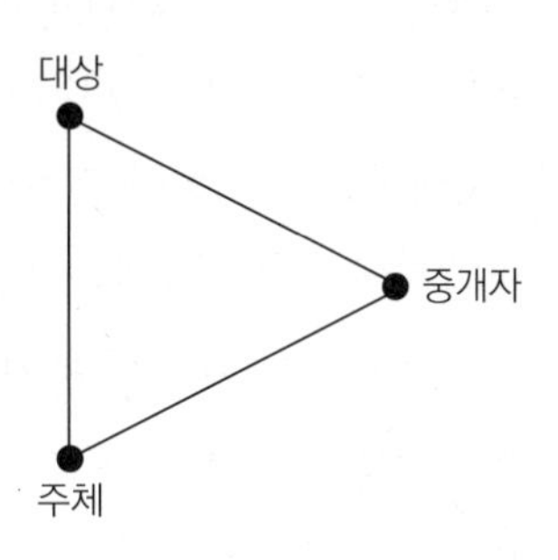

이러한 욕망의 간접화 현상은 기독교에서도 발견할 수 있는 구조이다. 어느 기독교인이 진정한 기독교인이 되어 구원받기를 원한다면 그는 곧 예수라는 중개자를 모방하면 된다. 이때 기독교인과 예수와 진정한 기독교인은 삼각형의 세 꼭지점을 형성하게 된다. 다시 말하면 욕망하는 주체와 욕망의 대상과 그 욕망의 중개자가 삼각형의 구조를 갖게 되고, 이처럼 간접화한 욕망을 '삼각형의 욕망(désir triangulaire)'이라고 부른다. 시장경제체제 사회 속에서 개인은 그 욕망마저 자연발생적인 것이 아니라 중개자에 의해 암시된 욕망을 소유하게 되었음을 제시한 셈이 되었으며, 그렇게 함으로써 주인공의 욕망의 구조와 주인공을 태어나게 한 사회의 경제구조 사이에 구조적인 동질성을 발견하게 하는 데 크게 기여한다.

지라르는 이처럼 하나의 작품이 여러 개의 삼각형으로 구성되어 있다는 점에 주목하고 있다. 그가 분석하고 있는 스탕달의 『적과 흑』, 플로베르의 『보바리 부인』, 프루스트의 『잃어버린 시간을 찾아서』도 주인공의 욕망이 여러 개의 삼각형으로 이루어져 있다는 것을 밝히고 있다.

플로베르의 『보바리 부인』에서도 똑같은 현상이 일어난다. 이 소설의 여주인공 엠마 보바리는 사교계의 여왕으로 군림하고 싶어한다. 하지만 이러한 욕망은 그녀에게 자연발생적으로 생긴 것이 아니다. 그녀의 욕망은 그녀가 사춘기 시절에 읽었던 삼류소설과 잡지들에 나오는 여주인공들의 생활에서 암시받은 욕망이며 그 여자들을 모방하고자 하는 욕망이다. 착실한 의사 남편이 벌어주는 돈으로 금전적인 어려움을 느끼지 못하고 평범한 가정주부의 안정된 삶을 살아온 그녀는, 어느 날 자신의 현재 생활이 무미건조하고 따분하다는 자각을 하게 된다. 그녀는 어린 시절의 꿈이 사교계의 여왕이 되는 것이었다는 사실을 떠올리면서, 그 꿈을 실현하고자 하는 욕망이 자기 내부에서 솟아나는 것을 느낀다.[38]

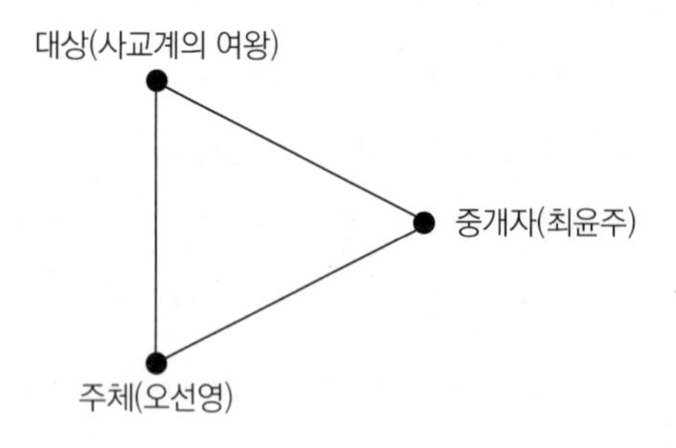

마담 보바리와 마찬가지로 『자유부인』의 여주인공 오선영은 파리양품점의 지배인으로 일하면서 사교계의 여왕이 되기를 꿈꾸게 된다. 도심 한복판의 양품점에서 수많은 고객들을 만나면서 점차 그녀는 욕망과 허영의 화신으로 변모된다. 하지만 그러한 변신은 스스로 결정하거나 선택한 것이 아니라 이미 저명인사의 부인으로 사교계의 여왕으로 군림하기를 원했던 친구 최윤주를 보면서 그녀를 닮아가게 된 것이다.

2) 일상생활에서의 미학화

정비석의 원작과 다르게 영화는 오선영을 욕망과 허영의 화신으로 전환시키기 위한 개연성을 부여하기 위해 최윤주를 저명인사의 부인으로 설정하여 댄스파티를 주도하게 하고 결국 파멸의 길로 접어들게 설정한다.

최윤주를 중개자로 해서 오선영은 사교계의 여왕을 꿈꾸며 욕망에 몸을 맡기지만, 그녀를 타락의 늪에 빠지게 하는 덫은 신춘호와 한태석 사장이다. 신춘호는 댄스홀로 상징되는 댄스교습이라는 것을 미끼로 던지지만, 한태석은 외제 핸드백 등 고급 선물로 유혹을 한다. 신춘호의 덫은 서구 자본주의 사회의 화폐경제시대가 가져다준 유행과 댄스파티 등 '일상적 생활에서의 미학화'와 관련성을 맺는다. 그에 비해 한태석의 미끼는 화폐경제시대의 토대인 '돈'이라는 매개체를 사용하고 있거나 장신구라는 매개체를 동시에 활용하고 있다.

문화에 대한 짐멜의 성찰은 현대에 초점을 맞추고 있다. 짐멜은 현상의 기원과 역사적 발전보다는 그 현상을 통해 유추할 수 있는 동시적 연관관계에 더 큰 관심을 가졌다. 짐멜의 화폐분석은 화폐의 경제학이나 역사학이 아니라 화폐가 현대인의 인격·심리·지각·구조에 미친 영향과 더불어 화폐경제를 토대로 가능한 문화 이상이 무엇인지를 묻는 문화이론에 토대를 둔다. 짐멜은 화폐를 단지 문화의 타락·소외·비인간화를 초래하는 물질문명의 상징으로만 보지 않는다. 화폐는 동시에 개인화와 사회화를 증대시키는 데 기여하기 때문[39]이다.

화폐경제시대에 있어서 현대인들은 일상적 생활에서 양식을 추구한다고 보았다. 이를테면 인테리어 꾸미기, 친교 생활 즐기기, 유행과 장신구로 치장하는 미학적 체험에 빠져든다는 것이다. 최윤주로부터 영향을 받은 오선영이 친교적 사교 모임에 나가고, 댄스홀에서 일상적 미학화를 찾고, 장신구 치장을 통해 쾌락적 삶의 묘미를 구하는 것 등은 짐멜이 언급한 화폐경제시대에 현대인들이 추구하는 '미학적 모더니티'에 해당된다.

최윤주와 오선영이 저명인사 부인들의 사교모임에 빠져드는 이유를 짐멜은 체계적으로 설명하고 있다. 중세 초기에 도시귀족 가문의 결합과정에서 중시되었던 친교는 종교적·실용적 목적의 잔재가 점차로 사라지면서 귀족층의 순수한 사교모임의 형태로 발전하고, 앙시앙 레짐 시대에 이르러서는 사회유희의 형태를 띤 순수한 생활양식이 된다. 화폐를 매개로 사회적 상호작용이 '교환'의 원리에 의해 지배될수록 상호작용은 대상과 주체를 구체적 특성으로부터 측정된 가치, 즉 교환가치로서만 중요시하고 주체는 단지 특정한 기능이나 역할의 담지자로서만 상호작용에 관여한다. 교환은 구체적 삶의 영역으로부터 추상화된 사회적 상호작용을, 친교는 구체적 삶의 영역으로부터 추상화된 사회적 상호작용을 보여주며, 친교는 현대사회의 절정에 도달한 이러한 추상적 사회관계의 상징[40]인 것이다.

오선영이 추구하는 일탈은 겉멋이라는 서구적 가치로 장식되어 있지만, 당시로서는 윤리적이고 도덕적인 범주를 크게 벗어나고 있기 때문에 포용의 영역에서 받아들여지기 어려운 측면이 있다. 결국 오선영은 신춘호의 유혹에 잠시 방향성을 잃게 되지만 신춘호가 유부녀의 한계를 꼬집어주고 유학 가는 다른 처녀에게로 달아나는 것을 목격하고 곧 체념을 한다. 양품점 사장 한태석과의 불륜현장도 그 아내에게 들켜서 뺨을 맞는 등 폭력을 당하면서 불장난으로 끝이 난다.

그녀를 타락의 길로 이끌었던 최윤주가 사기꾼인 무역회사 사장 백광진에게 사기를 당해 결국 사교모임의 2차 모임인 댄스파티에서 술잔에 극약을 넣어 마시고 쓰러지는 것으로 종말이 나는 것[41]에 비해, 갈 곳 잃은 오선영은 집으로 돌아가지만 남편으로부터 버림을 받는다. 이렇게 영화 〈자유부인〉은 1950년대식의 신파적이고 감상적인 결말을 짓는다. 엄마라고 소리치며 문을 열어주라는 아들의 눈물어린 호소에 남편 장태연 교수가 빗장을 풀어 문을 열어주는 것으로 영화는 끝이 난다. 영화 〈자유부인〉은 바람을 피우다가 돌아온 근대적 욕망의 아내를 전통적 가치의 가부장이 포용하는 1950년대식의 어정쩡한 종결처리를 하고 있다.

4. 공간의 상징성과 근대적 가치의 허상

영화 〈자유부인〉은 공간이동을 통해 시대적 변화와 모더니티를 표현한다. 첫째, 주인공 오선영은 가부장제의 장벽이라고 할 수 있는 안방에서 도심 한복판에 위치한 서구식의 근대적 양품점의 판매책임자로 옮겨간다. 이러한 공간이동은 한국적 가치와 서구적 가치의 충돌, 가부장제의 존속과 전통적 가치에서의 일탈, 서구적 물질적 가치와 한국적 정신적 가치의 대립 등으로 상징화될 수 있다.

이러한 공간이동은 폐쇄적 공간과 개방적 공간으로 확연하게 구분된다. 한옥과 상가건물은 전통적인 가치와 서구적인 가치의 대립양상을 상징하고 있다. 또 공간의 차이점은 옷차림의 변신으로도 나타난다. 오선영은 자신의 집인 한옥에서는 주로 한복을 입는다. 출근 첫날도 한복을 입고 집을 나선다. 댄스홀에서 춤을 출 때도 여전히 그녀는 한복을 입고 있다. 신춘호가 "아주머니는 양장을 하면 아름답고 잘 어울릴 것이다"는 표현을 사용할 정도다. 댄스홀과 양품점 그리고 다방은 도시의 한복판에 자리 잡고 있으며 근대적이고 자유분방한 공간을 상징한다. 그런 측면에서 양장을 입는 것이 잘 어울리겠지만 영화감독은 오선영에게 한복을 고집한다. 겉으로는 한복을 입었지만 정신적으로는 양장을 한 차림의 주인공의 가치관의 혼돈현상을 상징적으로 보여주려는 의도로 보인다.

하여튼 집을 나선 주인공 오선영은 파리 양품점에서 교태를 부리며, 여친에게 선물하려고 찾아온 댄디보이인 남성고객들의 이야기를 들어주고 선물에 대한 상담도 해준다. 또 자신에게 구애를 하는 남성들의 선물공세도 애교스럽게 받아넘긴다. 그 외에도 신춘호의 방에서 춤을 배우고 그와 함께 댄스홀로 진출해 실습을 하고 그의 유혹에도 몸을 그대로 내맡긴다. 그녀는 한태석 사장과 다방에서 만나 담소를 나누기도 한다. 오선영이 움직이는 동선의 공간은 서구적인 것들로 포장된 판타지와 욕망의 공간이며 세속화된 화폐경제의 교환가치로 평가되는 공간들이다. 오선영은 그러한 도시적 공간에서의 산책을 쾌락적으로 즐긴다. 오선영이 도시산책에서 찾아나서는 의미는 벤야민의 도시산책과 거리가 있다. 벤야민이 도시의 지형도에 관심을 갖는 이유는 도시의 거리가 잊힌 과거에 대한 기억을 돕는 무대가 되기 때문이다. 오선영이 대도시의 거리산책에서 찾고자 하는 것은 짐멜이 말한 모험과 영웅주의에 가깝다. 그녀는 남편이라는 가부장제에 갇힌 안방에서는 전혀 맛볼 수 없는 욕정과 판타지의 세계를 꿈꾸며 도시의 한복판을 몽롱한 가운데 날아다니고 있다.

『보들레르에 나타난 제2제국시대의 파리』의 제2장 「거리산보자」에서 벤야민은 거리산보자의 특성을 다각도로 규명한다. 거리산보자의 지각양식을 예술가에게 독특한 것으로 보는 입장에서 그의 거리산보자 이론은 일관성을 유지하고 있다.

짐멜에 의하면 모험에는 “모든 것을 자신의 힘과 정신집중에 의존하는 정복욕과, 우리를 행복하게 만들기도, 파괴할 수도 있는 외부세계의 힘과 기회에 전적으로 의탁하는 태도"가 공존한다. 수많은 상호관계의 망으로 만들어지는 대도시야말로 모험을 낳는 우연적 기회를 무궁하게 함축하고 있는 공간이다. 모험은 기회를 재빨리 포착하는 정복자의 제스처와 동시에 외부의 힘과 기회에 의탁하는 수동적 태도의 이중성이라는 특징을 지닌다. 또한 모험은 "삶의 연속성이 원칙적으로 거부되면서 낯섬과 이탈이 일어나는" 경험으로서 과거도 미래도 없이 현재에 몰입하면서 순간에 도취되는 집중적 감정을 가능하게 한다.[42]

짐멜이 말한 모험과 영웅주의가 가능한 판타지의 공간을 오선영은 꿈꾸었던 것이다. 그러나 그녀는 벤야민이 말한 자신의 고독을 타자에 대한 관심으로 채우려는 의미를 배우지는 못한다. 결국 도시의 거리산책자로서 오선영은 허상을 잡고 날아다녔을 뿐만 아니라 "영혼의 성스러운 매음"이라는 감각적 향락적 요소에 빠져들었던 것이다.

산보자 보들레르는 마치 전기에너지의 거대한 저장소라도 되는 듯이 군중의 흐름 속으로 뛰어들어가는데 그렇다고 전적으로 자신을 외부의 충격에 수동적으로 내맡기지는 않는다. 즉 그는 자아의 입장을 포기하지 않는다. 산보자는 자신을 행복하게 만들 수도, 파괴시킬 수도 있는 외부의 우연적 힘에 전적으로 의탁하면서도 모든 것을 자신의 힘과 정신집중에 의존하는 정복욕에 의해 움직인다. 이러한 태도의 이중성에서 거리산보자의 체험 방식은 모험과 유사하다.

모험과의 유사성을 보인다는 점에서 거리산보자의 체험방식은 외부풍경을 단지 넋을 잃고 쳐다보는 구경꾼이나 자신의 이해관계에 갇혀 있는 행인의 체험방식과 구분된다. 거리산보자는 한편에서는 자신을 군중과는 다른 존재로 과시하는 댄디로 나타나기도 하지만, 다른 한편으로는 모험을 찾아 마치 자장 속으로 끌려 들어가듯이 군중 속으로 끌려 들어간다. 동시에 그는 다채로운 도시적 삶을 반사하는 거울 혹은 만화경에 그치는 것이 아니라 자신의 고독을 타자에 대한 관심으로 채우려는 의지를 통해 감정과 지각을 고양시키는 집중력[43]을 보여준다.

오선영이 대도시의 거리산책자로 얻으려는 사랑은 어떤 것일까? 그녀가 찾는 사랑은 영원을 추구하고 쾌락을 지속적으로 주면서 순수를 잃지 않는 사랑일까? 전혀 그렇지가 않다. 대도시에서의 사랑이 순간적 충족만을 주는 성적인 충동의 사랑이란 것을 뒤늦게 깨닫고 패배하게 된다. 오선영은 대도시의 사랑이라는 것의 우연성·순간성·반복성의 속성을 전혀 알지를 못했던 것이다. 그렇게 귀에 대고 달콤하게 속삭이던 신춘호의 일순간의 배신과 한태석 사장과의 애욕적인 충동의 사랑도 지속성을 유지하지 못한 채 우연성·순간성의 티끌 속에 날아가버린다는 것을 깨닫지 못했던 것이다.

둘째, 주인공 오선영의 반대편에 위치한 남편 장태연 교수와 그녀의 여자친구인 타이피스트 박은미의 만남의 공간은 한글교습소와 서울을 조망해볼 수 있는 한적한 공원 및 박은미의 집 앞 등 조용하고 정적인 공간으로 묘사된다. 이러한 공간은 순수하고 정신적인 가치를 내면에 담고 있는 공간으로써 오선영과 최윤주의 주변사람들이 머무는 통속적이고 떠들썩한 공간과 대조를 이루고 있다. 오선영의 애인인 한태석 사장은 그녀에게 양품점을 맡아달라고 부탁하는 척하여 오선영을 바깥 공간으로 유인하면서 그녀를 댄스홀에서의 대상으로나 밀회를 즐길 수 있는 성적인 대상으로 바라본다. 그에 비해 장태연 교수는 그에게 접근하는 박은미의 호의를 내치지 못하고 한적한 공원 등지에서 만나지만 밀회의 장소인 호텔로 유인하려고 생각하지는 않는다. 두 사람의 사랑은 타자를

영화 〈자유부인〉: 한적한 공원에서 사랑을 나누는 장태연 교수(오선영의 남편)와 박은미

배려하는 플라토닉 사랑에 가깝다. 그런 측면에서 두 사람의 밀애가 아내 오선영의 눈에 띄게 되지만 오히려 당당한 태도를 보인다. 육체적 사랑과 정신적이고 고결한 사랑의 대비, 즉 댄스홀에서 밀착된 육체의 사랑인 속물적 사랑, 물질적인 가치만을 탐닉하는 애욕적 사랑과 무료 한글강습소의 운영에서 나타나는 이타적 사랑이 오버랩되는 고매한 정신적인 사랑의 대척점을 보여주는 것은 1950년대 당대의 가치관의 혼란상의 양면성을 깨우쳐주려는 영화감독의 의도와 연관된 것으로 보인다.

제2장

멜로드라마를 통한 '여성 홀로서기'의 카타르시스

—— 1960년대와 〈미워도 다시 한 번〉

1. 1960년대의 근대화와 절대빈곤의 현실

대한민국의 1960년대는 민주화를 부르짖는 길거리의 목소리에서 출발했다. 이승만 정권은 1960년 3월 15일 노골적인 부정선거를 감행하였다. 마산에서는 부정선거에 항의하는 시위가 발생하였다. 4월 11일 최루탄에 맞아 죽은 김주열의 주검이 마산에서 발견됨으로써 부정선거 규탄 투쟁은 이승만 정권 타도를 위한 투쟁으로 구호가 전환되었다. 4월 18일 서울에서는 시위를 벌이던 고려대생들을 정치폭력배들이 습격, 폭행하는 사건이 일어났다. 다음 날인 4월 19일, 서울 시내 10여 개 대학생들은 이에 항의하여 대규모 시위에 돌입하였다. 시내 중심가에 운집한 2만여 명의 학생과 시민들은 기성 정치인들의 각성과 재선거를 촉구하면서 경무대로 향했고 당황한 경찰은 학생들에게 총격을 가하여 100여 명이 사망했다. 정부는 전국에 비상계엄을 선포하여 사태를 수습하려 했으나 군

3·15부정선거를 규탄하며 이승만 하야를 주장하는 시위대

부는 이승만 정권을 적극 지지하지 않았다.

결국 이승만은 4월 27일 대통령에서 물러났으며, 허정 과도정부가 구성[1]되었다. 1960년 7월 29일 총선거를 통해 장면을 국무총리로 한 민주당 정권이 출범하였다. 민주당 정권은 당면과제로 '유엔 감시하 남북한 총선거에 의한 통일, 부정선거 원흉과 발포책임자 처벌, 경제건설의 촉진과 미국으로부터 최대의 원조 획득' 등을 제시하였다.

그러나 민주당 정권은 초기에 3·15부정선거 책임자와 발포 책임자들을 검거하였다가 곧 대다수를 석방하였다. 또 부정축재자를 처벌하겠다고 발표해놓고도 이들로부터 정치자금을 얻어쓰고 처벌대상을 대폭 축소해버렸다. 이처럼 민주당 정권은 이승만 정권과 본질적으로 다르지 않았기 때문에 국민의 지지를 얻을 수 없었다. 여기에 경제상황의 악화도 민주당 정권을 끊임없이 위협하였다. 당시 한국경제는 사실상 파탄상태에 놓여 있었다. 130여 만 명에 달하는 경제활동가능인구가 완전 실업상태에 있었고, 수백만 명이 잠재적 실업상태에 있었다. 농촌에는 1만여 호의 춘궁농가가 있었으며 그중의 반은 이미 부황증에 걸려 있었다. 전국적으로 걸식아동은 9만여 명에 달하였다.[2]

1950년대 사회구조의 중요한 특성은 도시빈민 문제였다. 중소 지주층이 몰락하고 농촌의 황폐와 가중되는 부담·저곡가 정책·과중 부채 등으로 이농현상이 급격히 증가하여 이들 농민이 무작정 도시로 집중하게 되고, 전쟁 이후 수많은 월남자의 대다수가 도시로 유입되어 도시인구는 급증하였다. 게다가 1950년대 후반에는 매년 20만 명의 제대군인들이 배출되어 이들 중 상당부분이 도시로 유입되었다. 따라서 도시의 불안정 고용인구는 날로 늘어나게 된다. 1950년에는 서울 곳곳에 판자촌이 즐비하게 늘어서 있었고 거리는 빈둥거리는 실업자로 꽉 차 있었다고 해도 과언이 아닐 정도[3]였다. 이범선의 소설을 영상으로 옮긴 〈오발탄〉에는 이 당시의 빈민문제와 고등룸펜에 의한 현실고발이 사실적으로 묘사되었다.

그러나 원조경제에 의존하여 경제담당자들로 등장한 신흥재벌들은 성장과정에 국내의 자원과 노동력이 참여할 기회를 배제하였다. 또 그들은 상업자본적 성격이 농후한 상태에서 중소기업분야에 침투하여 중소기업들의 몰락을 초래하였다. 이들은 융자·협상가격차·인플레 등에 편승한 반사적 이득을 취득함으로써 민중의 생존기반을 위협하며 성장했다. 그러나 1957년 미국의 원조가 삭감되자 그동안 원조에 의존해온 종속적 성격을 지닌 한국경제와 원조의 토대 위에 성장한 매판적 원조재벌들은 심하게 동요하고 지지기반을 잃은 채 돌파구를 찾지 못하고 파국을 향해 치닫게 된다.[4]

당시의 경제적 상황은 1958년 이후 원조의 삭감, 국내시장의 절대적 협소, 빈곤에 따른 유효수요의 부족에도 불구하고 과잉설비와 과잉생산으로 불황에 빠져 있었다. 이로 인해 실업이 증가하였으며 중소기업은 타격을 받았고 농민의 영세화는 가속되었다. 따라서 기업에도 원조에 기생한 소비재공업의 파탄이라는 불안이 야기되었다. 그러므로 그들은 중화학공업이라는 새로운 활로를 모색하게 되었고 이를 구현하기 위한 새로운 정권을 요구하게 되었다.

한편 미국은 사회주의 세력과 대치하고 있는 우리나라의 경우 자본수출을 위한 전 단계로 정치적 안정을 요구하면서 경제개편을 위한 무상원조를 우선적으로 실시한다. 미국자본의 최종 목표는 안정된 한국에 저임금을 이용한 독점이윤의 획득을 위한 직접투자, 즉 자본을 수출하는 것이다. 그러나 혁명 이후 민중이 자립경제에서의 진정한 안정을 요구하자 장면 내각은 국가보안법과 데모규제법으로 제한을 시도한다. 그러나 이것은 민중의 강력한 저항으로 실패했다.

군부 소장파 소농출신 장교들은 자유당 시절부터 원조의 분배문제와 이승만 정권과 결탁한 군부 지배층에 대한 불만을 축적하여왔다. 여기에서 장면 내각이 군부를 숙청할 만큼 민중적 기반을 갖지 못한 이유로 군부 숙청에 미온적인 태도를 보이자 계층상승 욕구가 강했던 소장파들은 일견 혼란으로 보이는, 민중의 장면 내각에 대한 불만을 받아들여 5·16 군사혁명을 강행[5]하게 된다.*

후진국에서의 군부 등장은 재벌과 결탁하는 경우와 중소자본가의 이익을 대변하는 경우, 그리고 사회주의 혁명을 지향하는 경우가 있다. 그런데 한국 군부는 이미 새로운 활로를 찾던 독점재벌과 손잡고 1961년 5월 군사정권을 성립시켰다. '강력하고 안정된' 정권을 기대하던 미국은 군사정부가 성립하자 신중한, 그러나 즉각적인 호의적 반응을 보인다. 그 후 군사정부는 민정으로 이양된다.

---

* 5·16 '군사혁명'이란 표현은 원 저서(김성한·허버트 P. 빅스 외, 『1960년대』, 거름, 1984)에서 따온 인용임을 밝힌다.

군부는 스스로가 주장하는 혁명의 정당성을 위해 밑으로부터의 요구를 정책에 반영하게 된다. 그것이 농촌고리채 정리·부정축재자 처리·민생고 해결을 위한 자립경제·국민재건운동·4·19혁명 계승론 등의 슬로건[6]이다.

박정희 대통령의 첫 임기 4년(1963~1967) 중 정부는 집권기간 중 가장 심각한 내부 위기를 맞이하였다. 위기는 한일협정과 월남파병이라는 정부의 두 정책을 중심으로 고조되었다. 비록 두 가지 문제에 함축된 의미는 유사했지만 한일협정으로 발생한 위기는 월남파병문제보다 훨씬 심각한 것이었다. 한 필자는 한일협정문제로 인해 350만 명에 달하는 사람들이 토론·성토·시위·항의에 참가하게 되었고 그것은 현대 한국이 경험한 가장 활동적인 정치참여라고 추정했다. 1964년 12월『동아일보』가 실시한 여론조사에서는 45%가 당시의 관계정상화를 찬성하고, 28%는 반대하며, 27%는 미정인 것으로 나타났다. 한국의 정치위기를 통한 최대 관심사는 일본 자체에 대한 반대가 아니라, 일본에서 자금을 받아 국내의 권력기반을 강화하고, 그렇게 하는 과정에서 권력을 유지하기 위해 일본에 경제적으로 의존하게 되는 상황을 초래할지 모를 한국정부에 대한 반대[7]였다.

1964년 10월 미 국무성 동아시아담당 차관보 윌리엄 번디(W. P. Bundy)는 "한일관계 정상화는 아시아의 평화정착에 중대한 기여를 할 것"이라고 말했다. 이 같은 발언이 거듭되는 동안 한국에 대한 미국의 무상원조는 급속히 삭감되었다. 1962년 1억 6,500만 달러였던 미국의 무상원조는 1963년 1억 1,900만 달러로, 1964년 8,800만 달러로, 한일협정이 마침내 체결된 1965년에는 7,100만 달러로 줄어들었다(대조적으로 제2공화국 1960년의 무상원조액은 2억 2,500만 달러였다).

김종필 부장은 1963년 10월 공화당 의장에 취임하고, 다음 달에 있을 선거에 출마하기 위해 일시적인 외유를 마치고 귀국하였다. 거의 동시에 새 정부는 한일협정 조인의 마지막 조정을 위해 김종필 의장을 일본에 파견하였다. 군정기간에 이미 일본과 비밀협상을 벌인 바 있던 김종필 의장은 3월까지는 협상이 타결될 것이며, 협정은 5월에 조인될 것이라고 발표하였다. 한국정부는 한일협정이 타결되기 이전에는 일본과 어떤 거래도 하지 않겠다고 공약하였지만, 일본정부는 한국의 기업에 대하여 1억 달러의 상업차관이 결정되었다고 발표하였다.

1965년으로 접어들자 한일회담 반대운동은 새로운 열기를 띠고 전개되었다. 6월이 되자 거리와 교정은 매일 항의하는 학생들로 메워졌고, 주요 도시에서는 시위가 빈발하였다. 위기의 와중인 6월 14일 모든 반대단체는 민중당이란 단일야당으로 통합하였다. 초여름인 일요일이던 6월 21일 정부는 한일회담 반대의 진원지인 13개 대학과 58개 고등학교에 휴교령을 내렸고, 반대파의 주요지도자 전원이 단식투쟁 중이던 6월 22일 한일협정이 정식 조인되었다. 여당 측에 완전히 장악된 일당국회는 8월 18일 정부에 2만 명의 병력을 월남에 파병할 권한을 부여하는 파병동의안을 찬성 101표, 반대 1표, 기권 2표로 통과시켰다. 항의는 8월 26일 서울일원에 '위수령'이 발동될 때까지 계속되었다.

한일협정과 월남 파병은 제3공화국에 직간접적으로 중요한 새로운 자원을 제공하였다. 새로운 자금원은 정부의 경제개발 계획에 소요되는 경비뿐 아니라 새로운 정치자금원을 보장하였다. 1965~67년, 일본으로부터의 청구권 지불(1차 연도인 1966년에 무상자금 1,208만 달러, 재정차관 1,407만 달러, 1967년에 무상자금 3,700만 달러, 재정차관 2,500만 달러) 외에도 한일협정은 일본으로부터 민간상업차관의 길을 열었다. 1966년에서

1967년 사이 한국은 총 1억 850만 달러의 민간차관을 일본으로부터 들여왔다.

1965년과 1966년의 월남 파병 결정은 외국에서 한국에 대한 미국의 방위의사를 뒷받침하였고, 다른 나라들로부터의 상업차관 도입에 기여하였다. 1966년부터 1967년까지 한국은 미국으로부터 1,990만 달러의 상업차관, 서독으로부터 5,310만 달러, 이탈리아와 프랑스로부터 3,090만 달러, 영국으로부터 250만 달러, 기타 국가들로부터 4,120만 달러를 받아, 이 두 해에 총 2억 5,610만 달러의 상업차관을 들여왔다.[8]

1967년 2월 2일 공화당은 박 대통령을 다시 대통령후보로 지명하였다. 6일 후 윤보선 씨의 신한당과 유진오 박사의 민중당 등 2대 야당은 유진오 박사의 대통령후보 사퇴동의로 마침내 합당에 합의하였다. 외국으로부터 한국에 유입된 자금은 정치자금으로만 사용된 것이 아니라 경제개발 5개년 계획에도 역시 사용되었다.

제1차 5개년 계획은 괄목할 만한 성공을 거두고 1966년 완수되었다. 5개년 계획에 따른 예상 연평균 GNP 성장률은 7.1%였지만 실제 연평균 성장률은 8.3%에 달했다. GNP에서 공업생산이 차지하는 부분은 1960년의 18%에서 1967년 28%로 증가하였다. 수출고는 1962년 5,480만 달러에서 1967년 3억 2,020만 달러로 증가하였다. 국민소득 증가의 대부분은 소득이 거의 배가 된 비농촌지역에서 이루어졌다. 공업노동자의 수는 1962년의 39만 명에서 1967년 130만 7천 명으로 불어났다. 도시지역 인구는 1960년 총인구의 40.8%에서 1966년 49%로 증가했지만, 이제 도시는 더 이상 야당의 아성으로 볼 수 없었다. 1965~67년 사이 농업노동자와 공업노동자의 월수입 증가는 소비자물가의 상승폭을 상회하였다. 1966년의 곡물 수확고는 사상 최고를 기록하여, 1962년의 542만 3천 석에서 1966년 756만 8천 석으로 늘어났다. 농민이 사용할 수 있는 비료량은 1960년의 2.3배로 증가하였고, 농약은 1960년의 4.5배로 증가하였다.

요약하면 정부는 대중의 주요한 욕구의 하나인 경제의 급속한 성장을 가져오는 데 성공하였고, 업적을 통해 어느 정도의 정통성을 확립하는 것처럼 보였다. 1966년 1,515명의 대학교수와 언론인에 대한 조사에서 밝혀진 바에 따르면 지식인들조차 경제성장을 위해 개인의 자유는 희생될 수 있다고 믿고 있었으며, 경제성장을 국가의 최고당면목표로 두고 있었다.[9] 제2차 경제개발 계획은 1966년 여름에 공표[10]되었다.

1960년 4·19혁명과 1961년 5·16 쿠데타를 거쳐 1963년부터 경제개발 5개년계획이 시작되면서 근대화와 서구화의 급격한 물결이 밀려왔다. 영화계에도 변화가 닥쳐왔다. 1950년대 말 명동에서 충무로로 영화계의 중심축이 옮겨오면서 새로운 물결이 출렁거렸으며 71개의 영화수입사와 제작사가 활동을 했다. 이 시기의 영화는 근대화의 격랑 속에서 '가족'을 통해 새로운 사회로 나아가는 불안과 희망의 양면성을 동시에 표현하고 있었다.

2. 멜로드라마의 역사와 본질

멜로드라마는 유럽에서 먼저 시작되었으나 상업적 멜로드라마는 미국이 기원이라고 할 수 있다. 1960년대 작가주의 관점에서 미국 장르 영화감독들의 뛰어난 역량이 재평가된 이후 대중문화로서 영화의 예술성에 대한 진지한 고찰이 요구되었다. 이 요구에 부응하여 미국 장르 영화에 대한 비평이 활기를 띠기 시작했고 멜로드라마가 주목해야 할 중요한 장르로 인식된 시기는 1970년대에 이르러서였다. 이전까지 멜로드라마는 진지함과 성숙함이 결여된 실패한 비극쯤으로 경시되었다.

여성 장르로 인식되던 멜로드라마는 웨스턴과 갱스터 같은 남성 장르에 밀려 장르 비평의 외곽지대를 맴돌고 있을 뿐이었다. 1970년대 마르크시즘과 정신분석학이 영화비평의 중요한 도구로서 활용되면서부터 멜로드라마는 본격적으로 영화비평가들의 연구와 논의의 대상이 되었다. 마르크시즘의 관점에서 멜로드라마는 미학적 형식을 통해 이데올로기적 효과와 작용을 노출하는 장르로 비쳤던 것이다. 즉 마르크시즘은 "멜로드라마의 스타일적 과잉과 내러티브적 분열이 주류영화의 과잉과 이데올로기성 사이에 존재하는 모순을 '폭로'하는 방식"[11]이라고 보았다.

미국 멜로드라마의 미학적 특징은 본래 18~19세기 프랑스와 영국의 로맨틱드라마와 감성소설로부터 물려받은 것이다. 말하자면 프랑스혁명과 산업혁명에 의한 근대화와 함께 발전해온 로맨틱드라마와 감성소설이 멜로드라마의 모체라 할 수 있다. 시기적으로 귀족계급의 몰락 후, 부르주아 계급의 부흥과 궤를 같이 해온 만큼 멜로드라마는 자연히 "친부르주아적, 반봉건적"일 수밖에 없었다. 그래서 멜로드라마에는 정치적·경제적 힘을 지닌 귀족 출신의 인물이 악인으로 등장해서 힘없는 부르주아 여성을 강간하거나 그 여성이 자살할 수밖에 없는 상황으로 몰고 가는 내용을 빈번히 보여준다. 이런 비극 속의 이데올로기적 메시지는 봉건적 잔재에 대항하면서 "도덕적, 감정적으로 해방되려는 부르주아 의식의 투쟁"[12]을 그린 것이라 할 수 있다.

하지만 멜로드라마가 유럽에서 미국문화로 유입되는 과정에서 유럽 멜로드라마의 계급갈등은 미국 멜로드라마에서는 많이 희석되어 나타났다. 왜냐하면 부르주아가 맞설 귀족계급이 미국 내에는 확실하게 존재하지 않았기 때문이다. 따라서 미국식 버전에서는 계급대립이 시골과 도시의 대립으로 변형되어 도시는 악인으로 시골은 미국적 이데올로기나 인류 평등주의와 연루되어 나타났다.

미국 멜로드라마는 웨스턴, 갱스터 장르와는 다르게 사적이고 개인적인 영역을 다루는 것이 특징이다. 개인 간의 사랑·결혼·가족문제가 중심소재를 차지한다. 19세기 자본주의의 출현은 "가족을 새로운 사회적·감정적 형태"로 이끌었다. 산업화의 결과로 직장과 가정이 분리되면서 가족은 하나의 사회제도로서 그 중요성을 인정받게 된다. "가족은 사회적 집단뿐만 아니라 '자연적' 집단을 대표하고 자체 내에서, 자체에 의해 자급자족하는 사회라 할 수 있다." 게다가 자본주의에 의한 상속제도를 유지하기 위해 부르주아계급은 더욱더 가족을 보호해야 할 필요성이 생겼다. 그러므로 부르주아 생활이 중심이 되는 멜로드라마는 부르주아 가족 내에서 일어나는 마찰과 충돌이 중심소재[13]가 된다.

미국 멜로드라마를 역사적·사회적·문화사적 의미를 지닌 우수한 장르로 인식시킨 선구자로는 토머스 엘세서와 제프리 노엘 스미스를 대표적으로 들 수 있다. 이들은 마르크시즘과 정신분석학적 견지에서 멜로드라마를 분해한다. 멜로드라마 연구를 출발시킨 토머스 엘세서는 「음향과 분노의 이야기(*Tales of Sound and Fury*)」에서 1950년대 가족 멜로드라마는 할리우드가 이룩한 업적 가운데 최고점에 해당한다고 평가한다. 그에 따르면 멜로드라마의 우수성은 우선 극적 갈등을 프레임의 구도·세트·제스처·색상이라는 스타일적 요소들을 통해 표현하는 데 있다. 스타일적 요소들을 빌려 의미를 전달하려는 의도, 즉 스타일에 대한 의식적 사용은 "영화주제를 다루는데 있어서 상업적 필요성이나 검열 혹은 다양한 도덕적 약호들이 감독들을 제한했기"[14] 때문이라고 지적하고 있다.

엘세서는 오이디푸스 정체성이라는 동일한 주제를 다루면서도 웨스턴·모험영화·멜로드라마가 서로 어떻게 다른지를 통해 멜로드라마를 규명하려고 한다. 웨스턴은 도시 관객을 매혹시키는 넓은 공간에서의 다이내믹한 액션과 사건으로 전개되는 반면, 멜로드라마는 부르주아 가정이나 작은 시골을 배경으로 하는 밀폐적 분위기와 폐쇄된 세계 속에서 사건이 일어난다. 엘세서는 웨스턴이나 갱스터에서 보여주는 사건과 행위의 명확한 외향성과는 달리 멜로드라마는 인물의 내적 히스테릭한 감정 상태에 집중하는데, 드라마가 지닌 많은 주제적 의미들은 미장센에 함축되어 있거나 대상에 대한 상징화를 통해 전달된다고 보았다. 이런 상징화를 통한 함축적 의미 전달은 재능 있는 멜로 감독의 손에서는 드라마가 재현하고 있는 사회에 대한 비판으로 기능할 수도 있다는 것이 엘세서의 관점이다. 비록 멜로드라마가 개인적이고 사적인 감정에 초점을 맞추고 있어서 개인적 차원에 머무르고 있는 것처럼 보일지라도 개인과 가족의 내면적 정신세계를 미장센의 요소에 투사하는 외면화를 통해 그 시대와 사회를 비판하는 이데올로기성을 내포하고 있다는 것이다.

엘세서에 의하면 이 비판적 기능을 수행하는 데 중요한 요소는 비애감(pathos)과 모순(irony)이다. 비애감과 모순은 자유로운 미장센을 통해 드러나는데 이 미장센은 관객에게 주어진 주제틀에 존재하는 상반된 태도들을 평가하고 확인할 수 있는 위치를 제공함으로써 다양한 견해들을 균형있게 하는 역할을 한다. 이러한 비판적 기능이 가능한 이유는 멜로드라마에 존재하는 반응들이 세트나 제스처와 같은 미장센을 통해 표현됨으로써 어느 정도 감정에 대한 거리두기와 객관화가 이루어질 수 있기 때문이다. 그러므로 멜로드라마는 감정의 일탈이라는 순환적 움직임에서 사회적 요소들을 담아낸다고 볼 수 있다. 멜로드라마 속 인물들은 정신적·성적 억압의 희생자로서 부각될 뿐 아니라 이들로부터 파생되는 비애감은 스타일과 형식이라는 더 큰 차원에서의 의미화를 통해 '개인적 동기'를 넘어선 '사회적이고 존재론적인 차원'에서 그 희생의 책임이 있음을 암시한다는 것이다. 종종 가족 내의 사건들은 특정 가족의 조건을 능가하는 힘들을 나타내는 미장센으로 이탈되곤 하는데 "밀폐된 공간에서 억압된 근심, 감정들과 결합된 물건들의 평범성은 멜로드라마에서 인물과 실내장식의 관련성을 요약할 장면들을 만들어내는 상반성을 강화한다."[15]

이에 반해 제프리 노엘 스미스는 한층 더 프로이트의 정신분석학적 견지에 밀착해서 멜로드라마를 풀이한다. 그런 측면에서 엘세서가 미장센과 스타일에서 멜로드라마가 지닌 의미들을 찾으려고 했던 것과 차별성을 보인다. 노엘 스미스에 따르면 부르주아 형태로서의 멜로드라마는 가족이 성적 억압의 장소임을 강조하는 오이디푸스 드라마를 재현한다. "멜로드라마에 의해 의미된 '주체의 위치들'은 부르주아시대에 부르주아 예술의 주체위치이면서 '재현된 대상'은 오이디푸스 드라마의 재현이다." 오이디푸스 드라마는 멜로드라마에서 "아들이 아버지의 재산과 사회에서의 아버지의 위치를 물려받기 위해 그의 아버지처럼 되어야만" 하는 것으로 전개된다. 따라서 자본주의 가족단위의 상속제도는 멜로드라마에서 가부장적 권위가 핵심이 되는 권력의 장소로 구성된다. 다시 말해 넓은 범주에서 멜로드라마는 계급 간의 마찰 없이 부르주아 계급 내에서의 동등한 위치를 제공하지만 좁은 범주에서 바라보면 부르주아 계급 내 가족에서 행해지는 가부장적 상속은 또 다른 사적 차원에서의 권력형태를 보여주는 것이다. 여기서 대다수의 할리우드 장르 영화가 그렇듯이 여성은 부정적이고 수동적이며 오이디푸스 드라마에서 남성 정체성 탐구를 위해 제시되는 "알 수 없는(unknowable)" 존재로 부각된다[16] 고 노엘 스미스는 지적한다.

더 나아가 노엘 스미스는 멜로드라마의 메커니즘을 프로이트를 이용해 설명하는데 억압과 거세를 수용하는 것으로 끝을 맺는 과정에서 일종의 과잉이 발생한다고 말한다. 즉 행위에서 수용되지 않은, 방출되지 않은 감정이 음악과 미장센의 요소들에서 표현되고 있다는 것이다. 하지만 음악과 미장센은 단순히 "감정을 고양시키는 것이 아니라" 플롯과 대사들이 수용될 수 없는 것들을 "대체하는 역할"을 한다. 바로 이런 메커니즘이 프로이트가 말한 '전환 히스테리(conversion hysteria)'와 유사하다고 노엘 스미스는 주장한다. 즉 환자가 억압한 것이 의식적인 담론이 아닌 환자의 신체로 이전되어 나타나듯 멜로드라마에서도 담론과 인물의 행위에서 표현될 수 없는 재료가 있는 곳에서는 언제나 전환이 텍스트 전체를 통해 일어난다는 것이다. 그러나 노엘 스미스는 멜로드라마는 (사회적·정신적·예술적) 결정요인들을 끌어들이지만 그 요인들의 문제를 성공적으로 해결하지는 못한다고 결론짓고 있다. 왜냐하면 문제들을 모순 속에 펼쳐놓을 뿐 현재나 이상적 미래에 그것들을 수용할 수 없기 때문이다. 그러므로 멜로드라마의 진정한 중요성은 이데올로기의 실패를 묘사하는 데서 찾아볼 수 있다[17]고 말한다.

3. 모성과 낭만적 사랑의 경계

1960년대의 대표적인 멜로드라마인 〈미워도 다시 한 번〉(1968, 정소영 감독)은 64일의 장기 상영을 통해 관객 38만 명을 동원하면서 장안을 눈물바다로 만든 인기영화이다. 정소영 감독의 연출작인 〈미워도 다시 한 번〉의 내러티브의 서사구조를 분석해보면 전반부와 후반부가 확연하게 구분되는 것을 알 수 있다. 전반부는 유치원 교사인 전혜영(문희)과 제약회사 연구원인 김신호(신영균)가 로맨스를 나누는 이야기로 구성되어 있는 데 비해 후반부는 혜영의 아들 영신(김정훈)이 아버지를 보고 싶어 해서 혜영이 영신을 데리고 김신호를 찾아가는 데에서 이야기가 시작된다. 즉 후반부는 혜영과 영신의 이별이 서사구조의 핵심을 차지하고 있다. 사실상 내러티브의 기본 이야기는 단순하기 그지없다.

전반부에서 김신호 사장이 가족들과 모처럼 낚시를 하면서 휴일을 보내고 있을 때 친구인 김 교수가 찾아와서 혜영의 소식을 전한다. 오후 2시에 혜영이 영신과 함께 서울로 올라오니 꼭 만나야 한다는 전갈이다. 혜영은 아들 영신이 아버지에 대한 그리움이 강하니 이제 김신호 사장이 아들을 책임지고 맡아 키워야 한다는 권유를 한다. 몹시 당혹해하는 신호는 이틀간의 말미를 달라고 사정한다.

영화의 전반부는 플래시백이 되면서 과거의 두 사람의 로맨스 장면으로 전환된다. 영화에서 두 사람이 만나게 되는 계기는 설명되지 않고 두 사람이 서로의 하숙방을 옮겨 다니며 여느 연인처럼 혜영이 차린 아침밥을 함께 먹고, 신호의 빨래도 혜영이 해주는 등 지극정성을 다하는 내용이 전개된다. 두 사람의 로맨스의 진전은 자전거가 매개체로 활용된다. 자전거는 1960년대의 대표적인 출근을 위한 교통도구로 활용되는데, 두 남녀의 데이트에서는 로맨스의 진전을 이루는 매개체 역할을 떠맡는다.

이야기는 반전에 반전을 거듭한다. 두 사람의 낭만적 사랑에 방해자가 나타난다. 하나는 혜영의 고향 오빠가 결혼을 해서 홀어머니 근처에 와서 봉양하면서 살아가라는 권유의 편지가 날아드는 장면이다. 다른 하나

영화 〈미워도 다시 한 번〉

는 전반부의 끝부분에서 시골에 머물던 아내가 갑자기 아이들을 데리고 짐을 꾸려 상경하여 찾아오는 장면이다. 지금까지의 혜영과 신호의 사랑은 합법적인 것이 아니고 불륜이었다는 점이 판명난다.

하숙방에서 신호의 아내(전계현)를 만나 충격을 받은 혜영은 자신이 신호 곁을 떠나겠다고 말하고 사라진다. 전형적인 멜로드라마의 요소이자 일제식민지시대의 영화처럼 신파극으로서의 요소로도 작용한다.

이제 8년의 세월이 흘러 혜영이 영신의 손을 잡고 나타나 아빠역할을 하라고 요구하는 것이다. 미혼모로서 혼자서 영신을 키우는 것이 쉽지 않았다는 그동안의 고생이야기를 하면서 부성에 호소를 한다. 특히 영신이 초등학교에 진학해야 할 나이가 되어 미혼모로서는 입적이 되지 않는 호적제도의 맹점이 나타난다. 이번에도 어려운 중개자 역할은 친구 김교수(박암)가 떠맡는다. 김 교수는 김신호 사장의 아내를 만나 자초지종을 말하고 혜영의 아들을 입적시켜 키워야 한다고 충고한다.

영화 후반부의 서사구조는 관객들을 눈물바다로 만드는 이야기이다. 〈미워도 다시 한 번〉의 후반부는 계모형 가정소설인 「장화홍련전」의

1960년대 버전이다. 다만 세월이 흘러 아들 영신의 어머니는 병으로 죽는 것이 아니라 아버지의 불륜의 상대로 나오는 것이 달라진 점이다. 아버지가 우유부단한 성격인 점도 일치한다. 계모형 가정소설처럼 영신은 큰어머니의 두 아이들과 조화를 이루지 못하고 불협화음을 일으킨다. 배다른 형이 영신을 자주 괴롭히자 영신은 어머니와 행복하게 살았던 시절을 그리워하며 잠도 이루지 못한다. 다만 계모가 전처 자식을 박해하는 것이 아니라, 계모는 영신의 마음을 다독거리면서 잘 대해주지만, 자신의 자식들이 시기질투심으로 영신을 박해하는 것에 두 부부는 충격을 받는다. 매정하게 아버지 김신호가 영신의 목에 걸린 어머니 사진이 담긴 목걸이를 힘으로 빼앗아가자, 영신은 폭우가 쏟아지는 날 집을 나가 어머니가 있는 묵호로 내려가려고 길을 헤매지만 방법을 찾지 못하고 저체온으로 추위를 이기지 못해 집 앞에서 쪼그리고 앉아 떨고 있다. 마침 아들이 보고 싶어 올라온 혜영은 그 장면을 목격하고 가슴이 찢어지는 듯한 아픔을 느낀다.

빗속에서 영신을 찾아 헤매던 김 교수를 만난 전혜영은 그냥 떠나라는 김 교수에게 가슴에 담긴 원망의 말을 쏟아낸다.

> 서로 좋아서 만났습니다. 그것이 잘못이라면 자기만 잘못이라고 안 그럽니다. 그런데… 그런데… 그 철없고 죄없는 어린 것을 그렇게 미워할 수가 있을까요? 미워도 자식이 아닙니까? 데려가야 하겠어요. 애비 없는 자식이라고 손가락질을 받아도… 굶는 한이 있더라도… 이젠 내 아들을. 영신이를 그이에게 안 맡겨요. 놔두세요. 내 자식은 내가 길러요. 아무에게도 안 맡겨요.

영신을 다시 데려가려고 하는 전혜영의 각오와 신념을 놓고 영화비평가들 사이에 논쟁이 벌어졌다. 유지나는 〈미워도 다시 한 번〉이 여성을 위한 저항의 공간이 될 수 있다는 근거를 혜영이 신호에게 위탁했던 아들을 다시 찾아가는 비극적 결말에 두고 있다. 결말에서 스스로 가부장제로의 편입을 당당히 거부한 행동으로 인해 "그녀는 버림받았다는 수동적 표현보다는 남성의 사랑과 가부장적 가정의 안락함을 스스로 버렸다는 능동형의 주어로 기능한다"고 평가했다. 그리고 이것은 더 나아가 "내면적으로 반항적인 반영웅의 이미지로 관객에게 카타르시스와 공분을 느끼게 한다"[18]고 지적했다. 다만 유지나도 창작주체가 가부장제를 비판할 의도가 없으며, 혜영 또한 "가부장적 이데올로기 속에서 거세된 비극적 여성"[19]이라고 해석하여 〈미워도 다시 한 번〉 영화의 전체가 가부장적 시각이 지배하고 있다고 인정한다. 특히 〈미워도 다시 한 번〉의 후반부에서 여주인공 혜영에게는 남성인 신호에게 대항하는 도전적인 모습이 역력하다고 유지나는 지적한다. 영신을 맡아달라는 혜영의 부탁을 듣고 주저하는 신호에게 "언제 사모님한테 허락받고 나를 사귀었냐"라고 전혜영은 당당하게 따지고 든다. 그런가하면 비에 젖어 헤매는 아들을 야단치는 김신호를 지켜보다가 빗속에서 울부짖으며, "그 철없고 어린 것을 그렇게 미워할 수 있느냐", "애비없는 자식이라고 손가락질 받아도 혼자 기르겠다"고 선언하는 혜영의 태도에는 가부장제를 비판하는 목소리가 배어 있다고 강조한다.

멜로드라마에 대한 논의에서도 유지나는 토마스 엘세서·노엘 스미스·피터 브룩스 등의 서구 남성이론가들의 연구를 제시하면서 지금껏 '눈물나는 연애담', 혹은 '싸구려 감상주의에 편승한 환상적인 사랑 이야기' 등으로 멸시되어온 멜로드라마의 가치와 기능을 새로운 관점에서 읽을 필요가 있다고 주장한다. 즉 멜로드라마의 공간은 여성을 위한 저항의 공간일 수 있다고 새로운 해석을 강조한다.

한국적 정서의 신파성이 미국 멜로드라마의 비극적 정서와 융해되어 한국적 멜로드라마를 형성하고 있다고 논의를 시작한다. 더 나아가 싸구려 감상극으로 폄하된 멜로드라마를 새롭게 정의하자는 맥락에서 한국 멜로드라마 특유의 신파성을 단순히 격하해서는 안 된다고 유지나는 주장한다. "한국영화의 신파성 혹은 한국 멜로드라마의 토대인 신파영화를 근대적인 서구 멜로드라마에 비해 낙후된 전근대적인 영화로 폄하하고 넘어가는 것은 한국 멜로드라마가 갖는 대중성의 본질과 미덕을 이해하는 데 장애가 된다"[20]고 파악한다. 그 이유는 유지나가 연극과 영화 속의 신파적 정서가 식민지와 근대화의 압박 속에서 우리 국민들의 울분을 대변하는 저항적 사회기능을 지니고 있었다고 평가하기 때문이다.

유지나의 핵심은 신파성 연구나 미국 남성 영화이론가들의 주장에서처럼 멜로드라마는 가부장제 사회의 모순을 드러내는 전복적 성격을 지니고 있다고 본다. 그리고 이것은 곧 멜로드라마가 여성을 위한 가부장제의 모순을 드러내는 장르로 확대해석된다. 즉 멜로드라마가 기존 사회의 모순을 드러내고 있다면, 이 사회에서 여성이 처한 모순 또한 멜로드라마는 자연스럽게 드러낼 것이라는 논지를 전개한다. "애정관계에 걸린 여주인공이 가부장적 가족구조와 사회제도에 편입되지 못해서 벌어지는 비극적 상황은 겉으로는 언해피 엔딩이라는 결말을 보이지만 그런 결말에는 여주인공의 반항과 거부가 들어 있기에 의미심장하다"고 긍정적으로 해석하고 있다.

이러한 유지나의 여성멜로의 전복성을 지적하는 해석에 대해, 서인숙은 미국 영화평론가 노엘 스미스의 정신분석학적 이론에 근거하여 모순점을 조목조목 따지며 비판을 가하고 있다. 서인숙은 멜로드라마 독해에서 빈번히 적용되고 있는 정신분석학적 틀로 〈미워도 다시 한 번〉의 내러티브 전략을 들여다본다면 마지막 혜영의 행동이 여성을 억압하는 부정적인 기능을 뒤엎는 효과를 거두고 있는지 지극히 의심스럽다고 비판하면서 결론적으로 〈미워도 다시 한 번〉은 여성뿐 아니라 남성에게 말을 걸어 남성의 오이디푸스적 환상을 충족시키는 영화로 분석되기 때문이라고 해석한다. 가부장제 구조에 정신적으로 복속되는 과정을 설명하고 있는 프로이트와 라캉의 정신분석학이 남근 중심적 이론이라는 사실을 잊어서는 안 된다고 지적한다. 남녀 성역할과 가부장적 사회구조에 대한 인식과정(정신분석적 구조)이 바뀌어야 남녀문제에 있어서의 근본적인 변화를 기대할 수 있기 때문[21]이라고 파악한다.

외시적 차원에서 〈미워도 다시 한 번〉의 내러티브 구조를 살펴보면 외견상 '로맨스+모성 멜로'의 형태로 이루어져 있는 것처럼 보인다. 그러나 정신분석적 차원에서는 영화의 전반과 후반은 동일한 심리구조를 지니고 있다고 파악한다.

신호의 회상으로 이루어지는 전반부에서 신호와 혜영은 연인 사이로 등장한다. 그런데 이 둘은 보통의 다른 연인들이 보여주는 사랑법과는 사뭇 달라 보인다. 공원을 산책하며 사랑을 속삭이는 로맨틱한 연인은 아닐지라도 남녀관계라면 등장할 만한 흔한 데이트 장면 하나 없다. 대신에 둘의 만남은 신호의 하숙집과 혜영의 자취방을 오가며 이루어지고 그 내용도 혜영이 신호의 옷을 빨아주고 양말을 꿰매거나 밥을 지어주며 지극정성으로 신호를 돌보는 일로 일관한다. 혜영의 헌신적인 모습은 영화 내내 이상적인 여인상으로 제시되며 하숙집 할머니의 노골적인 칭찬으로 이것이 강조된다.

더욱 흥미로운 일은 전반부에서 혜영과 신호의 모습이나 후반부에서 혜영과 아들 영신의 모습이 별반 차이가 없다는 점이라고 서인숙은 판단한다. 단지 아버지에서 아들로 그 대상이 바뀌었을 뿐 혜영은 신호에게 해주었던 일들을 아들 영신에게도 똑같이 되풀이한다. 그 단적인 예로 바느질을 하고 있는 동안 신호는 천장을 향한 채 팔을 괴고 누워 혜영과 정답게 대화를 나누는 장면이 있다. 후반부에서 영신과 혜영이 등장하는 장면에서도 똑같은 장면이 반복된다. 영신은 아버지가 했던 포즈와 똑같이 누워 있고 혜영은 역시 그 옆에서 바느질을 하며 아버지 신호에게 했듯이 아들 영신에게 다정하게 얘기를 건넨다. 이런 두 개의 동일한 장면들에서 알 수 있는 것은 혜영에게 영신은 남편 신호의 부재를 대신하는 대리인[22]이라는 점이다.

더구나 혜영은 신호에게 조건 없는 절대적 희생과 사랑으로 헌신하고 이 점은 아들 영신에게도 마찬가지이다. 혜영은 유부남이면서 자신을 속인 신호를 원망하기는커녕 책임을 추궁하는 신호의 부인 앞에서 모든 것을 자신 탓으로 돌리며 신호의 행복을 기원하는 초인적인 면모를 보여준다. 더구나 신호와의 이별 이후에는 오로지 선생님, 신호를 위해 평생을 바칠 것을 결심하며 아들 영신을 낳는다. 도저히 이성애적 관계에서 찾아보기 힘들 것 같은 신호를 향한 혜영의 무조건적 사랑과 헌신은 마치 아들에 대한 어머니의 이상적인 희생을 연상시킨다. 혜영의 무한대 사랑은 영신에게도 그대로 계속된다. 아들의 행복한 미래를 위해 이별의 고통을 무릅쓰고 아버지의 집으로 들여보내면서도 오히려 혜영은 자신을 팔자를 고치려는 죄인으로 책망하며 눈물을 흘린다. 영화에서 혜영은 언제나 자신을 죄 많은 여인으로 자책하며 신호와 영신에게 한 치의 차이도 찾아볼 수 없는 무조건적인 절대적 사랑으로 일관[23]한다.

혜영과 신호가 등장하는 전반부와 혜영과 영신이 등장하는 후반부가 동일한 관계를 맺고 있다는 걸 쉽게 짐작할 수 있다. 표면적으로는 혜영과 신호가 연인 사이이면서도 그들의 관계는 모자관계인 혜영과 영신이 보여주는 행동들과 별로 다르지 않다. 말하자면 정신분석학적으로 혜영은 신호에게 어머니적 존재에 상응하는 여성의 역할을 한다고 볼 수 있다. 신호에게 어머니의 존재가 전혀 나타나지 않는 점도 혜영이 신호에게 어머니와 동일한 역할을 할 수 있다는 가능성을 열어놓고 있다. 따라서 외형적으로는 영화가 '로맨스+모성멜로'로 구성되어 있는 것처럼 보이지만 내면적으로는 전후반이 동일한 모성신화를 재현하고 있다고 보여진다. 즉 신호와 영신에게 혜영은 오이디푸스 이전 단계의 이상적인 어머니로 그려지고 있다는 것이다. 오이디푸스 이후 단계에 잃어버린 어머니에 대한 상실감을 영화에서의 이상적인 어머니로 채우고자 하는 남성들의 오이디푸스 욕망을 실현시키고 있는 것이다. 그러므로 혜영은 이상적 어머니를 꿈꾸는 남성의 환상을 재현하는 구현체이고 남성 관객은 그녀를 통해 상실된 이상적 어머니에 대한 대리만족을 얻을 수 있다. 서인숙은 〈미워도 다시 한 번〉을 아들을 위해서는 어떠한 희생이라도 감수하는 완벽한 어머니의 완성을 열망하는 남성들의 오이디푸스 환상을 충족시켜주는 영화[24]로 평가한다.

나긋나긋하고 다소곳하던 혜영이 후반부에 와서는 강인한 미혼모의 모습으로 변한 것이 사실이다. 그러나 서인숙은 혜영의 강인함과 도전을 아들 영신에게 충실한 어머니이기에 허락되는 목소리일 뿐이라고 본다. "공연히 못난 에미가 저 혼자 잘 살아보려고 한 제가 잘못"이라며 가부장제에서 허용되지 않는 미혼모의 신분인 혜영은 자신을 끊임없이 죄인으로 취급한다. 미혼모인 혜영에게 가부장제가 유일하게 허락하는 자리는 가부장제의 후계자인 아들에게 절대적으로 희생하기를 주저하지 않는 어머니라는 직책뿐이다. 혜영 자신의 욕망과 행복추구는 억압되어 있고 어머니로서의 정체성만이 허용될 뿐 여성으로서의 주체성은 결코 존재하지 않는다는 것이다. 따라서 서인숙은 영화 〈미워도 다시 한 번〉은 여성 자신의 주체성과 욕망은 삭제된 채 여성의 유일한 최고의 미덕과 가치는 오로지 헌신적인 여성뿐이라는 모성 이데올로기를 강요하는 영화라고 결론짓는다. 영화 대단원에서 혜영이 영신을 데리고 떠나는 것을 어떻게 볼 것인가에 대한 해석도 평론가끼리 나뉜다. 서인숙은 영신이 이미 사진을 통해 아버지를 그리워해왔으며, 아버지를 향한 영신의 그리움은 혜영으로 하여금 아들은 아버지에게 귀속되어야 한다는 가부장적 질서를 인식시키는 동기가 된다고 보았다. 영화 마지막, 영신이 신호의 가정에 화합할 수 없었던 이유는 일부일처제의 평화를 위협하는 영신의 위치 때문이지, 영신이 결코 가부장제의 후계자가 될 수 없기 때문은 아니라는 것이다. 영신은 이미 가부장제에 편입해 있었던, 가부장적 정체성을 획득한 정신적인 계승자이며, 상황적으로만 아버지와 결별한 아들이다. 그러므로 혜영과 영신의 떠남을 가부장제로의 편입을 자주적으로 거부하는 저항적 행동으로 보기는 어렵다[25]고 해석한다.

4. 〈미워도 다시 한 번〉 시리즈의 흥행비결

〈미워도 다시 한 번〉은 부성애가 없는 신호(신영균)에 비해 가련하면서도 꿋꿋한 혜영(문희)의 모성성이 여성 관객의 눈물샘을 자극했다. 아역 김정훈의 호연도 만만치 않아 이 영화를 통해 김정훈은 아역 스타로 발돋움했다. 당시 서울 국도극장에서 개봉되어 서울 인구 450만 명이던 시절에 서울에서만 '37만 명'(『주간한국』, 1968.9.22) 이상의 관객이 이 영화를 보았으며 1961년 〈성춘향〉의 서울 관객 기록과 맞선 작품으로 알려져 있다.

이후 속편 행진이 계속되어 정소영 감독은 1969년 〈미워도 다시 한 번(속)〉(1969)에 이어 〈미워도 다시 한 번-제3편〉(1970), 〈미워도 다시 한 번-대완결편〉(1971), 이승연 주연의 〈미워도 다시 한 번-2002〉(2001)를 만들었다. 1980년대에 들어서서 변장호감독이 〈미워도 다시 한 번-80〉(1980), 〈미워도 다시 한 번-제2부〉(1981)를 제작했다.

정소영 감독의 〈미워도 다시 한 번〉(1968)에 이어 이듬해 〈미워도 다시 한 번(속)〉(1969)은 유례 없는 무더위 속에 개봉되어 관객 25만 4,000명을 동원했고, 〈미워도 다시 한 번-제3편〉(1970)은 관객 19만 8,000명을 모았으며, 김수현 각본의 〈미워도 다시 한번-대완결편〉(1971)은 기록적인 강추위 속에 개봉되어 우려가 많았지만, 관객 14만 5,270명을 동원하여 흥행에는 크게 영향을 미치지 않았다. 정소영 감독은 〈미워도 다시 한 번〉의 대장정을 여기서 끝내지 않고 이후 〈미워도 다시 한 번-2002〉를 연출하여 이 시리즈에 대한 강한 집념을 보여주었다. 이영일 영화평론가는 최루성 신파드라마는 희생을 모티프로 삼고 있으며 희망도 결단도 없이 고착상태가 끝없이 계속되기 때문에 어느 면에서는 이 시대 대중 심리의 정형화라고 할 수 있다[26]고 평했다.

〈미워도 다시 한 번〉 시리즈의 성공을 산업화와 근대화라는 사회문화적 맥락에서 찾는 평론가들도 많다. 이들은 영화 텍스트를 급속한 산업화와 근대화에 대한 경험으로 위치 지움으로써 당대의 국민들이 느끼는 억압과 사회적 불안, 그리고 이들을 재구성하려고 하는 힘을 영화 속에서 밝혀낸다. 영화평론가 이영일은 1960년대 후반 영화에 불륜과 가정의 위기가 등장한 배경에는 급속한 근대화로 인한 관객들의 자기 방어적 퇴영

성과 폐쇄성, 그리고 무의감이 있다고 주장한다. 이현경은 이와 유사한 맥락에서 '불법/합법', '현실적 자아/이상적 자아'가 '혜영/신호 아내'와 '신호/김 교수'로 분열되어 재현되었다고 보았다. 이러한 분열된 인물의 성격은 경제적 근대화와 정치적 민주화의 모순 속에서 국민이 느끼는 시대의 불안을 반영하는 징후로 해석된다. 임정택 역시 '근대적 이상에 대해 전근대적 가치로 저항하고 떼를 쓰는 실존의 모습'의 혜영이 당시 관객들에게 공감을 이끌어냈다고 분석하고 있다.[27]

앞의 연구들이 근대화로 인한 국민들의 불안과 억압을 영화 속에서 읽어냈다면, 다른 연구들은 근대화의 한계에 부딪친 국민들을 재조직하기 위하여 〈미워도 다시 한 번〉이 가족과 여성을 재구성하고 통제했음을 밝힌다.[28] 변재란은 근대화가 개개인의 억압기제로 작동하면서 사회전반을 재조직하고자 하는 충동으로 인해 〈미워도 다시 한 번〉이 등장했다고 결론지었다. 즉 시골과 도시·남성과 여성·본처와 애인·본처의 자식과 애인의 자식이라는 이분법의 존재에도 불구하고, 결국 근대화 프로젝트의 시발점이자 최후의 보루로서 가족을 재구성할 필요가 있었다고 해석한다. 김선아는 〈미워도 다시 한 번〉이 국가권력 담론이라는 틀로 1960년대 후반 집을 벗어난 여성에게 모성을 부과하여 권위주의적인 자본주의화의 성장과 개발을 요구했던 초남성적인 국가에서 여성을 배제하고 이들을 통제하고자 했음을 주장한다.

정소영 감독 영화 〈미워도 다시 한 번〉(1968, 원작)과 2002년 리메이크작의 시퀀스를 이야기 시간을 중심으로 비교해보기로 한다. 원작에서 혜영은 결혼한 사실을 숨긴 신호와 연애를 하며 행복한 결혼생활을 꿈꾼다(균형). 부인의 등장으로 신호가 유부남인 사실이 탄로나자 신호는 두 명의 자녀와 함께 부유하고 단란한 가정을 이루고 산다(균형 회복). 미혼모

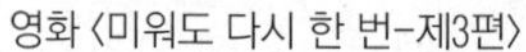
영화 〈미워도 다시 한 번-제3편〉

영화 〈미워도 다시 한 번-2002〉

로 영신을 홀로 키우던 혜영이 호적문제로 신호에게 영신을 맡김으로써 이복형제들과 갈등을 겪는다(불균형). 혜영이 다시 영신을 데리고 떠나면서 이야기는 마무리된다(균형 회복).

〈미워도 다시 한 번-2002〉에서도 여주인공 수정은 지환이 결혼한 사실을 모르고 행복한 동거생활을 한다(균형). 부인의 갑작스러운 출현으로 이별한다(불균형). 지환은 수정을 그리워하지만 겉으로는 안정된 가정을 이루고, 잡지사 사진기자인 수정 또한 딸인 지수와 애인인 영하와 안정된 삶을 살아간다(균형 회복). 그러나 폐암 말기로 시한부 통고를 받은 수정은 지환에게 아이의 양육을 부탁하게 되고, 아내의 거부로 지환 부부는 갈등을 겪는다(불균형). 수정은 지환과의 사랑을 재확인하고 죽음을 맞고, 지수와 함께 지환 가족의 행복한 나들이로 종결된다(균형 회복).[29]

두 영화 모두 주인공의 사랑이 불륜이었다는 사실이 알려지는 지점과 아이가 아버지 가족에 편입되어야 하는 지점에서 균형이 파괴되는 공통점을 보인다. 즉 불륜과 모성이라는 두 가지 축이 갈등 기제로 작동함을 확인할 수 있다. 원작에서는 갈등발생 기제가 낭만적 사랑과 모성 두 가지였던 반면, 〈미워도 다시 한 번-2002〉에서는 여주인공의 불치병이라는 새로운 갈등기제가 삽입됨으로써 기존 영화와 차별화된다. 원작에 비해 〈미워도 다시 한 번-2002〉에서는 서사적 갈등이 한층 강화되었으며, 특히 모성이 축소되고 낭만적 사랑의 영원성을 부각함으로써 여성담론의 변화[30]를 드러낸다.

제3장

경제적 소외계층의 아픔과 순결한 사랑

——〈영자의 전성시대〉

1. 1970년대 사회현실과 산업화의 그늘

1970년대는 제2차 경제개발 5개년 계획의 마무리로 출발했다. 1967년부터 1971년까지의 제2차 경제개발 5개년 계획의 중점목표는 ① 식량자급·산림녹화·수산개발, ② 화학·철강·기계공업 건설에 의한 공업고도화 및 공업생산 배가, ③ 7억 달러 수출 달성, ④ 가족계획 추진에 의한 인구 억제, ⑤ 국민소득 증대, ⑥ 인적자원 개발 등이었다. 이 기간의 연평균 경제성장률은 목표치 7%를 훨씬 상회하는 10.5%에 이르렀으나, 곡물수입은 4천만 달러에서 2억 7천만 달러로 급증했고, 외자도입의 증가와 국제수지의 만성적 적자라는 문제를 안게 되었다.

제3차 경제개발 5개년 계획의 기간인 1972년부터 1976년까지는 고도성장 및 중화학공업화를 목표로 추진되었으나, 1971년 8월의 '닉슨 쇼크'에 의한 국제통화질서의 붕괴, 1973년 10월의 제1차 석유파동 등으로 위기를 맞았다. 그러나 외자도입과 수출드라이브 정책, 중동건설 붐으로 고비를 넘겨 연평균 11%의 높은 성장률을 유지했다.

1970년대는 오일쇼크의 충격 속에 경제가 흔들렸지만, 중동건설 붐의 영향으로 지속적인 경제성장을 이루어나갈 수 있었다. 하지만 급격한 산업화의 후유증은 매우 컸다. 하나는 한강의 기적이 강남의 아파트신화를 이루었지만 그러한 투자붐이 부동산 투기로 이어지면서 심각한 양상으로 전개되었다. 다른 하나는 유흥가의 조성으로 성적인 타락과 쾌락지향적인 도시인의 성향이 문제시되었다. 마지막 하나는 빈부의 격차가 심해지고 도심에서 밀려난 하층민들로 구성된 달동네가 형성되었다는 점이다. 1970년대 문학과 영화는 이러한 자본주의의 그늘진 부분과 쾌락지향적인 양상을 인쇄매체로 또한 영상매체로 사실적으로 담아내었다.

급격한 경제성장은 이루어졌으나 보편적인 국민들의 삶의 질은 변한 것이 없었다. 강남불패라는 신화 속에 부동산 투기를 통한 졸부들을 양산해냈지만, 그것은 극히 소수에 지나지 않았다. 외자 중심의 경제개발로 외채는 계속 늘어났으며, 1969년 차관기업의 약 45%가 부실기업으로 드러났다. 이러한 경제개발의 문제점과 함께 독재정치에 대한 국민의 반감이 점차 표면화되었다.

1970년대 초 급변하는 국제 정세 역시 한국의 정치상황에 영향을 주었다. 사회주의권의 이념분쟁으로 소련과 중국이 분열되었고, 닉슨 독트린 및 미국과 중국의 수교로 국제적인 냉전이 완화되면서 화해 분위기가 조성되었다. 국제정세의 변화는 반공안보 논리를 정권유지의 강력한 밑받침으로 삼아온 박정희 정권을 궁지에 몰아넣었다. 국내외적 위기상황을 타개하기 위해 박 정권은 1972년 10월 17일에는 비상계엄의 선포·국회해산·정당 및 정치활동의 금지·헌법의 일부 효력 정지와 비상국무회의에 의한 대행 등을 내용으로 하는 '대통령 특별선언'을 발표하였다. 국민투표를 거쳐 1972년 12월 27일 유신헌법을 공포함으로써 유신체제를 수립[1]하였다.

박 정권은 유신체제 수립을 추진하면서 다른 한편으로 북한과의 대화를 꾀하였다. 닉슨 독트린의 발표와 함께 미국이 남한에 군사력의 자립화와 북한과의 관계개선을 요구한 것도 남북 간의 긴장완화를 모색한 이유였다. 한편 북한도 1960년대 중반 이후 '푸에블로호 나포 사건' 등으로 고조된 동북아시아의 긴장상태를 완화시키기 위해 적극적으로 남한과의 대화를 모색하였다. 이러한 분위기에서 1971년 9월 20일 남북 적십자회담을 거쳐 1972년 7월 4일 조국통일 3원칙을 담은 '남북 공동성명'이 발표되었다. 남북한 당국이 상호 합의한 조국통일 3원칙의 내용은, 첫째, 통일은 외세에 의존하거나 외세의 간섭 없이 자주적으로 해결해야 하며, 둘째, 통일은 서로 상대방을 반대하는 무력행사에 의거하지 않고 평화적 방법으로 실현해야 하며, 셋째, 사상과 이념, 제도의 차이를 초월하여 우선 하나의 민족대단결을 도모하여야 한다는 것이었다. 이 같은 자주·평화·민족대단결의 통일 3원칙은 이후 남북한 통일정책의 강령적 원칙이 되었다는 점에서 매우 의미 있는 것이었다. 그러나 7·4 남북 공동성명의 발표 이후 남북한 간의 교류는 거의 진전이 없었다.[2]

유신정권은 정치적 통제와 더불어 새로운 경제조치와 정책을 실시하였다. 유신정권은 1972년 '8·3비상조치'(경제의 안정과 성장을 위한 긴급명령 제15호)를 발표하였다. 그 내용은 기업의 사채를 동결하고 재벌들에 대한 금융·세제상의 혜택을 더욱 늘리는 것이었다. 당시 위기에 처했던 부실기업들은 8·3조치를 통해서 도산을 면하고 연간 1,028억의 금리부담을 덜게 되어 새로운 자본축적 기반을 마련했다. 유신정권은 1970년대 초부터 제3차 경제개발 계획의 실시와 함께 중화학 공업화를 추진했다. 1973년 5월 정부는 '중화학공업위원회'를 조직하고 1973년부터 1981년까지 제조업 총 투자액의 63.9%인 2조 9,800억 원을 중화학 부문에 투자하기로 했다. 이 같은 집중적인 투자계획과 함께 세제상의 특혜조치도 실행하였다. 그 결과 전체 제조업에서 중화학공업이 차지하는 비중이 1971년 37%이던 것이 1981년에는 51%로 늘어났다. 이러한 중화학공업화는 내용적으로 선진자본주의 국가의 경제구조 전환과 밀접하게 연관되어 있었다. 선진자본주의 국가들은 1960년대 말 1970년대 초 세계적 불황에서 벗어나기 위해 기존의 중화학공업을 고이윤 고부가가치산업으로 대체하는 한편, 공해를 유발하는 중화학공업 부분을 후진국으로 이전하였다. 한국의 중화학공업화도 이와 같은 맥락에서 추진된 것이었다. 이러한 형태의 중화학공업화는 지나치게 수출 중심적이었으며, 국내 다른 산업과의 연관성이 매우 취약하였다. 또한 일본을 비롯한 선진자본주의 국가의 공해산업이 대규모로 국내에 들어와서 심각한 환경문제[3]를 불러일으켰다.

경제개발 기간 중 경제는 연평균 약 8.4%(1962~82)의 성장률을 보였다. 산업화가 급속하게 추진되면서 공업이 차지하는 비중이 높아져 1970년대 중반 이후 공업생산력이 농업생산력을 능가하였다. 그리고 도로·항만·교량 등에 대한 정부의 집중적인 투자로 인해 사회간접자본의 비중이 높아졌다.[4] 이 당시에 설치된 SOC(사회간접자본)는 2000년대까지 한국경제의 지속적인 성장에 큰 동력으로 작용하였다.

한편 급속한 경제성장의 그늘도 생겨났다. 산업화과정에서 노동자의 수가 급격하게 늘어났고 농촌인구의 급감과 도시 빈민층으로의 유입이 일어났다. 노동자가 1970년에는 394만여 명이었던 것이 1980년에는 550

만여 명으로 증가하였고, 특히 제조업 노동자의 경우는 1970년 110만 명에서 1980년 236만여 명(전체 노동자의 43.3%)으로 급증하였다. 노동자계급의 확대로 노동운동이 주요한 사회운동으로 대두하였다.

수출주도형 경제개발은 농업의 희생을 바탕으로 한 것이었다. 그로 인해 농촌은 갈수록 피폐해졌다. 이를 보완하기 위해 1970년대 초 시작된 '새마을운동'으로 농촌의 겉모습은 많이 나아졌으나, 농촌의 피폐는 저임금·저곡가 정책에서 비롯된 구조적인 문제였기 때문에, 이 문제의 해결 없이 농촌문제의 근본적인 해결은 이루어질 수 없었다.

농촌의 피폐로 1960~1970년대 약 680만 명의 농촌인구가 도시로 이주했다. 이주한 농촌인구의 80%가 1정보 미만을 경작하던 농가였으며, 0.5정보 미만의 농가도 47% 가량이었다. 경작지가 작은 빈농일수록 가족이 모두 이주하는 경우가 많았다. 대체로 도시로 이주한 농촌인구는

영화 〈난장이가 쏘아올린 작은 공〉(1981, 이원세 감독)

노동자가 되거나 날품팔이 등으로 생계를 이어가는 빈민이 되었다.[5] 이들은 대부분 도심의 달동네에서 빈민촌을 이루고 형편없는 생활환경 속에서 살아가야 했다.

이러한 빈부격차와 경제적 소외계층의 확대는 1970년대의 한국사회가 안고 있는 큰 문제였다. 1970년대 대표소설들은 이러한 경제적 소외계층의 아픔을 사실적으로 그렸다. 박완서의 「도둑맞은 가난」·윤흥길의 「아홉 켤레의 구두로 남은 사내」·조세희의 『난장이가 쏘아올린 작은 공』·이문구의 『우리 동네』·이호철의 『서울은 만원이다』·조선작의 『영자의 전성시대』·황석영의 『객지』 등이 이러한 농촌의 공동화 현상, 도시빈민층의 문제나 하층민의 집 없음 등의 심각성을 묘사했다.

2. 경제적 소외계층의 아픔과 지식인 청년의 고뇌

1970년대 작가 박완서는 장편소설 『나목』(1970)이 『여성동아』 현상모집에 당선되어 문단에 등단하였다. 초기 작품에서부터 중산층의 생활양식에 대한 비판과 풍자에 주력하고 있으며, 『도시의 흉년』(1977), 『휘청거리는 오후』(1977), 『목마른 계절』(1978) 등의 장편소설에서 중산층의 가정을 무대로 하여 관심을 기울이고 있는 부분은 매우 폭이 넓다. 사회적 단위 집단으로서의 가족구성의 원리와 그 구성원들 사이의 관계를 박완서는 가족 내적인 문제를 중심으로 하여 새로운 사회·윤리적 판단 기준을 제시하기도 하고, 가족 구조의 변화를 역사적인 사회변동의 한 양상으로 파악하기도 한다.

박완서의 소설은 일상적인 삶에 대한 중년 여성 특유의 섬세하고도 현실적인 감각으로 다듬어지고 있으며, 한국전쟁에 의해 초래된 비극적 체험으로부터 비롯된 심화된 내면의식에 의해 더욱 밀도 있게 이야기가 형상화되고 있다. 첫 장편소설인 『나목』(1970)·『그해 겨울은 따뜻했네』(1983) 등과 「지렁이 울음소리」(1973)·「부처님 근처」(1973)·「엄마의 말뚝」(1980) 등의 중·단편소설에서 박완서는 끔찍할 정도로 생생하게 전쟁의 참상과 그것으로부터 연유되고 있는 비극적 현실을 그려낸다. 그리고 그 비극으로부터 벗어나 오늘의 현실적 삶으로 돌아왔을 때, 거기에는 정치한 심리묘사와 능청스러운 익살, 지나가 버린 삶에 대한 애착과 핏줄에 대한 절절한 애정, 일상의 삶에 대한 안정된 감각이 살아 움직인다. 그 밖의 주요 작품으로는 「세모」(1970)·「어떤 나들이」(1971)·「부끄러움을 가르칩니다」(1974)·「카메라와 워커」(1975)·「도둑맞은 가난」(1975)·「조그만 체험기」(1976) 등 주옥같은 단편들을 1970년대에 쏟아낸다.

박완서의 단편소설인 「도둑맞은 가난」은 1970년대의 개발독재 시대와 산업화·근대화시대의 아픔을 예리한 통찰력과 디테일한 묘사를 통해 길어 올린 수작이다. 1인칭 시점인 '나'의 이야기인 「도둑맞은 가난」은 '나'의 가족사부터 이야기가 시작된다. 아버지가 근무하던 회사가 망해서 아버지는 실직을 한다. 어머니는 친구에게 돈을 빌려서 아버지의 사업자금을 댄다. 하지만 아버지는 사업이 실패하여 우리 가족은 산동네로 이사를 가는데, 가난한 삶을 지긋지긋하게 여기던 엄마는 '나'를 제외한 가족들과

박완서(소설가)

함께 연탄가스를 마시고 삶을 끝맺는다.

'나'는 어머니와 다른 가치관으로 삶을 살아가기로 결심을 한다. 그래서 가난과 정면으로 승부를 하기 위해 미싱 기능공이 되려고 봉제공장에 취업을 해서 소위 공순이가 된다. 가난을 수용하며 가난한 생활 속에도 하루하루 현실에서 최선을 다한다. 그러다가 우연히 이웃 멕기 공장 상훈이를 만나게 되어 사랑에 빠진다. 두 사람은 생활비를 아끼려고 '나'의 제안에 따라 동거생활을 시작한다.

상훈이 공장의 노동자들이 폐병에 걸려 쓰러진다. 그 얘기를 들은 '나'는 그동안 모아둔 돈이 저금된 예금통장을 폐병환자를 도와주라고 상훈에게 내놓는다. 하지만 상훈은 내 마음도 모르고 전 재산과 마찬가지인 예금통장의 돈을 모두 꺼내어 폐병환자에게 준다. '나'는 그 문제로 상훈에게 심한 말을 하고 갈등을 유발한다.

상훈은 그 일이 있은 후 말없이 사라졌다가 돌아온다. 몇몇 신사복을 입은 건장한 사람이 고급 자가용을 몰고 찾아와 그를 납치해서 사라졌다는 소문이 돌았다. 상훈이 없는 방에서 '나'는 고독감을 느낀다. 상황을 알고 보니 상훈은 자신과 신분이 다른 부잣집 도련님이었다. 대학생이었던 상훈은 노동운동 차원에서 위장취업자로 멕기 공장에 취업을 했고, 기업주인 아버지는 사람을 보내 그를 강제로 데리고 가버린 것이었다. 상훈은 옷 사 입을 돈을 꺼내 주며, 자기의 집으로 와서 같이 살자는 제안을 하지만, '나'는 상훈을 쫓아내고 자기 방으로 돌아와 앉는다. '나'는 자신의 방이 예전과 달라진 것을 깨닫는다. 상훈이 '나'의 가난을, 그것도 가난한 사람의 자존심과 삶 자체를 송두리째 훔쳐가버린 것을 인식하게 된다.

1970년대에 한강의 기적과 함께 강남과 잠실지역의 한강변에 현대식 아파트가 대량으로 건설된다. 아파트는 현대식 생태도시로 변모한 대도시 서울의 중요한 생활의 한 축을 담당하게 되어 새롭게 모습을 드러낸 중산층 삶의 한 상징으로 평가된다. 이동하의「홍소(哄笑)」·박완서의「닮은 방들」·최인호의「타인의 방」 등은 이러한 아파트 문화의 희귀한 모습을 꼬집어서 보여준다.

생태학적 소설이란 문자 그대로 특정한 지역단위에 있어서의 독특한 생활양식 내지 어떤 주거지대의 인간·사회·환경의 상호관계를 생태학적으로 묘사하는 소설이다. 따라서 겔판트의 주장처럼 단일한 주인공의 경험과 발견에 초점을 두고 있는 경험소설의 형태나 도시노년의 소설과는 달리 특정한 지대 또는 지역사회를 단위로 하여 그 한정된 공간이나 장소에 있어서의 특유한 삶의 행태를 제시한다. 우리 현대소설에 나타나고 있는 도시 지역의 형태론적인 구조는 주로 중앙의 고층화된 기업지대 및 삶이 도시화의 전형을 이루고 있는 아파트 지역의 단지공간, 그리고 변두리 외곽의 빈민과 도시 재개발로 인한 사회적 추방자로서의 철거민의 빈곤지대 등으로 분화된다.[6]

도시의 상징으로서 아파트와 그 단지는 현실적으로는 생활의 편리한 장소로서의 역할을 하고 있는 것도 사실이지만, 현대소설에서는 주로 획일성·익명성·가족의 핵화·인간관계의 공백 및 근린의식이 없는 군거적 고립의 공간 등으로서 인지된다.

아파트의 사람은 도시인의 삶을 생태적으로 획일화시키고 심의적 유동성(心意的 流動性)을 일으키는 도시형 삶의 축도이며, 또한 부력(父力)이나 남성력 등의 남근지배를 약화·좌절시키는 공간인 것이다. 철저한 공간의 소외를 다룬 최인호의「타인의 방」에 있어서도 이런 현상이 확인된다. 아파트와 아내는 '나'를 소외시키고 또 이웃마저도 '나'를 따돌리고 배제시키기 때문이다. 초인종·신문·자동면도기·휴지·확대경·욕실샤

워·트란지스터·분말주스·전축·소파·술병 등의 현대문명의 사물이 가득 차 있으면서도 이 타인의 방안에는 정작 부부가 더불어 사는 사람으로서의 교호적인 융합의 공간성이 진공화되어 있다. 이런 방이란 결코 인간이 사는 방이 아니다. 인간의 기본관계가 최대한으로 오그라져버린 공간인 것이다.[7]

1970년대의 또 한 부류의 소외계층은 바로 도시 빈민층이다. 그 주인공은 윤흥길의 「아홉 켤레의 구두로 남은 사내」처럼 지식인계층의 빈곤계층과 조세희의 『난장이가 쏘아올린 작은 공』의 잡역부 난장이 김불이처럼 최하층계층으로 나누어진다. 도시화와 재개발 내지는 도시 계획정책에 의해서 철거 또는 이주되어야만 하는 일종의 이주지역의 철거민이나 삶의 근원적인 뿌리박음이 박탈되는 가난하고 소외된 계층의 현실과 꿈의 좌절을 그림으로써, 구조적 관점에서 1960년대 후반 이래 도시개발 과정에서 부수되는 심각한 사회적인 부작용을 환기시키는 동시에, 주거의 정점을 잃은 도시 철거민들의 삶의 공격적인 생태 구조와 이를 유발하는 부류들의 행태를 두드러지게 제시하고 있다. 이 철거민지대는 생태적 성격으로 보아 고급 주택지역과는 달리 가난함과 인구들의 밀집화, 그리고 그로 인한 주택난이 심한 것이다. 뿐만 아니라 부동산 업자나 '복부인'·자본가의 투기행위의 무대이며, 사회적인 소외의식의 현장인 것이다.

윤흥길의 「아홉 켤레의 구두로 남은 사내」는 표제가 암시하고 있듯이, 구두의 상징 및 암시적 기법과 현실 묘사의 리얼리즘을 융합한 가운데, 도시 개발에 의해서 촉발된 빈민들의 집 없음 상태의 황량함과 소외된 삶의 비극성을 제시하고 있다. 교사인 '나(오 선생)'라는 관찰자의 시점을 통해서 서술되는 이 작품에는 이주정책에 얽혀 있는 도시 빈민과 철거민들의 흔들리는 삶과 복잡한 생태적인 차가상황(借家狀況)을 배경으로 권기용이라는 한 사람의 삶이 관찰 추적된다. 대학까지 나온 선량한 권기용은 내 집 마련의 꿈에 이끌려 광주단지에 삶의 터전을 마련하지만, 꿈을 좌절시키는 무단적인 입주정책의 횡포에 항거하는 주동자의 한 사람으로 낙인찍힘으로써, 부단한 감시의 대상이 되고 있는 사람이다. 그러면서도 그는 스스로의 위엄을 지키려고 하지만 교사의 집에 세 들어 사는 무능한 가장으로서 분만의 위기에 처한 아내의 입원비도 마련할 수 없어서 주인집에 대해 서투른 강도행위를 하다 마침내는 실종해버리고 마는, 철저한 결핍상태의 인간이다. 그야말로 사회적인 힘에 의해 안주와 애써 지키려는 위신마저 잃은 와해된 삶이다.

그는 정착할 땅과 집 및 일터를 하나도 확보하지 못함으로써 삶의 체계가 철저하게 황폐화되어 있음에도 불구하고 자긍의 정신적이고 내면적인 집을 갖고 있다. 그것은 그가 그의 남루에도 불구하고 빛나게 닦인 아홉 켤레의 구두를 가지고 있다는 사실로 묘사된다. 표제처럼 한 인간이 인간으로서가 아니라 사물화됨을 시사하면서도 상징 매체로서의 구두는 호랑이의 '가죽'이나 사람의 '이름'과 마찬가지로 그의 가난한 삶의 결산인 동시에 "이래 뵈도 나는 대학까지 나온 사람이오"라고 내뱉는 말로써 표상하는 자기소외에 내재되어 있는 것처럼, 자기변호나 긍지의 상징이며 희망으로의 지향을 포기하지 않았음을 묵시적으로 나타내주는 것이다. 따라서 구두는 주인공을 '체면과 교양과 자존심에 묶어 놓은 상징적인 끈'이면서 그의 정신의 집이다. 그러나 주인공은 지상의 집이 없을 뿐 아니라 철저한 무력에 의해서 이 자긍과 가능성의 정신적인 집(구두)마저 끝내는 버리게 됨으로써 소재불명의 집 잃은 인간으로 고립[8]되는 것이다.

조세희의『난장이가 쏘아올린 작은 공』 역시 도시 빈곤지대에 살고 있는 사람들의 가난의 생태학적인 고발 보고서이다. 작품은 철거 계고장의 조건 아래 위압되고 또 해고됨으로써 소외된 세계에서 표류하는 한 노동자 가족의 위축된 삶을 그리는 가운데, 환상적인 상징의 비전을 통해서 인간의 근원적인 갈망의 참모습과 이를 와해시키는 구조적 힘의 실체들을 암시해주고 있다. 제목이 이미 시사하고 있듯이 117cm의 왜소한 난장이(거대한 조직 사회에서의 축소 위축된 개인의 표상) 잡역부 김불이 일가는 구청장으로부터 낙원구 행복동 46번지 주택의 철거 계고장을 받음으로써 그나마 애착과 친밀의 공간이었던 '우리 집'마저 잃게 되는 처지에 직면한다. 여기에 부동산 업자들의 교활한 투기놀음에 휘말리어 입주권마저 넘어가고 산업사회의 속성이 되어 있는 노사관계에서 사용주에 의해 일방적으로 해고됨으로써 난장이 김불이 일가는 그들 나름의 낙원이며 행복인 안주의 기반을 상실한다. 결과적으로 난장이는 공장 굴뚝에서 자결하고 그 딸인 영희의 희생적인 몸값으로 투기꾼의 수중에 빼앗기다시피 넘어간 입주권을 다시 찾게 된다는 이야기다. 여기서 주목되는 것은 이미 죽은 땅인 지상의 삶에서 절망한 난장이가 그것의 '카운터 월드(counter-world)'라고 할 수 있는 지향의 달나라 또는 외계를 향해서 공장 굴뚝 위에서 종이비행기를 날리고 작은 쇠공을 쏘아올리다 추락사한다는 사실이다. 그것은 현실과 꿈 그리고 저항과 좌절의 분리된 극점을 상징하는 지도에 다름이 아니다. 여기서 현실의 좌절은 주인공으로 하여금 마침내 추락해버리게 하는 것이다.[9]

또 하나의 1970년대 소설문학에서 중요한 분류로는 떠돌이의 삶을 다룬 황석영의「삼포 가는 길」과「객지」 그리고 돈과 쾌락의 상관관계를 다루는 조선작의『영자의 전성시대』를 들 수 있다. 도시와 시골이 장소적으로 교차하는 황석영의 소설은 도시 발견의 처절성과 좌절과 붕괴의 절박한 비극성을 동반하고 있음으로써, 산업사회화라는 변화과정에 있어서 야기되는 노동계층의 소외와 분배 평형의 불균형, 도시가 지닌 도덕성의 경박화와 인간관계의 냉각성, 자연성의 거세화 등의 파괴적 국면에 대한 감수성을 첨예하게 드러내준다. 말하자면 도시로 몰려온 바닥의 노동 인생들의 황폐한 삶을 조명함으로써 본래의 잠재력이 박탈되거나 거세되는 과정을 통해서 산업화와 도시화의 그늘 속에 편재되어 있는 병폐와 「삼포 가는 길」에서 암시되고 있듯이 안주의 자리를 잃은 떠돎과 흔들림의 상황을 사실적으로 제시하고 있는 것이다. 따라서 그의 문학세계는 상대적으로 전근대적이고 목가적인 시골의 생활양식과 고향의 위축·상실 및 삶의 욕망과 잠재력을 거세시키는 거대화된 도시의 음험한 삶을 대조적인 평행구조로서 대비시키면서 그 어디에서도 삶의 정점을 잃은

영화 〈삼포 가는 길〉(1975, 이만희 감독)

부랑노동자의 떠돌이성 삶에 대한 각별한 인식을 근거로 하고 있다. 「객지」도 같은 맥락에서 연결된다.[10]

조선작의 『영자의 전성시대』 및 조해일의 『미스 양의 모험』과 같은 소설들은 시골출신의 여성들이 『서울은 만원이다』의 길녀처럼 도시에 입성함으로써 도시에서 겪게 되는 욕망의 허망함과 전락, 즉 매춘에 의한 창부화 과정을 다룬 것으로, 돈과 쾌락이 그 삶의 한 전형을 이루고 있는 도시에의 발견과 경험유형에 연관되어 있다는 점에서 경험소설의 한 유형으로서 간과해버릴 수 없는 의의를 지니고 있다. 동시에 도시의 도덕적인 황폐함에 대한 인지가 내재되어 있다. 밭 두 뙈기밖에 없는 시골에서 도시로 생활터전을 옮긴 영자는 식모살이로 전전하다가 차장으로서 버스에서 한쪽 팔을 잃고는 밤의 여인으로 전락한, 창녀생활을 하는데, 이런 전락은 도시화나 도시적 삶의 양식에 은폐되어 있는 남성적인 거세와 상응되는 의의[11]를 갖는다.

「삼포 가는 길」은 1975년 이만희 감독에 의해 영상으로 옮겨졌다. 김진규와 함께 백화 역을 맡은 문숙의 연기가 돋보이는 작품이었다. 이만희 감독은 〈삼포가는 길〉의 마지막 부분을 편집하다가 간경화로 사망했다. 공사장을 떠돌아다니는 젊은 노동자 노영달(백일섭)은 천가네 밥집에서 여주인과 바람을 피우다 들켜 도망을 나온다. 눈밭에서 영달은 천가네 밥집에서 본 정씨(김진규)를 만나 그와 동행하게 된다. 두 사람은 참샘의 서울식당에 식사를 하러 들르는데, 주인여자로부터 도망간 술집 작부 백화를 붙잡아주면 돈 만 원을 주겠다는 제안을 받는다. 여비에 보탤 욕심으로 영달은 백화를 쫓아간다. 사람들의 예상과 달리 월출역 대신 강천으로 가는 길을 택한 영달과 정씨는 백화를 만나지만, 백화는 호락호락하지 않다.

백화와 영달이 서로를 뜨내기라고, 작부라고 무시하며 티격태격하는 사이 셋은 동행하기에 이른다. 형무소에서 나와 10여 년 만에 고향인 삼포로 가는 정씨, 일자리를 찾아 남으로 가는 영달, 역시 일거리를 찾아 정처 없이 목포로 가는 백화 세 사람은 거처가 없다는 것이 공통점이다. 눈쌓인 들판을 제 나름대로 흥에 겨워 노래를 부르며 세 사람은 걸어간다. 막상 세 사람은 갈 곳이 없어 정처 없이 남쪽을 향해 걸어가고 있는 것이다. 그동안 세 사람은 조금씩 서로를 알아가며 정이 쌓여가지만, 영달과 백화는 사소하게 말다툼을 하고 백화가 읍내로 내려가버린다. 백화를 찾아 읍내로 내려온 영달과 정씨는 선술집에서 대판 싸움이 벌어진 백화를 발견하고 정씨가 아버지인 척 연기를 해서 위기를 모면한다. 정씨는 영달에게 백화와 살 것을 권유하고, 영달은 그날 밤 백화와 하룻밤을 보낸다는 이야기이다.

『난장이가 쏘아올린 작은 공』은 이원세 감독에 의해 1981년 영상으로 옮겨졌다. 안성기와 금보라의 연기가 압권인 영화다. 영화검열 때문에 원작의 공업지대의 무대가 염전으로 바뀐 것이 특징이다. 난장이 김불이는 아내와 염전일을 하는 큰아들 영수(안성기), 권투도장에 다니며 가난의 울분을 삼키는 둘째 아들 영호(이효정), 딸 영희(금보라)와 행복동에서 살고 있다. 바다의 오염으로 다른 곳으로 이주하면서 보상책으로 주택분양권을 받지만 부동산 투기업자인 박우철(김추련)의 손으로 분양권이 넘어가게 된다. 어느 새 영희에게도 유혹의 손길이 뻗쳐오고, 박우철의 집으로 따라간 영희는 행복동의 낡은 가옥들이 무너진 새벽, 박우철의 금고에서 가족의 꿈인 주택분양권을 찾고, 아버지인 난장이 김불이가 죽고 없는 행복동으로 달려온다는 줄거리이다. 영화에서 난장이의 신체적 불구성을 통해 이원세 감독은 시대적 불구성을 영상으로 담아낸다. 빈민촌의 암울한 생활·부동산 투기와 철거·정치적 불안을 고발하면서 정교한 구성을 통해 무채색 화면 위에 힘없는 서민들의 삶을 담담하게 묘사하고 있다. 〈난장이가 쏘아올린 작은 공〉은 그해 이원세 감독에게 백상예술대상 감독상을 수상하게 한 작품으로 최근 한국영화 리얼리즘의 흐름을 논하는 데 꼭 필요하다는 평가 속에서 한국영상자료원에서 '한국영화 100선'에 선정했다.

3. 대중소설의 영상화와 청년문화

1970년대의 본격적인 경제성장과 도시화는 서울을 비롯한 위성도시의 인구 밀집과 공간의 확장을 가져왔다. 1955년에서 1975년까지 서울의 인구는 157만 명에서 1975년 689만 명으로 4.39배 증가하면서 총 인구의 29.8%가 거주하는 거대 도시로 변모했다. 산업화·도시화에 따른 노동시간 증가와 레저문화 형성은 유신시대 질적 경쟁력을 잃은 영화산업의 몰락을 부추겼다. 텔레비전 방송은 1956년 HLKZ-TV가 개국하면서 시작되었고, 1966년부터 KBS TV가 전국에 전파를 송신했다. 1965년 0.61%에 불과하던 가구당 텔레비전 수상기 보급률이 1979년에 79.1%로 증가하면서 대중매체로 위상을 굳혔다.[12]

이에 반해 1969년 1억 7,300만 명에 육박하던 영화 관객 수는 1976년에 7천만 명에도 미치지 못했고, 같은 해 각각 5~6회에 이르던 1인당 연간 영화관람 횟수도 1.8회로 급감했다. 1969년에 최대 제작편수였던 229편은 1970년대에 이르러 100편 내외로 떨어졌으며, 전국 극장 수는 1971년 717관에서 1978년에는 488관으로 감소했다. 관객의 외화 선호도 명백히 증가해서 한국영화 점유율은 20~30% 내외로 축소되었다. 영화산업의 침체는 유신시대 검열을 비롯한 통제정책의 결과이기도 하다. 1970년 8월 6일 3차 개정 영화법이 공포되었고, 4차 영화법 개정은 1973년 2월 16일에 이루어졌다. '유신 영화법'이라 불리는 4차 개정 영화법은 영화사 등록제를 허가제로 전환해서 문화공보부의 허가를 받아야만 영화를 제작할 수 있도록 명문화했고, 3차 개정에서 분리되었던 제작업과 수입업을 다시 통합했으며, 3~4년간 중단됐던 외국 영화 수입 쿼터 보상제도가 부활[13]했다.

1970년대 영화는 컬러 시네마스코프로 제작되었으나 장비의 부족과 노후로 작품의 완성도가 떨어졌고 테크니스코프(techniscope) 방식의 촬영이 전체 제작편수의 약 30%를 차지했다. 테크니스코프는 영화의 한 숏이 필름의 4프레임에 찍히는 것을 2프레임에 촬영하고 현상을 통해 다시 확대해 2.35 : 1의 시네마스코프 화면 비율을 구현하는 방식이다. 네거티브 필름이 절반밖에 소요되지 않아 1960년대 말에서 1970년대 중반까지 영세한 영화 현장에서 경제적인 방식으로 사용되었다.

1970년을 전후해서 〈몽녀〉(1968, 임권택 감독)·〈지지하루의 흑태양〉(1971, 장석준 감독) 등이 입체영화로 촬영되었고, 〈춘향전〉(1971, 이성구 감독)이 한국영화사의 유일한 70mm 영화로 촬영되었다. 한국영화의 기술적 결함으로 지적되어 온 후시녹음 문제를 극복하기 위해 〈대원군〉(1968, 신상옥 감독)에서 이례적인 동시녹음이 이루어졌다.[14]

1974년 최인호 원작의 장편대중소설을 각색한 〈별들의 고향〉(이장호 감독)이 46만 명이라는 관객을 동원한 후, 〈어제 내린 비〉(최인호 원작, 1974, 이장호 감독)·〈영자의 전성시대〉(조선작 원작, 1975, 김호선 감독)·〈바보들의 행진〉(최인호 원작, 1975, 하길종 감독)·〈겨울여자〉(조해일 원작,

1977, 김호선 감독) 등이 연이어 흥행에 성공하면서 '대중소설의 영화화'가 이어졌다. 이 영화들은 해방 후 한글로 교육받은 '제3세대' 작가 소설을 각색한 것으로, 젊은 감독들이 영화 흥행작으로 만들어내면서 다수 제작[15]되었다.

'대중소설의 영화화' 흐름은 비극적 주인공의 인생 여정을 소재로 삼는 경우가 많았고 1970년대 호스티스 소재 영화의 기류를 형성하기도 했다. 〈별들의 고향〉의 경아가 도시적 감수성 속에서 떠도는 이미지를 표현하고 있다면, 〈영자의 전성시대〉의 영자는 도시화의 바람에 상경해 식모·여공·차장·창녀를 전전하는 밑바닥 인생의 절망과 동시에 희망을 보여주었다.[16]

1970년대는 대중문화가 움을 텄던 시기였다. 그 저변에는 몇 가지 요인이 자리잡고 있다. 하나는 산업화 정책으로 형성된 대규모 노동자들이 대중문화를 소비하는 주체로 형성된 점을 들 수 있다. 『영자의 전성시대』의 영자나 철수는 이 시대의 대표적인 젊은이들이기도 하지만, 산업화시대의 저임 노동정책에 희생된 인물이기도 하다. 다른 하나는 전쟁의 아픔과 기억보다 풍요로운 경제환경에서 자라난 세대가 적극적으로 대중문화를 소비할 주체로 등장한 것이다. 특히 유신체제에 저항할 수 있는 계층은 세상을 깊이 있게 사색할 수 있는 지식인계층인 대학생들이었기 때문이다. 위장취업자였던 대학생들의 저항문화에 대한 체질을 전수받은 노동자들이 길거리로 쏟아져 나온 시기는 1980년대라고 할 수 있다. 1970년대만 해도 위수령과 계엄령, 그리고 긴급조치에 맞서 투쟁할 수 있는 유일한 계층은 정치인도, 노동자도 아닌 청년 대학생들이 유일했다. 이들 청년 대학생계층은 자신들만의 논리로는 세상을 변혁시킬 수 없음을 깨닫게 된다. 그래서 대중화의 노선으로 선회하는 것이 요구되었다. 그들은 의식 있는 작가와 젊은 감독들과 손을 잡고 대중에게 스며드는 '저항하는 청년문화'를 창조해낸 것이다. 젊은 창조정신을 분출하는 대중물이 쉽게 대중의 가슴을 파고들었던 것이다.

이러한 1970년대 대중문화의 활성화는 '근대적인 상품의 일종으로서의 문학'이라 할 수 있는 대중소설의 발달을 가져왔다. 구매력을 갖춘 20대 전후의 대학생·직장인 등이 주요 독자층으로 부상하고 최인호·조해일 등의 한글세대 작가층은 '청바지와 통기타, 생맥주'로 대변되는 청년문화를 주도하면서 한글세대의 새로운 독자층을 이끌었던 것이다. 그리고 이러한 대중소설의 인기는 또 다른 대중매체인 영화의 지각변동도 이끌게 된다.

1970년대 대중소설의 각색 붐은 70년대 문학사적으로도, 그리고 영화사적으로도 큰 의미를 갖는다. 이 시기 대중문화 현상을 주도하던 두 장르의 매체적 접점을 보여주는 것이기 때문이다. 영화사적 흐름으로 볼 때, 1960년대 문예영화는 '우수영화 보상제' 등을 위해 대중적 요구보다는 예술성을 강조하였다면, 1970년대 대중소설의 영화적 변용은 '대종상'이나 '우수영화 보상제'보다는 당대의 대중적 취향에 부응하려는 의도를 지니고 있다. 즉 1960년대 문예영화가 예술성과 대중성 사이의 괴리를 보였다면, 1970년대 영화들은 상업적으로 검증받은 대중소설을 영화화함으로써 더욱 적극적으로 관객들의 욕망을 반영[17]하게 된 것이다.

1970년대 유신 체제를 살아가는 대중들은 경제적 여유를 얻기 시작했으나 사회·정치적인 면에서는 강한 제재를 받았다. 이 시기 대중에게 큰 호응을 얻은 대중소설 및 그 소설을 각색한 영화에는 이러한 모순적 상황에 놓인 대중들의 욕망이 강하게 투영되어 있다고 할 수 있다. 그리고 좀 더 대중적인 동시에 강압적인 검열에 시달렸던 영화 매체로의 변용

과정에는 제도적 규율화와 그것에 대한 저항의 흔적 역시 틈입하게 되었을 것이다.[18]

'소설의 영화화'는 1960년대에 두드러지게 나타난 영화계 현상이었지만, 당시의 문예영화 붐은 국가영화정책에 영화 제작사의 이권이 결합된 결과물이라 할 수 있다. 또한 당시 문예영화 중에는 고전소설이나 역사소설, 1920~30년대를 배경으로 한 근대소설의 영화화가 많았는데, 이러한 점은 한국영화의 질적 수준을 높이는 데에는 기여했으나 1960년대 문예영화가 대중적 취향과는 동떨어져 있었음을 말해주고 있다. 그러나 1971년 이후부터 외화수입쿼터에 대한 영화정책이 변화[19]하면서 문예영화 제작은 차츰 줄어들게 된다. 이러한 분위기 속에 침체기를 맞았던 '소설의 영화화'는 최인호의 베스트셀러 『별들의 고향』의 영화화 성공으로 다시 활기를 띠기 시작한다. 신인 이장호 감독이 연출한 이 작품은 동시대 젊은이들의 풍속과 감수성을 빠른 속도감각의 촬영과 편집으로 포착해낸 작품으로, 이 영화의 성공으로 동시대 대중소설을 젊은 감독이 동시대의 문화적 코드를 담아 세련된 영상과 음악으로 포장하는 것이 일종의 트렌드가 되었다. 이러한 1970년대 대중소설의 영화화의 저변에는 '청년문화'로 상징되는 대중문화의 영향력이 있다. 1970년대에 들어서면서 '청년문화'라는 말이 크게 유행하게 되는데, 이들의 문화는 통기타와 포크송·생맥주·청바지와 장발 등으로 상징되었다.[20]

1974년에는 각계각층에서 '청년문화'에 대한 논쟁[21]이 펼쳐졌다. 전후에 태어난 베이비붐 세대는 1970년대의 산업화·도시화를 경험하면서 서구의 문화 역시 적극적으로 받아들였고, 다양한 문화상품의 소비 주체로 성장했다. 이들은 당시 베스트셀러로 떠오른 대중소설의 주요 독자층이 되었으며, 텔레비전의 보급과 레저 산업의 확산으로 불황을 맞은 영화 시장의 주요 관객층으로 부상하였다. 결국 1970년대 독서 대중과 영화관객은 공동의 문화를 기반으로 하여 대중문화 영역을 만들어간 주체들이라 할 수 있다. 그러나 대중소설의 독자와 영화의 소비자를 동일한 집단으로 규정하기엔 문제가 있다. 대중소설의 독자와 영화의 관객은 완전히 일치하지 않을뿐더러 '한글세대'로서의 대략의 특징을 공유한다고 할지라도 이들 소비 주체들을 결코 균질적인 집단으로 간주할 수는 없는 것[22]이다. 『별들의 고향』·『바보들의 행진』·『겨울여자』는 각각 대표적인 일간지인 『조선일보』·『한국일보』·『중앙일보』에 연재된 소설이었고, 『영자의 전성시대』는 『세대』·『문학과 지성사』 등 문예지에 발표되었던 단편 8편을 모아 출간한 단편집이다. 일간지가 월간지, 문예지보다는 폭넓은 독자층을 가진다고 해도, 신문을 구독하는 독자들은 지성인 및 상층의 독서 집단을 포괄한 중간 계층 이상의 독자를 보유하고 있다. 그러나 영화의 경우 대학생뿐만 아니라 회사원·호스티스·식모·공장노동자 등의 노동자층까지 아우르는 매체[23]였다.

1970년대 대중소설을 영화화한 작품들을 살펴보면 그 제재 및 주제에 따라 크게 두 종류로 나누어볼 수 있다. 첫 번째는 대학생으로 대표되는 청년 주체의 저항 및 성장을 다룬 영화이며, 두 번째는 1970년대에 하나의 붐을 형성했던 '호스티스 영화'처럼 여성의 성적 타락을 담아낸 영화이다. 첫 번째 계열의 대표적인 작품으로는 최인호의 장편 『내 마음의 풍차』·「침묵의 소리」·「정원사」 세 편을 각색한 〈어제 내린 비〉(1975년, 이장호 감독)가 대표적이다. 두 번째에 해당하는 대표적인 작품으로는 최인호 원작을 영화화한 〈별들의 고향〉(1974년, 이장호 감독)·조해일 원작의 〈겨울 여자〉(1977년, 김호선 감독), 그리고 조선작 원작의 〈영자의 전성시대〉(1975년, 김호선 감독), 조선작의 「모범작문」을 각색한 〈여자들만 사는 거

영화 〈바보들의 행진〉(1975, 하길종 감독)

리〉(1976년, 김호선 감독) 등[24]이 있다.

앞의 중요 영화들을 제작한 감독들이 모두 '영상시대'의 동인 감독이라는 점에 주목해볼 필요가 있다. '영상시대'는 영화평론가 변인식과 영화감독 김호선·이장호·하길종·홍파·이원세(이후 홍의봉)가 연대하여 결성한 동인체의 명칭이다. '영상시대'는 이들이 선언문 낭독과 함께 발족한 1975년 7월 18일부터 계간『영상시대』 1978년 여름호가 발행된 1978년 6월 30일까지 약 3년여의 기간 동안 이들이 벌인 '청년 영화운동'이다. "새 세대가 만든 새 영화, 이것은 구각을 깨는 신선한 바람, 즉 회칠한 무덤 같은 권위주의를 향한 예리한 투쟁이어야 한다"는『영상시대』 선언문에서 알 수 있듯이, 이들은 새로운 영화를 통해 권위적이고 억압적인 시대에 저항하고자 했다. 이들은 영화 내에 대중적 취향과 욕망뿐 아니라 유신시대의 억압적 정치 상황이나 인간 소외를 가져온 도시 문명에 대한 비판적 시각 역시 담아내려 했던 것이다.[25]

4. 〈영자의 전성시대〉와 성적 타락의 실상

1970년대를 대표하는 영화를 선정하라고 하면, 영화평론가나 관객들마다 다른 의견을 내놓겠지만, 대체로 〈별들의 고향〉이나 〈영자의 전성시대〉, 그리고 〈겨울 여자〉를 제시할 것이다. 영화라는 대중장르가 꼭 당대 사회를 사실적으로 반영해서 묘사해야 한다는 원칙은 없지만, 그래도 어느 정도 당대를 비치는 '거울'의 역할을 하거나 아니면 '램프'의 기능을 떠맡아야 한다고 본다. 헤겔이 말한 것처럼 시대정신과 당대의 모순을 반영한 예술이 역사적으로 가치가 있고 독자관객들의 호응을 얻게 될 것이기 때문이다.

영화 〈영자의 전성시대〉는 조선작의 동명 소설을 영화화한 작품이다. 소설에서는 월남전에 참전했던 '나'가 우연히 청량리 오팔팔에서 과거 사장댁 식모였던 영자를 재회하는 것으로 시작한다. 소설에서는 영화와 마찬가지로 '나'가 목욕탕 때밀이로 나온다. 물론 영화에서는 1인칭 '나'가 아니라 창수라는 이름으로 등장하는 것이 달라진 면이다. 영화에서는 두 사람의 순수한 사랑을 강조하기 위한 것으로 판단된다. 목욕탕 때밀이인 '나'는 알몸으로 손님의 때를 밀어주는 자신의 처지나 알몸으로 돈을 버는 창녀인 영자의 처지가 차이가 없다고 생각하며 교통사고로 팔을 잃은 영자에게 의수를 만들어주며, 연민의 정을 느낀다. 영자 역시 매춘 행위에 대해 윤리적으로 부끄러워하기보다는 그것을 하나의 생계수단으로 인식한다. '나'는 영자와 살림을 차리겠다는 꿈을 꾸며, 서로의 순수한 사랑이 영글기를 희원하게 되고 영자의 전성시대는 시작된다.

그러나 그들의 사랑도 일순간이 된다. 경찰의 사창가 단속이 들이닥치고, 포주의 횡포로 생계의 위협을 느낀 영자는 밀린 몸 판 돈을 받으러 포주에게 갔다가 불에 탄 시체로 발견되면서 꿈이 망가진다. 비극적인 삶의 종말을 그린 소설『영자의 전성시대』에서 작가 조선작은 청년들이 꿈을 현실화하지 못하고 중심에서 도시 변두리로 밀려나면서 몰락해가는 과정을 보여주면서 도시빈민층의 절망감을 표출시키고 있다. 그러나 김승옥이 각색한 영화 〈영자의 전성시대〉은 소설과 달라진 점이 꽤 있다. 등장인물의 성격과 결말 부분에서 변형이 이루어진다. 소설의 '나'는 창녀촌을 기웃거리는 불량한 청년인 데 반해, 영화 속 창수(송재호)는 목욕탕 때밀이로 일하면서 성실하게 돈을 모아 양복집을 내겠다는 꿈을 꾸는

〈영자의 전성시대〉(1975, 김호선 감독)

건실한 청년이다. 또한 창수가 군대 가기 전부터 철공소 사장집 식모였던 영자를 혼자서 짝사랑하고 있는 것으로 설정함으로써 그의 사랑을 참되게 묘사하고 있다. 이처럼 영화에서는 창수와 외팔이 창녀가 된 영자의 애절한 사랑을 중심 플롯으로 구성하고 있다. 식모로 일하다가 성폭행을 당하고, 버스 차장이 되었다가 불구가 된 영자의 기구한 삶은 창수의 헌신적인 사랑을 통해 위무받고 있는 것이다. 그리고 영화에서는 영자가 화재로 죽는 비극적인 결말이 아니라 새로운 사랑을 만나 행복한 가정을 꾸리는 해피엔딩을 보여준다. 이러한 이야기는 당시 주요 관객층인 하층계층 여성들의 욕망을 반영한 것으로 볼 수도 있다. 하층계층 여성들에게 식모·여성노동자·버스 차장·호스티스로 전락하는 영자의 서사는 감정이입의 대상이었을 것이므로 영화는 이들의 가정 편입의 욕망을 외면할 수 없었을 것이다. 이러한 방향은 대중의 욕망인 동시에 당시 염세적이고 자포자기적인 어두운 내용을 금하는 군부독재정권의 검열의 방향과도 일치하는 것이다.

그러나 다른 측면에서 생각해본다면, 영화 속 영자는 기존의 가부장적 이데올로기에서 크게 벗어나지 못하고 있다. 특히 목욕탕에서 창수와 함께 일하는 김씨의 시선은 영자를 부정한 존재로 만든다. 김씨는 영자에게 "세상엔 두 가지 종류의 사람이 있어요. 보태서 둘을 만들어주는 사람과 빼서 아무것도 없게 만들어버리는 사람 두 가지가 있단 말야"라는 말을 함으로써 영자가 스스로 떠나도록 한다. 즉 그는 한국사회를 지탱하고 있는 가부장적·유교적 가치를 대변하는 인물로, 소설에서는 평등한 관계로 설정된 두 사람을 위계화하고 있다. 영자는 창수와는 다른 비천한 존재, 타락한 존재가 되는 것이다. 영화는 김씨의 말을 듣고 고뇌하는 영자의 모습에서 갑자기 2년 후로 건너뛴 모습을 보여준다. 2년 후 세탁

소의 주인이 된 창수는 다리에 장애를 갖고 있는 용철과 행복한 가정을 이룬 영자와 재회하게 된다. 이것은 행복한 결말이지만 가부장적 세계가 갖고 있는 높은 진입벽을 보여주는 결말이기도 하다. 영화에서는 창녀 영자를 계도하여 가부장제로 편입시키고 있으나, 창수와의 결론은 허락하지 않고 비슷한 처지의 용철과 결혼하는 것으로 끝맺고 있다. 이 작품에서는 대중의 욕망 및 검열당국의 계몽적 국가관을 잘 반영하고 있으면서도 한국사회에 남아 있는 하층여성에 대한 보수성을 잘 드러내고 있다고 할 수 있다.[26]

한편 정현경은 〈별들의 고향〉과 〈영자의 전성시대〉에서는 도시인의 우울이 나타나고 있다고 파악했다. 1970년대의 서울은 혼성적 도시 정체성을 지닌 공간이라고 단정짓고, 그것은 급격한 근대화와 관련되는 것으로, 1960년대부터 시작된 이촌향도와 자연적 인구 증가로 인하여 도시는 구성원 측면에서 혼성적 정체성을 띠게 되었다고 진단했다. 뿐만 아니라 도시는 도시 내부에 상징적 중심과 주변이라는 이종 공간 구획을 통해 도시 구성원의 계급분리를 이루었다고 파악했다.

〈별들의 고향〉의 중심인물은 경아(안인숙), 화가인 문오(신성일), 중년 남성 만준(윤일봉), 그리고 영석(하용수)과 동혁(백일섭)이라고 할 수 있다. 이들 중에서 경아와 문오는 고향인 시골을 떠나 상경한 인물들이다. 영화 속에서 경아의 고향은 정확히 밝혀지지 않고 있지만, 시나리오에는 의도적으로 경아의 고향을 평화로운 시골로 추정해 '추악한 서울'과 대조시키고 있다. 〈영자의 전성시대〉의 중심인물은 영자(염복순)·창수(송재호)·김씨(최불암)·춘자 그리고 영자의 남편 용철(이순재)이다. 이들 중 영자와 춘자는 같은 시골에서 상경한 인물이고, 창수 역시 상경한 인물인 반면 김씨와 용철의 태생은 불분명하다.

이 두 편의 영화는 시골에서 상경한 인물들이 서울이라는 도시 공간에서 겪는 사건을 중심으로 전개되고 있다. 1960년대 경제개발 5개년 계획을 실행하면서 대규모의 산업시설은 저임금의 노동력을 필요로 하였다. 이에 농촌의 유휴인력을 공장 노동자로 유입시키기 위한 정책들이 시행되기 시작하면서 대규모의 이농현상이 1980년대까지 지속적으로 발생한다. 그 결과 공장이 밀집한 도시로의 인구이동, 특히 서울로 급속한 인구유입이 이루어지게 되었다. 〈별들의 고향〉과 〈영자의 전성시대〉의 중심인물들은 바로 이러한 산업정책에 의해 서울로 호출된 표층적 도시인이라고 할 수 있다.

〈별들의 고향〉의 경아와 〈영자의 전성시대〉의 영자와 춘자 그리고 창수는 서울이라는 도시로 편입된 인물들이지만, 그들이 존재하는 공간은 중심에서 벗어나 있다. 도시들의 임무는 자신들의 강점을 강조하고 가시화시키고, 부정적인 점은 가능하면 감추고 보이지 않게 하는 것이다. 감추고 싶은 부정적인 면에는 도시 이미지에서 지워버리고 싶은 주민계층도 속한다. 이 때문에 도시들은 '잉여인간(Heinz Bude)'들을 도시를 대표하는 공간에서 몰아내고, 중심에서 주변으로 밀어내고자 한다. 이런 의미에서 표층적 도시인으로서의 경아나 영자 그리고 창수는 도시 하층계층을 형성하며 주변부로 밀려난 존재들[27]이라고 할 수 있다.

1970년대 한국영화에 표면화되어 나타나는 것은 성과 자본에 관한 이데올로기의 변화가 초래한 긴장과 갈등이라고 할 수 있다. 〈별들의 고향〉·〈영자의 전성시대〉 그리고 〈어제 내린 비〉는 성과 모럴의 혼돈으로 인한 갈등이 긴장을 유발한다. 〈별들의 고향〉의 경아는 첫사랑의 남자에게 버림받은 후 또 다시 만준에게 버림받는다. 그 이유는 그녀가 임신한 경력이 있으며 결정적으로 순결을 훼손당한 여성이었기 때문이다. 〈영자의 전성시대〉의 영자는 창수와 살림을 차리기 위해 필요한 돈을 마련하고자 적극적으로 매매춘을 한다. 그러나 그녀의 행위는 노동으로 인정받지 못할 뿐만 아니라, 결국 그녀는 창수와 같이 살 수 없는 존재라는 엄중한 경고를 들어야 했다.

1970년대의 급격한 경제성장은 향락산업을 활성화하는 부작용을 유발했으며 이 와중에 '호스티스'라는 신조어가 창출되기도 했다. 결국 1970년대는 표면적으로 퇴폐풍조의 일소나 풍기정화를 표방하였으나 내면적으로 부패한 성윤리가 고스란히 노출된 시대였다고 할 수 있다. 이러한 시대의 풍조를 담고 있는 한국영화는 성(性)에 대한 이중적 사고를 감추지 않고 이데올로기의 혼조 속에서 고통당하는 인물군을 탄생시켰던 것이다. 자본주의 이데올로기의 강박성은 〈별들의 고향〉과 〈영자의 전성시대〉를 관통하는 시대적 모순이기도 했다. 경아와 영자 그리고 창수의 상경이 생존을 위한 자본의 획득을 위한 것이었으나 그들이 중심으로 진입하지 못하며 도시의 주변부에 머무르는 현상을 통해 자본주의의 모순은 적나라하게 드러나고 만다. 성과주의적이며 경쟁을 요구하는 자본주의 이데올로기의 혼란은 1970년대 도시의 혼성적 정체성의 한 양상으로 영화 속의 인물들을 병리적 증상에 시달리게 하는 하나의 주요한 연유[28]였던 것이다.

1970년대 도시를 표상하는, 도시인들의 몸에 새겨진 병리적 양상에 대해 정현경은 세 가지 상황과 관련되는 것으로 해석한다. 첫째로 도시인의 질병 이미지는 존재의 뿌리로서의 집의 상실과의 관련하에서 살펴볼 수 있다. 〈별들의 고향〉의 경아와 〈영자의 전성시대〉의 영자는 고향을 떠나 서울에 편입된 표층적 도시인이다. 그러나 그녀들은 자신들의 정체성을 새길 장소로서의 집을 획득하지 못한 여성들이다. 경아와 영자

영화 〈영자의 전성시대〉

는 존재의 거주 장소를 획득하지 못한 인물들로, 존재공간의 부재는 그녀들을 짙은 우울이나 자살(혹은 자살 시도)로 몰고간다. 프로이트에게 대상의 상실은 슬픔이나 우울증의 원인이다. 슬픔의 경우는 빈곤해지고 공허해지는 것이 세상이지만, 우울증의 경우는 바로 자아가 빈곤해지는 것이다. 경아의 훼손당한 순결은 사랑의 상실과 가정의 상실로 이어진다. 영자의 잘려나간 한쪽 팔은 그녀가 상실한 고향이며 순결이고 그녀가 꾸는 꿈이자 획득할 수 없는 집의 상징[29]이라고 할 수 있다. 경아와 영자는 단순히 고향을 떠난 존재가 아니라 귀환할 고향조차도 없는 존재들이다. "고향이 있다는 것은 좋은 일이에요. 나두 고향이 있었으면 좋겠어요"라는 경아의 말에서 느끼듯이 경아의 장소 상실은 고향의 상실로 환원된다. 가난한 홀어머니와 다섯 여동생을 둔 영자도 고향으로 돌아갈 수 없기는 마찬가지다. 영자의 고향 집은 이미 안식처로서의 기능을 상실했기 때문이다.

그런데 〈영자의 전성시대〉는 영화의 결말에 이르러 갑작스럽게 영자에게 가정을 부여하고, 집이라는 장소를 제공한다. 영자가 불에 타서 죽는 결말로 비극성이 고조되는 소설과는 달리 영자가 성취한 가정과 조신하고 안정적인 분위기로 변한 영자의 모습은 하나의 영화적 반전이라고 할 수 있다. 그러나 영자의 가정은 여전히 중심을 꿈꿀 수 없는 주변부로 밀려나 있으며, 그녀의 남편은 건강한 정신과 육체를 소유한 창수가 아니라 장애를 지닌 인물로 설정되었다. 그럼에도 불구하고 영자의 가정과 집은 영자에게 주어진 기적이자 면죄부라고 할 수 있다. 그러나 영자에게 제공된 집은 1970년대의 정치적 이데올로기가 상상한 희망으로, 영화 프레임 밖의 진실을 차단하는 것이라고 할 수 있다.

영화의 결말 부분에서 영자에게 부여된 작위적 희망에도 불구하고 경아와 영자가 지속적으로 내보인 우울감과 알코올 중독·자살(시도) 등의 병리적 증후는 1970년대의 도시를 살고 있는 무주거자들의 분열된 삶의 표지로서 육체에 새겨진 질병이라고 할 수 있다. 결국 1970년대를 어둡게 내비치고 있는 병든 육체는 혼란과 혼돈의 1970년대 도시적 삶의 표상이라고 보아야 할 것이다.

둘째, 1970년대의 도시 표상으로서 도시인들의 몸에 새겨진 병리적 양상은 성장 위주의 사회가 강제한 무한 경쟁과 관련된다. 〈바보들의 행진〉의 영철은 시력도 나쁘고 말도 더듬는다. 중고등학교 입학시험에 떨어진 경력이 있고, 대학도 부유한 아버지 덕으로 입학했다. 그는 군 입대 신체검사에서도 불합격 판정을 받는다. 대학 미팅에서 만난 순자는 철학과를 졸업해서 어떻게 돈을 벌겠느냐며 그의 경제적 능력에 대한 의구심을 서슴지 않고 표현한다. 경쟁에서 지속적으로 패배하는 영철은 스스로를 "바보 멍텅구리·쪼다·병신·엉터리·여덟 달 반"이라고 자학한다.

결국 그는 자신의 꿈인 고래를 잡으러 동해로 떠나 바닷가 절벽 아래로 투신한다. 그런데 영화는 영철이 절벽에서 뛰어내리기까지의 모습은 빠르고 경쾌한 리듬의 배경음악과 부조화를 이루어 영철의 자살이 패배가 아니라 즐거운 모험인 것처럼 표현한다. 그러나 경쾌한 리듬과는 모순적으로 느껴지는 노랫말은 오히려 성과를 강제하는 승부의 세계에 대한 회의감과 좌절한 청년의 비애감을 강하게 표출한다. 영철의 꿈은 돈을 많이 벌어 빨간 지붕의 양옥집을 짓고, 정원엔 장미를 심고, 자동차도 사는 것이었다. 그리고 동해로 고래를 잡으러 가는 것이 그의 꿈이었다. 고래를 잡겠다는 꿈이 젊음의 막연한 희망이나 도전 혹은 방황을 상징한다면, 정원이 딸린 양옥집과 자동차는 1970년대 경제적 능력을 갖춘 중산층의 상징물이라고 할 수 있다. 영철의 꿈은 자본주의 사회가 안겨준 꿈이라고 할 수 있다. 그 꿈의 실현을 위해서는 시험을 통과해서 능력을 검증받아야 한다. 그러나 영철은 경쟁에서 지속적으로 낙오된 좌절감으로 인해 자살을 선택[30]하고 만 것이다.

셋째, 1970년대의 도시 표상으로서 도시인들의 몸에 새겨진 병리적 양상은 성(性) 모럴의 억압과 해체의 긴장에 기인한다. 〈별들의 고향〉의 만준은 성공한 사업가이다. 그는 경아와 재혼을 하는데 그 이유는 경아가 죽은 전처를 닮았기 때문이다. 그의 신경증적인 이상심리는 전처에 대한 의처증이 드러나면서 밝혀진다. 그는 전처를 부정하다고 끊임없이 의심하였다. 그의 불신은 결국 아내를 자살로까지 내몰고 만다. 그러나 전처와 닮은 경아와 재혼한 후에도 그는 전처를 잊지 못하고 전처가 사용하던 물건들을 고스란히 보관하며 경아 몰래 죽은 아내를 그리워한다. 그런데 경아의 상상임신으로 진료를 받으러 간 병원에서 그녀가 인공유산을 한 경력이 있다는 사실을 알고 경아와 결별한다. 만준의 의처증은 자신의 딸 명혜에게 검은색 옷만 입힌다거나 아내를 자살에 이르게 하고 경아에게 냉정하게 결별을 선언할 만큼 가학적이다. 만준의 이상심리는 향락산업의 확산과 성에 대한 개방적인 사고가 만연한 시대적 정서와 여성의 순결을 강요하는 자신과의 내적갈등에서 생겨난 결과[31]라고 할 수 있다.

한편 〈별들의 고향〉과 〈영자의 전성시대〉 그리고 〈어제 내린 비〉는 매매춘을 영화 속으로 직접 끌어오고 있다. 형을 따라간 성매매업소에서 처음으로 매매춘 여성과 만난 영욱은 당황해서 그곳을 뛰어나온다. 그리고 형에게 "여자의 섹스 말야, 그렇게 가까운 데 있는 줄 몰랐어"라고 놀라움을 표현한다. 영욱의 말은 1970년대 도시에 향락산업이 만연하고 있었다는 사실에 대한 실제적 증언이라고 볼 수 있다. 향락산업의 활성화는 성 모럴에 대한 혼돈과 성병이라는 폐해를 낳았다. 〈별들의 고향〉의 문오와 〈영자의 전성시대〉의 영자와 창수가 성병에 전염되어 치료를 받는 장면은 그 부정적 결과에 대한 단적인 예라고 할 수 있다. 성병이 1970년대 성도덕의 타락을 증빙하는 육체의 질병이라면, 성이 매개되는 부적절한 관계 속에서 양산된 우울은 성적 이데올로기를 둘러싼 갈등과 분열을 드러내는 육체적 기호[32]라고 할 수 있다.

이렇게 70년대의 청년문화를 반영한 대중영화는 경제성장의 부정적 그늘과 성적 방종이 가져다주는 폐해를 비판적으로 표상하고 있다는 점에서 영화사적인 의미를 지닌다.

제4장

이데올로기의 갈등과 남북화해의 두 가지 포즈

—— 〈쉬리〉와 〈공동경비구역 JSA〉의 심리적 거리

1. 1980~2000년까지의 시대상황과 남북 긴장관계의 해소

우울한 시대의 출발은 총성과 함께 시작되었다. 1970년대 말의 충격적인 사건과 함께 1980년대의 서막이 열렸다. 무리한 중화학공업 투자와 세계적인 불황으로 경제위기가 심화되었다. 정부의 특혜에도 불구하고 중화학공업기업은 전반적으로 부실화되었다. 물가급등으로 국민의 생활고도 더욱 가중되었다. 1978년 서울, 부산 등 대도시의 주요 생활필수품 도매물가는 79.4%나 상승하였다. 이러한 경제적 어려움 속에서 노동자를 비롯한 기층민중의 생존권 투쟁이 격화되었다. 유신정권은 정치경제적 위기를 탄압으로 극복하고자 하였다. 1979년 회사의 폐업조치에 항의하여 야당 당사에서 농성을 벌이던 YH무역 여성노동자들이 경찰에 의해 강제 진압되었다. 이 과정에서 농성 중이던 여성노동자 김경숙이 목숨을 잃었고, 투쟁을 지원하던 민주인사들이 구속되었다.

1987년 '6월 항쟁'

박정희 정권은 이에 그치지 않고 야당총재를 국회의원직에서 제명하는 폭거를 자행하였다. 이를 계기로 그해 10월에 박정희 정권 몰락의 직접적인 계기가 된 부산·마산 지역의 민중항쟁이 일어났다. 정부는 10월 18일 0시를 기해 부산 지역에 계엄을 선포하였다. 그리고 진압과정에서 권력내부의 분열이 심화되어, 10월 26일 대통령이 중앙정보부장 김재규의 총탄에 사망하면서 유신체제는 급격하게 붕괴[1]되었다.

그러나 민주화의 길은 순탄하지 않았다. 당시 전두환 보안사령관을 중심으로 한 신군부세력이 정치세력화하고 있었기 때문이다. 전두환·노태우·정호용 등 정치군인들은 12월 12일 항명쿠데타를 단행하여 군대의 실권을 장악하였으며, 정치권력도 장악하려고 했다. '민주화의 봄'이라고 불렀던 1980년대 초 대중은 군사독재의 연장을 허용하지 않았다. 노동자들의 생존권투쟁은 1980년 처음 4개월간 약 850여 건이 발생했다. 또 학생들은 1980년 새 학기에 들어와 학내문제를 벗어나 계엄철폐와 유신잔재 청산 등을 요구하며 정치투쟁으로 나아갔다. 민주화열기가 대중적으로 분출하자 신군부세력은 5월 17일 제2의 쿠데타인 '5·17비상계엄 확대조치'를 감행했다. 5·17쿠데타를 통해서 신군부는 주요 정치인을 체포 구금하는 한편, 모든 정치활동을 금지[2]하였다.

'5·17비상계엄 확대조치'에 반대하는 투쟁은 5월 18일 전남대학생들의 시위를 시작으로 광주 지역에서 전개되었다. 이날 학생들은 휴교령에도 불구하고 교문 앞에 집결하여 공수부대와 대치하다가 공격에 밀리자 시내에 재집결하여 도심시위를 벌였다. 이때 착검한 공수부대의 잔인한 진압에 의해 부상자가 속출하였다. 5월 19일에는 학생들의 시위에 시민들이 합세하면서 투쟁의 양상이 공세적으로 변하였다. 이때부터 항쟁은 광주 지역 전체로 확산되었다. 시위가 가열되는 가운데 20일에는 계엄군이 시청 앞에 운집한 시민들을 향하여 무차별 발포, 수많은 사상자가 발생하였다. 이에 분노한 시민들은 계엄군의 발포에 맞서기 위해 파출소·예비군 무기고 등에서 획득한 무기로 자위투쟁을 전개하였다.

광주민주화운동은 전국적으로 확산되지 못했으나, 군사독재의 재편 음모에 정면으로 대항했던 역사적 사건[3]이었다. 한편 광주민주화운동의 진압에 군을 동원한 것과 관련하여 미국의 책임문제가 대두되었으며, 민중 사이에 반미운동이 일어났다.

전두환 정권은 쿠데타로 수립되었기 때문에 국민적인 지지기반이 매우 취약하였다. 따라서 전두환 정권은 출발 직후부터 분명한 대미·대일 예속정책을 실행했다. 1981년 등장한 미국의 레이건 정권은 소련에 대한 핵우위정책과 대대적인 군사력 증강정책을 추진하면서 일본을 재무장시켜 동북 아시아 지역에서 군사동맹체제를 강화하려고 하였다. 일본 또한 나카소네 정권의 등장 후 노골적으로 재무장정책을 추진하였다. 전두환 정권은 미국의 극동정책에 순응하면서 한국에서 미국의 지도력 확인·주한미군철수 중지·지원 확약·군사력 증강을 위한 경제협력 강화 등의 정책기조를 발표하는 한편 일본과의 군사경제적 유대를 긴밀하게 하려고 하였다.

한편 한미합동 군사훈련인 '팀스피리트 훈련'은 1976년에 시작된 이래 계속 규모가 커졌다. 1978년 참가인원 10만 명이던 것이 1983년에는 약 20만 명으로 증가하였으며, 훈련내용도 공수훈련·화학전·핵선제공격훈련·항공모함 기동훈련 등으로 다양해졌다.

경제면에서 전두환 정권은 출범 직후 적극적인 개방정책과 중화학투자 조정정책을 표명하였다. 중화학투자조정은 전반적으로 부실화된 중화학 부문을 재조정하여, 중복·과잉투자로 야기된 과당경쟁을 막고 국제경쟁력을 높이고자 한 것이었다. 이를 위해 1980년 8월에 1차 투자조정을 거쳐 9월 부실기업 정리를 내용으로 한 '9·29기업체질 강화조치'를 발표하였다. 전두환 정권 시기의 개방화는 자본과 상품 양 측면에서 더욱 확대되었다. 1980년 9월 '외국인 투자 유치 확대방침'을 발표하여 직접투자 업종의 제한을 완화하고 인가절차를 간소화하였다. 직접투자 최저한계액과 투자비율한계 또한 각각 50만 달러에서 10만 달러, 50%에서 100%로 바꾸었다. 이로 인해 전두환 정권기 전체의 외국인 투자액은 30억 7,100만 달러에 달하였다. 이는 박정희 정권 시기의 전 기간의 액수를 합친 것보다도 두 배나 많은 액수였다. 수입개방정책은 1984년부터 본격적으로 추진되었는데 전두환 정권 기간 동안 상품의 수입개방률은 전품목의 약 87.7%에 이르렀다. 이에 따라 국내산업, 특히 농업이 큰 타격을 받았으며, 경제의 대외예속이 심해졌다.[4]

1980년대 중반 한국경제는 고속성장을 이룩하였다. 1986년 이후 3년

동안 해마다 10% 이상 성장하였고, 1987년에는 최초로 47억 달러의 국제수지 흑자를 기록하였다. 또한 올림픽 특수 등으로 내수도 확대되었다. 경제호황으로 인하여 실업률은 한때 2.5%까지 낮아졌다.

그러나 이러한 고속성장은 주로 세계경제의 일시적 여건변화에 따른 것이었다. 1985년 9월 선진자본주의 국가 간의 환율조정을 계기로 국제금리의 인하, 엔화의 강세와 달러화에 대한 원화의 평가절하, 그리고 원유가격을 비롯한 국제 원자재가격의 하락 등 이른바 '3저 현상'이 나타났다. 이로 인해 한국자본주의는 노동자들이 열악한 작업환경에서 장시간 노동과 저임금으로 시달리며 저부가가치·저기술의 조립가공형 중화학공업제품을 생산해온 이점을 최대한 발휘하였다. '3저현상'을 거치면서 경제규모는 1980년대 초반보다 3배 이상으로 되었지만, 경제의 대외의존이 심화되는 구조적 문제점을 드러냈다.[5]

1980년대 경제성장의 성과가 재벌과 투기꾼에 독식되면서 경제의 부익부 빈익빈 현상은 더욱 심해졌다. 또한 사회간접자본과 국민복지에 대한 투자가 취약하였다. 그 결과 전 인구의 80%에 달하는 도시서민은 가중되는 교통난과 집값폭등으로 심각한 주거난을 겪었다. 또한 극심한 경제적 불평등으로 투기심리와 한탕주의가 만연하고, 일부 계층의 퇴폐향락적 대량소비 속에서 상대적 박탈감으로 노동의욕은 상실되었다. 이러한 풍조는 여러 가지 사회적 병리현상을 초래하여 마약복용·인신매매 등 범죄가 급증[6]하였다.

국내외 정세의 변화에 직면하여 전두환 정권은 탄압일변도의 정책에서 물러나 국회에서 개헌논의를 제기하였다. 개헌논의를 통해 내각제를 관철시켜 부분적으로 정통성을 보완하고, 야당의 개헌운동을 국회 내에 제한하여 민족민주운동과 분리시키고자 한 것이다. 이에 대응하여 민족

민주운동진영은 야당과 더불어 개헌추진대회를 조직하여, 대통령직선제를 쟁취하기 위한 대중운동을 전개하였다. 민족민주운동이 활성화되자 전두환 정권은 탄압을 강화하였고, 그 과정에서 1987년 1월 14일 박종철 고문살인사건이 발생하였다. 그러나 전두환 정권은 고문살인사건을 은폐하는 한편, 개헌논의를 유보한다는 '4·13조치'를 발표하였다.

6월 10일 민정당은 전당대회를 열고 노태우를 당시 헌법의 간선제 대통령 후보로 지명하였다. 이날 민주헌법쟁취 국민운동본부 주도로 민주화를 요구하는 범국민대회가 열렸다.

6월 민중항쟁은 전국적으로 연인원 500만 명 이상의 대중이 참가해 19일 동안이나 계속되었다. 이 항쟁은 외세와 군사독재를 반대하고 민중의 민주주의적 권리와 자유를 쟁취하기 위해 벌인 범국민투쟁이었다. 이에 대통령 전두환은 노태우 후보에게 대통령직선제 수용을 골자로 하는 '6·29선언'을 발표케 하여 대중을 기만하고 군사정권의 연장을 꾀하였다. 대통령선거에서 군사정권이 정치공작을 통해 야권분열을 유도하고 반민족적인 지역감정을 촉발시킨 결과 민정당의 노태우 후보는 불과 36%를 득표하고도 당선[7]되었다.

1988년 대학생들의 남북학생회담 제의가 대중적인 호응을 얻자 이에 대응하여 노태우정권은 남과 북을 동반자로 규정하는 '7·7선언'을 발표하였다. 이듬해에는 '한민족공동체 통일방안'을 발표하고 경제력의 상대적인 우위, 사회주의권의 동요, 그리고 한국·소련 수교, 한국·중국 교역의 증대 등 북방정책의 성과를 바탕으로 공세적인 대북정책을 추진하였다.

한민족공동체 통일방안은 남북에 현존하는 정권의 실체를 인정하고, 미·중·소·일 등 주변 국가들이 서로 상대방을 승인하여, 두 개의 국가체제를 인정한 다음 하나의 국가로 통합하자는 것이었다. 북한은 1990년대에 들어와 동유럽 사회주의권의 몰락, 소비에트연방의 해체, 한·미·일 군사동맹체제의 공고화, 핵사찰 압력 등으로 어려움에 처하게 되었다. 이러한 불리한 사태에 대응하여 북한은 남북 사이의 문제를 민족 내부적으로 해결하면서 남북한 상호 불가침선언 체결과 주한미군 철수 등을 실현시키려고 하였다. 남북한 당국은 1991년 9월 18일 유엔에 가입하여 지난 시기 남북한의 통일정책을 둘러싼 대립, 즉 남한의 '두 개의 한국'정책 대 북한의 '하나의 조선'정책의 대결구도가 사실상 변화하고 있다는 점[8]을 보여주었다.

노태우 대통령에 이어 3당 합당을 한 김영삼이 1993년에 김대중을 누르고 대통령에 당선이 되었다. 소위 문민정부가 등장한 것이다. 김영삼 정부는 깨끗한 정부를 표방하면서 공직자 윤리법을 개정하고, 공직자의 재산 공개를 의무화했다. 이어 경제 정의를 이루려는 첫 단계 방침으로 금융 실명제를 전격적으로 실시했다. 또 민주화를 위한 개혁을 추구하면서 전 대통령을 구속하여 재판정에 세웠다. 노태우 전 대통령을 비자금 문제로 구속했고, 전두환 전 대통령은 군사반란 혐의로 수감시켰다. 1993년에 김영삼 정부는 화해·협력, 남북 연합, 통일국가로 이어지는 3단계 통일 방안을 제시했다. 이것을 '민족 공동체 통일 방안' 또는 '공동체 통일 방안'이라고 부른다.

한편 김영삼 정부는 지방화와 세계화를 기치로 내세우며, 지방 자치제를 전면적으로 실시했다. 또 세계화 정책이 추구되었다. 냉전이 끝나면서 지구촌 시대가 열리고, 세계경제는 WTO(세계무역기구) 체제로 재편되었는데, 우리나라도 개방의 물결을 피할 수 없게 되자, 정부는 1995년을 세계화 시대 원년으로 삼았다.

그러나 세계화 정책은 김영삼 정부의 발목을 잡아 한보사태 이후 결국 국가부도상태인 IMF 구제 금융을 받는 상황에 내몰리게 되었다.

김영삼 정부에서 김대중 정부로의 전환은 우리 역사상 처음으로 여당과 야당의 정권 교체를 통해 이루어졌다. 제15대 대통령선거에서 승리한 김대중 대통령이 1998년 취임하면서 국민의 정부가 탄생했다. 가장 시급한 문제는 IMF 구제 금융 위기에서 벗어나는 일이었고, 모든 국민이 금모으기 운동 등을 펼쳐 외환위기를 극복하는 동력을 얻게 되었다. 그리하여 짧은 기간에 경제가 다시 회복되는 결과를 얻었다.

김대중 정부의 큰 성과는 통일정책에서 성취되었다. 통일독일의 사례를 연구하여 접목시킨 '햇볕 정책'[9]으로 역사적인 남북정상회담을 이루어낸 것이다. 김대중 대통령은 2000년 6월 15일에 평양을 방문하여 북한의 김정일 국방위원장을 만나고, 두 정상은 6·15선언을 발표하였다. 6·15선언은 크게 다섯 가지 조항으로 압축된다.

1. 남과 북은 나라의 통일 문제를 그 주인인 우리 민족끼리 서로 힘을 합쳐 자주적으로 해결해 나가기로 하였다.
2. 남과 북은 나라의 통일을 위한 남측의 연합제 안과 북측의 낮은 단계의 연방제 안이 서로 공통성이 있다고 인정하고 앞으로 이 방향에서 통일을 지향시켜 나가기로 하였다.
3. 남과 북은 올해 8·15에 즈음하여 흩어진 가족, 친척 방문단을 교환하며, 비전향장기수 문제를 해결하는 등 인도적 문제를 조속히 풀어나가기로 하였다.
4. 남과 북은 경제 협력을 통하여 민족 경제를 균형적으로 발전시키고, 사회·문화·체육·보건·환경 등 제반 분야의 협력과 교류를 활성

김대중 대통령의 평양 방문

화하여 서로의 신뢰를 다져나가기로 하였다.

5. 남과 북은 이상과 같은 합의 사항을 조속히 실천에 옮기기 위하여 빠른 시일 안에 당국 사이의 대화를 개최하기로 하였다.

그동안 남북관계가 극심한 대결국면으로만 전개되던 것이 남북화해 시대를 열어가게 된 것이다. 따라서 제1차 남북정상회담은 국민들에게 평화통일에 대한 큰 기대를 가져다주었다. 하지만 북한에 대한 퍼주기 논란으로 국민들의 기대는 곧 수그러들고 만다.

2. 대기업의 영화산업 진출과 한국형 블록버스트의 등장

1) 1980년대의 트로이카 여배우

1960~70년대의 은막의 스타였던 문희와 남정임이 1971년 결혼을 하면서 영화계에서 은퇴했다. 윤정희만이 활동을 계속했으나 트로이카의 축은 흔들렸다. 제작계는 주연 여배우 공백을 메우기 위해 영화사별로 신인 여배우를 공개 모집했고, 감독들도 개별적으로 발굴했다.

1971년에서 제2기 트로이카 여배우가 형성된 1970년대 하반기까지는 여배우 춘추전국 시대였다. 유지인은 1974년, 정윤희는 1975년, 장미희는 1976년 데뷔했지만 이들이 트로이카 체제로 인기 선두 그룹을 형성한 것은 1970년대 말부터였다. 그러니까 제1기 트로이카 여배우체제가 무너진 1971년 이후 5~6년간은 20여 명의 신인 여배우들이 특출한 선두주자 없이 각축전을 벌였다. 이 시기에 활동한 주연급 신인 여배우는 나오미·김창숙·박지영·안인숙·김순복·김지수·오수미·윤연경·김명진·오유경·명희·우연정·윤소라·윤세희·진도희·이영옥·윤미라·나하영·한유정 등이었다.

제2기 트로이카 여배우도 제1기 트로이카처럼 한 해 간격을 두고 차례로 데뷔했다. 제2기 트로이카 중에서는 유지인이 1974년 박종호 감독의 〈그대의 찬손〉으로 제일 먼저 데뷔했다. 그 이듬해인 1975년 정윤희가 이경태 감독의 〈욕망〉으로, 1976년 장미희가 박태원 감독의 〈성춘향전〉으로 데뷔했다. 이들 제2기 트로이카는 제1기 트로이카처럼 데뷔작이 흥행이나 작품성 둘 다 성공하지는 못했다. 남정임의 데뷔작 〈유정〉과 윤정희의 데뷔작 〈청춘극장〉은 흥행에 크게 성공했고, 문희의 데뷔작 〈흑맥〉은 흥행은 저조했지만, 작품성은 평가받았다. 그러나 제2기 트로

장미희 유지인 정윤희

이카 여배우는 제1기 트로이카 선배들에 비교하면 초라한 데뷔였다. 그래서 제2기 트로이카는 1979년부터 빛을 보기 시작해서 1980년대 초기에 전성기를 누렸다. 제2기 트로이카 여배우들은 데뷔시기가 마침 한국영화 흥행이 최악의 빈사상태였고, 제1기 트로이카의 데뷔시기는 한국영화 전성기[10]였으므로 시대적 상황이 달랐다.

유지인은 본명이 이윤희로 1974년 박종호 감독의 〈그대의 찬손〉에 데뷔했다. 19세의 나이에 배우가 된 유지인은 데뷔작에서 고아로 자라나 정신병까지 앓으면서 진실한 공군사관학교 생도를 만나 건강도 찾고 사랑의 결실도 맺는 순진가련형 여인역으로 출연했다. 데뷔하던 해에 추남화가 솔거의 예술인생을 묘사한 주동진 감독의 〈광화사〉에도 출연했다. 영화에 데뷔하기 12년 전인 1973년 TBC 탤런트로 입문했던 유지인은 영화 데뷔 후에도 브라운관 출연을 병행했다. 그러다가 유지인은 1980년 배우로서 가장 바쁜 한 해를 보냈다. 이장호의 〈바람불어 좋은 날〉·이두용의 〈피막〉·최하원의 〈메아리〉·이상구의 〈화려한 외출〉·문여송의 〈그때 그 사람〉과 〈미워할 수 없는 너〉 등 무려 15편의 영화에 주연으로 출연했다.

정윤희는 1975년 이경태 감독의 〈욕망〉으로 데뷔했다. 신프로덕션 제작으로 노주현·정소녀와 공연한 〈욕망〉은 재벌 아들과 막역한 친구인 가난한 집 아들, 그리고 전화교환수의 미묘한 감정대립과 죽음을 내용으로 한 미스터리 멜로물이었다. 데뷔작에서 정윤희는 연기하는 배우라기보다는 티없이 맑고 예쁜 여자였다. 정윤희의 아름다움은 꾸미거나 전혀 가공되지 않은 원시적인 미모였다. 정윤희는 데뷔한 후 한동안 카메라 앞에서 연기를 하지 않더라도 얼굴만으로도 배우로서의 존재를 알렸다. 이런 그녀를 가리켜 영화 관계자들은 1980년 정진우 감독의 〈뻐꾸기도 밤에 우는가〉까지는 연기가 빈약했다[11]고 평한다. 〈뻐꾸기도 밤에 우는가〉에서 대종상 여우주연상을 수상했기에 그녀를 갑자기 연기파로 몰고 가는 것은 지극히 표피적인 발상이다. 정윤희는 처음부터 끝까지 한 모습이었다. 대단한 연기자라고 생각하지 않지만, 그렇다고 처음부터 연기가 빈약한 막대기 배우도 아니었다. 그녀가 출연한 작품의 배역이 그녀의 얼굴만을 필요로 했고 감독이나 촬영기사가 정윤희를 온실 속의 화사한 꽃처럼 보이도록 의도적으로 앵글을 잡았기 때문에 캐릭터가 돋보이게 되었다. 다만 정비석의 〈성황당〉을 내용으로 한 〈뻐꾸기도 밤에 우는가〉에서는 그녀의 원시적 백치미와 배역의 토속적 인물형이 효과적으로 접합되었기 때문이다. 더욱이 1980년 〈뻐꾸기도 밤에 우는가〉와 1981년 〈앵무새 몸으로 울었다〉로 2년 연속 대종상 여우주연상을 수상함으로서 대단한 연기자처럼 착시현상을 일으켰다. 정윤희는 데뷔한 이듬해인 1976년 이원세 감독의 〈목마와 숙녀〉·1978년 임권택 감독의 〈임진왜란과 계월향〉·박호태 감독의 〈나는 77번 아가씨〉·정인엽 감독의 〈꽃순이를 아시나요〉에 출연했다. 〈꽃순이를 아시나요〉는 서울 스카라극장에서

만 26만 명의 관객을 동원, 그해 박스오피스에서 〈O양의 아파트〉에 이어 랭킹 2위를 차지했다. 그 당시에는 서울 개봉관에서 10만 명의 관객만 동원하면 일약 톱스타로 껑충 뛰어올랐다. 정윤희는 데뷔 2년만에 톱스타가 된 것이다. 그 후 흥행가도를 질주했다. 1979년 석래명 감독의 〈가을비 우산 속에〉, 김호선 감독의 〈죽음보다 깊은 잠〉을 거쳐 1980년 〈뻐꾸기도 밤에 우는가〉, 1981년 〈앵무새 몸으로 울었다〉에서 연기의 꽃을 피웠다. 정윤희는 1984년 심재석 감독의 〈사랑의 찬가〉와 장일호 감독의 〈사랑하는 사람아 3〉을 끝으로 결혼과 함께 미련 없이 영화계를 떠났다.[12]

장미희는 1976년 박태원 감독의 〈성춘향전〉에서 춘향 역으로 데뷔했다. 박 감독의 〈성춘향전〉은 크랭크 인에 앞서 제작사인 우성사에서 춘향 역을 공개모집했다. 그때 장미희는 TBC의 햇병아리 탤런트로 무명이었다. 장미희는 19세의 앳된 모습으로 양장을 입었지만 얼굴 윤곽과 몸 전체의 선이 한복을 입으면 딱 어울릴 만큼 동양적인 미인형이었다. 성춘향 장미희, 이도령 이덕화 주연으로 영화는 개봉했지만 흥행은 저조했다. 데뷔작에서의 스타탄생은 불발이었다. 그러나 데뷔 이듬해 그녀는 화려한 스타 신고식을 했다. 김호선 감독이 연출한 〈겨울 여자〉가 1977년 8월 16일 서울 단성사에서 개봉해서 그 다음 해인 1978년 2월 6일까지 60만 명의 관객을 동원해서 극장 흥행기록을 경신했다. 장미희는 이 한 편으로 단연 톱스타 대열에 당당히 진입했다. 장미희는 신인 여배우답지 않게 극중 배역 이화를 완전할 정도로 소화했다는 평가를 받았다. 예쁘고 착한 이화는 대학에 합격한 날 상류가정에서 과잉보호를 받고 자란 청년을 만나 사귄다. 이화는 자신이 청년에게 필요한 존재라는 것을 인식하지만 별장에서 그가 포옹하려하자 뿌리치고 도망간다. 청년은 자

영화 〈겨울 여자〉(1977, 김호선 감독)

기를 경멸한 것에 비관하여 자살한다. 그 사건 이후 이화는 자기를 필요로 하는 사람 누구에게나 자기를 바친다. 정열 없이도 자신을 원하면 바치는 이화는 여러 남자를 거치면서도 결코 도덕적으로 추하지 않은 여인상을 창조한 것은 그 배역을 맡은 장미희라는 여배우가 발산하는 내재된 비장미의 차가운 미학 때문[13]으로 평가되었다.

장미희는 당시의 여배우 중에서 배역의 존재를 가장 효과적으로 표현했다. 그만큼 연기의 폭이 넓고 변신에 능하다는 뜻도 된다. 그녀는 순진함과 요사스러움·냉혈과 정열·천국과 지옥의 간격을 저항없이 넘나드는 연기자다. 배창호 감독의 〈적도의 꽃〉·〈깊고 푸른 밤〉·〈황진이〉·김호선 감독의 〈사의 찬미〉가 이를 증명해주고 있다.

2) 영화시장 개방과 에로티시즘 영화의 범람

한국영화는 1970년대부터 불황이 해마다 심화되어 혼미를 거듭해오

다가 1980년대는 침체의 늪에 빠져들었다. 1970년대에서 1980년대에 이르기까지 한국영화는 관객의 외면으로 영화기업의 토대가 무너졌으며 예술성을 지향하는 작품이나 오락적 가치만을 추구하는 영화나 모두 작품의 완성도가 부실하여 한국영화의 기초체력이 허약할대로 허약해졌다. 그래서 한국영화는 안으로는 홀로 설 수 있는 경쟁력을 잃어 기업으로서의 기반이 무너졌으며 밖으로는 대중예술로서의 존립가치를 지탱해주는 관객들의 신뢰를 잃어 한국영화 존재 자체가 위협받게 되었다. 침체의 심연에 빠진 한국영화에 돌파구를 마련해주려고 행정당국은 1985년 하반기에 새 영화법을 공포했다. 개정 영화법은 영화인의 오랜 숙원인 영화 제작의 독점 허가제를 폐지하고 제작 자유화를 단행했으며, 국산 영화 제작과 외국 영화 수입을 분리하는 등 영화계의 오랜 숙원이었던 고질적인 병폐를 과감하게 재단하여 시대 변화에 따른 새로운 방향을 내놓았다. 그러나 이러한 묘약도 효과는 별로 없었다.

이런 영화계의 어려운 상황에 설상가상으로 1986년부터 거세게 밀어닥친 외국영화 시장 개방 압력은 더 이상 피할 수 없는 현실상황으로 눈앞에 다가왔다. 수출 강공책을 써온 정부는 통상정책으로 한국 자동차의 대미 수출과 한국 영화산업 시장의 개방을 맞바꿀 수밖에 없는 막다른 골목에 처해 있었다. 미국의 압력은 절정에 달했다. 그렇지 않아도 오락성이 뛰어난 미국영화가 편수 제한 없이 밀려오면 한국영화는 시장에서 설 자리가 더욱 좁아질 수밖에 없었다. 영화인의 저항도 거칠었지만 역부족이었다. 마침내 1987년 영화법이 개정되고 외국영화 수입 자유화의 봇물이 터졌다. 영화의 오락성(엔터테인먼트)에 있어서 한국영화는 미국영화의 적수가 되지 못했다. 1988년 다국적 영화배급사인 UIP를 시작으로 미국의 20세기폭스사가 국내에 현지 법인을 설립하여 영화시장에 진출했다. 할리우드 메이저 영화사의 직접배급은 한국영화산업의 배급 구조를 크게 변화시켰다. 기존의 영화배급구조는 제작사와 수입사가 서울을 제외한 다른 지역의 흥행권을 흥행업자에게 넘기면 흥행업자는 다시 지방의 영화관들과 상영 계약을 맺는 간접배급 형태였다. UIP는 서울·지방 가릴 것 없이 영화관과 직접 계약을 맺는 방식으로 새로운 유통 질서를 시도했다.

한국영화의 결정적인 구조 취약성은 관객의 상상력을 압도할 만한 오락성의 결핍이었다. 이미 전 가구에 보급된 TV수상기를 통한 TV드라마 범람과 기타의 눈부시게 발전하는 오락 미디어에 대응하는 한국영화의 오락성 탐구가 너무나 무계산적이었으며 시대감각에도 뒤떨어졌다. 더욱이 프로야구까지 창설되어 젊은 관객들은 극장 대신 운동장으로 발길을 돌렸다.

이러한 위기 속에, 새로운 오락성으로 등장한 영화가 에로티시즘이란 장르였다. 30대 초반의 여성이 주인공으로 등장하여 성의 불만에서 오는 애정 행각을 에로티시즘으로 표현한 애정멜로의 진보적인 변형이었다. 1980년대 후반은 체제의 도전이나 이데올로기 색채만 없으면 성적인 표현은 상향 확대되었다. 그래서 삼각관계가 빚는 가정 비극 같은 드라마 구조가 사라지고, 성적욕구 불만으로 인한 젊은 아내의 탈선과 부부 파경, 출세를 위해 육체로 승부하는 현대를 살아가는 젊은 남녀들의 야망과 욕구를 담은 내용이 제작의 주류를 이뤘다.[14] 1970년대는 멜로드라마의 하위 장르인 호스티스 영화가 주류였다면 1980년대에는 섹스·스크린·스포츠로 국민을 환각시키는 전두환 군사정권의 '3S정책'과 맞물려 성애영화 즉 에로티시즘 영화가 넘쳐났다. 1982년 넉 달 동안의 장기상영으로 31만 관객을 동원한 정인엽 감독의 〈애마부인〉은 남성중심의 왜곡된 성적 판타지로 관음증을 충족시키는 데 주력한 1980년대 에로영화의 상징으로, 이른바 '부인'시리즈의 원조가 되었다. 한 여대생의 성적 탐험을 그린 이장호 감독의 〈무릎과 무릎 사이〉(1984), 에로영화의 전통적인 대상인 성매매 여성을 다룬 유진선 감독의 〈매춘〉(1988) 등이 이어지며 성적 스펙터클의 표현 수위는 한층 진보해갔다.

에로영화들은 현대극뿐만 아니라 시대극과도 결합했다. 양반 집안 씨받이 여성들의 수난을 다룬 이두용 감독의 〈여인잔혹사 물레야 물레야〉(1983)·정진우 감독의 〈자녀목〉(1984)·임권택 감독의 〈씨받이〉(1986) 등과 가난 때문에 몸으로 생계를 유지하는 여성들을 다룬 이두용 감독의 〈뽕〉(1985)·하명중 감독의 〈땡볕〉(1984)·변장호 감독의 〈감자〉(1987) 등이 그 대표적인 작품이다. 이른바 토속에로 장르는 이두용 감독의 〈피

영화 〈어우동〉(1985, 이장호 감독)

막〉·〈여인잔혹사 물레야 물레야〉·〈씨받이〉처럼 해외영화제의 주목과 수상을 끌어내기도 했고, 〈뽕〉·이장호 감독의 〈어우동〉(1985)처럼 '상품성'을 인정[15]받기도 했다. 〈산딸기〉(김수형, 1982)·〈변강쇠〉(엄종선, 1986)처럼 토속에로들은 대부분 시리즈의 양산을 흥행방편으로 삼았다.[16]

3) 멜로드라마의 성숙 – 이장호·배창호 감독

불황 속에서 에로티시즘으로 생존을 가까스로 유지했던 1980년대 영화계는 우울하고 암담했다. 이런 한국영화계 상황에서 도식적 영상을 탈피하고, 한층 품격을 높인 대중성으로 관객들과 접근한 대표적인 감독이 있었으니 바로 이장호와 배창호였다. 이장호는 1974년 〈별들의 고향〉으로 감독 데뷔를 했다. 그는 데뷔작으로 대박을 터뜨리고 영화계에 신선한 충격을 안겼다. 감독 본인의 능력도 발휘되었지만 전국의 지가를 높였던 『조선일보』 연재소설인 최인호 원작의 후광이 더 컸다. 어쨌든 데뷔작이 출세작이 된 이장호는 승승장구했다. 데뷔하던 1974년에 두 번째 작품인 〈어제 내린 비〉에 이어 1975년에는 〈너 또한 별이 되어〉·〈그래 그래 오늘은 안녕〉 등을 숨돌릴 틈도 없이 연거푸 만들었다. 그러나 호사다마라고 대마초 사건에 연루되어 5년간 일체의 작품 활동을 금지당했다.

1980년 반짝하던 '서울의 봄'과 함께 이장호는 활동을 재개했다. 5년간의 침묵을 깨고 이장호는 1980년 〈바람 불어 좋은 날〉로 다시 일어섰다. 작품 스타일이 5년 전과 달라졌다. 5년 전 그의 작품이 도시의 표면에 나타난 형상을 대중성과 접합했다면, 5년 후의 그의 작품은 소외된 인간의 일상을 통해 내면을 탐험하는 자세로 바뀌었다. 5년 만에 메가폰을 잡은 이장호의 영화적 관심은 사랑이 아니라 사회였다. 〈바람 불어 좋은 날〉 이후 1981년 〈어둠의 자식들〉·〈낮은 데로 임하소서〉, 1983년 〈바보

〈깊고 푸른 밤〉(1985, 배창호 감독)

선언〉·〈과부춤〉 등 사회성 드라마에 집착했다. 그러다가 1983년 청산리 독립투쟁 전투를 소재로 한 〈일송정 푸른 솔은〉을 감독했고, 1984년 〈무릎과 무릎 사이〉·1985년 〈어우동〉 같은 에로티시즘 영화를 만들기도 했다. 1986년 〈이장호의 외인구단〉·1987년 〈와이(Y)의 체험〉을 만들었고, 곧바로 실험성이 강한 〈나그네는 길에서도 쉬지 않는다〉[17]를 내놓았다.

1985년 한국영화 흥행은 배창호와 이장호가 완전히 장악했다. 한국영화 흥행 베스트 톱 랭킹을 놓고 이장호와 배창호가 치열한 경쟁 끝에 배창호의 〈깊고 푸른 밤〉이 서울 명보극장에서만 49만 5,573명으로 1위를, 이장호 감독의 〈어우동〉이 서울 단성사에서만 47만 9,225명의 관객을 동원, 2위를 차지했다. 3위는 배창호 감독의 〈고래사냥 2〉로 13만 7,799명의 관객을 동원했다. 1985년에 한국영화 제작편수는 80편이었는데, 이 중 서울 개봉관에서 10만 명 이상의 관객을 동원한 영화는 4편에 불과했다. 〈깊고 푸른 밤〉·〈어우동〉·〈고래사냥 2〉 외에 송영수 감독의 〈창 밖에 잠수교가 보인다〉가 10만 134명의 관객을 서울 개봉관에서 동원했다. 1970년대의 한국영화의 불황은 계속 이어져 1980년대는 침체의 늪에 빠졌다. 이런 불행한 시기에 이장호와 배창호가 각각 50만 명에 가까운 관객을 서울 개봉관에서만 동원했다는 것은 쾌거가 아닐 수 없다. 1985년 한 해뿐만 아니라 1980년대의 한국영화 흥행은 이장호와 배창호가 주도했다. 이장호는 〈어우동〉 외에 〈무릎과 무릎 사이〉, 〈외인구단〉 등이, 배창호는 〈깊고 푸른 밤〉·〈고래사냥 2〉 외에도 〈그해 겨울은 따뜻했네〉·〈고래사냥〉·〈적도의 꽃〉 등이 흥행에 성공했다. 1980년의 한국영화를 논하면서 흥행뿐만 아니라 작품 면에서도 이장호와 배창호를 빼놓고는 이야기할 수 없다.[18]

4) 대기업의 영화산업 진출과 외국 영화제에서의 성과

1980년대는 극장 중심의 전통적인 상영문화에 변화를 가져온 시기이다. 1980년 12월 컬러 TV가 등장해서 각 가정에 빠른 속도로 보급되었고, VTR의 보급은 비디오 시장이라는 새로운 수익 창구를 마련하였다. 영화매체는 더 이상 극장에서 상영하는 프린트로 한정되지 않았다. TV 프로그램 중에서 특히 외화 프로그램이 가장 높은 시청률을 보였고, 비디오 매체 역시 인기가 높았던 외화의 극장 흥행을 잠식했다. 1986년 여덟 가구에 한 대꼴로 보급되었던 비디오는 1960년대의 TV수상기처럼 우리 생활 깊숙이 파고든 신매체[19]였다. 비디오 판권을 제작자들이 인식하기 시작한 것은 1980년대 중반이다. 비디오 시장이 영화 관객을 일부 빼앗아감으로써 영화시장을 축소시키는 요인도 되었지만 제작자본의 새로운 공급원으로 부상하게 된 것이다. 제작사의 입장에서는 극장흥행에서 실패한 영화나 심지어 극장에서 개봉하지 못한 영화로부터 수익을 기대할 수 있었기 때문에 비디오 시장은 영화제작을 활성화시키는 요인이 되었다. 1987년을 전후로 한국영화의 비디오 판권료가 급등하기 시작했다. 강수연의 베니스영화제 여우주연상 수상을 계기로 〈씨받이〉(1986)가

불티나게 팔리면서 〈뽕〉(1985)·〈어우동〉(1985)·〈변강쇠〉(1986)·〈내시〉(이두용, 1986) 등의 작품들이 처음으로 5,000개 이상 팔렸다.

반면 극장가는 계속되는 불황으로 대작영화의 리바이벌, 심야극장 개관 등 다양한 흥행방식을 모색하였다. 할리우드 영화산업이 TV공세에 대응하기 위해 펼쳤던 와이드 화면과 공포영화였던 것처럼, 컬러TV에 빼앗기는 관객을 붙들기 위해 대형영화의 리바이벌 상영과 〈망령의 곡〉(박윤교, 1980)·〈월녀의 한〉(김인수, 1980)·〈귀화산〉(이두용, 1980) 등 괴기영화 제작 붐이 일었다. 〈닥터 지바고〉(1965)가 75일의 롱런과 함께 30만이 넘는 관객을 동원했고, 〈벤허〉(1959) 같은 70mm 영화가 다시 상영되었다. 1982년 3월 13일 밤 12시 30분 스카라극장에서 〈엄마 결혼식〉(김원두, 1981) 시사회가 열리며, 심야상영이 처음 시도되었고, 이어 〈애마부인〉의 심야상영은 젊은 연인들로 대만원을 이루었다. 또 하나 1980년대 영화문화에서 가장 큰 변화는 1981년 공연법 개정으로 인한 소극장의 등장이다. 300석 미만의 소규모 극장이 자유롭게 설립되자 그동안 개봉관, 재개봉관, 3~4번관 순으로 영화를 관람하던 추세에서 시설이 좋은 개봉관과 집 주변의 신축 소극장으로 영화관람 문화가 재편되었다. 1986년 2~3개관짜리 복합상영관의 등장 역시 극장가의 지형 변화를 초래[20]했다.

1980년대 영화계의 성과로 '코리안 뉴웨이브'를 들곤 한다. 1988년 〈칠수와 만수〉로 데뷔한 박광수, 〈성공시대〉의 장선우, 〈개그맨〉으로 데뷔한 이명세, 그리고 직배반대운동을 통해 영화운동가로서의 면모를 보인 〈남부군〉(1990)의 정지영 등이 1980년대 후반의 다소 유화적인 사회분위기 속에서 등장했다. 코리안 뉴웨이브는 이장호·이원세·배창호로부터 비판적 리얼리즘 시각을 계승하면서 영화언어의 자각으로 미학적 실험을 모색했다는 점에서 1980년대 전체 혹은 1990년대 중반으로까지 범위를 더 넓힐 수도 있다. 〈바람 불어 좋은 날〉(1980)의 이장호, 〈꼬방동네 사람들〉(1982)의 배창호, 〈만다라〉(1981)의 임권택, 그리고 〈달마가 동쪽으로 간 까닭은〉(1989)의 배용균까지 포함할 수 있을 것이다. 이들에 이어 1990년대 중반 〈장미빛 인생〉(1994)의 김홍준, 〈세상 밖으로〉(1994)의 여균동, 〈세 친구〉(1996)의 임순례, 〈넘버 3〉(1997)의 송능한·〈초록물고기〉(1997)의 이창동 등이 등장했는데, 사회현실에 대한 비판적 주제의식을 계승했다는 점에서 '포스트 뉴웨이브'로 명명[21]할 수 있을 것이다.

1988년 영화인들의 거센 반발에도 불구하고 UIP와 20세기폭스가 한국시장에 안착했고, 1989년 워너브라더스, 1990년 콜롬비아트라이스타 그리고 1993년 월트디즈니 등 다섯 개 직배사의 활동이 본격화되었다. 전국 직접배급을 강행한 UIP에 비해 워너브라더스·20세기폭스·디즈니 등은 서울극장 라인을 배급 대행의 파트너로 삼아 한국시장을 개척했다. 외화의 수입편수가 급증하면서 한국영화 제작은 점점 입지가 좁아졌다. 한국영화의 점유율은 1983년 39.8%에서 1990년 20.2%, 1993년 15.9%로 감소했다. 지방 흥행사 같은 토착 흥행자본과 연계한 기존 영화사들도 덩달아 한국영화 제작에 등을 돌리고 외화수입에 열중했다. 그 틈새를 놓치지 않고 등장한 것이 바로 충무로에 젊은 바람을 일으킨 기획영화 세대였다.

1990년대의 또 다른 특징 중 하나는 대기업의 영화계 진출이었다. 물론 그 기간은 그렇게 오래가지 않았다. IMF로 큰 폭풍이 밀려들자 대기업은 영화산업에서 손을 떼었다. 1980년대 중반부터 삼성과 대우 등 가전회사는 비디오 프로그램 확보를 위해 일정 부분 영화산업에 참여하고 있었다. 직배 이후 홈비디오 시장마저 할리우드 직배사가 장악하자,

대기업들은 비디오 판권 확보에 다급해져 직접 영화제작에 뛰어든 것이다, 1995년에는 케이블 TV 방송도 시작되었다. 대기업들은 DCN, 캐치온 같은 영화 전문 채널의 콘텐츠 확보도 고려해야 했다. 이 같은 수익 창구(window)의 다변화는 한국에서도 복합미디어기업이 출범하는 계기가 되었다. 1995년과 1996년 흥행 순위 톱 텐 작품 대부분이 대기업의 전체 혹은 부분 투자 작품일 정도로, 대기업 자본은 한국영화산업의 가장 중요한 자금원이 되었다. 지방 배급업자의 자금에 전적으로 의지했던 충무로 제작 시스템은 비디오와 케이블 TV판권를 매개로 대기업과 결합했다. 젊은 감독들은 독립프로덕션을 만들어 직접 영화를 제작했다. 대우에 비디오 판권을 팔아 〈투캅스〉(1993)를 제작한 강우석 프로덕션, 삼성에서 50% 투자를 받아 〈그 섬에 가고 싶다〉(1993)를 만든 박광수필름 등이 대표적인 예[22]다.

대기업들은 극장 배급망을 확보하며 투자-제작-배급-상영을 아우르는 할리우드식 수직 통합체제를 구축해갔고, 충무로 배급 시스템은 각 지역 흥행사들이 여섯 개 상권을 나눠 갖던 간접배급체제에서 직접배급체제로 전환되었다. 〈쉬리〉(1998)를 배급한 삼성영상사업단처럼 1990년대 후반 대기업은 투자배급사 역할로 나서게 된다. 1996년 일신창투가 투자한 〈은행나무 침대〉의 서울 45만 흥행 성공은 금융자본, 즉 창투자본이 영화계로 들어오는 계기가 되었다. 이후 금융자본은 벤처캐피털과 영상전문투자조합으로 공동투자의 형태를 취했고, 투자배급사로는 2000년 들어 두 개의 메이저 영화사가 자리 잡았다. 1997년 이후 서울극장과 제휴해 한국영화의 제작과 배급에 공격적인 라인업을 구축한 강우석의 시네마서비스와 1998년 멀티플렉스 사업과 한국영화 부분투자로 시작한 CJ엔터테인먼트가 그것[23]이다.

1990년대 들어서면서 한국영화는 희망찬 출발을 했지만 기업으로서는 여전히 불안했다. 그것은 흥행의 편차 때문이었다. 1991년 한국영화는 흥행에서 최악의 해를 맞이했다. 1991년 서울에서의 영화 관객 동원 수를 보면 한국영화가 180만 명에 불과한 데 비해 외국영화는 1,000만 명에 달했다. 1980년대 이후 한국영화 관객은 해마다 줄어들어 1990년에는 1980년보다 60% 감소했으나, 외국영화는 48% 늘어났다. 1980년 한국영화 관객은 2,540만 명에서 1990년에는 1,081만 명으로 줄어든 반면, 외국영화는 1980년 2,900만 명에서 1990년 4,200만 명으로 증가해 엇갈린 동선을 보였다. 더욱이 1991년을 문화부가 '영화의 해'로 정했는데, 하필이면 이 해에 관객들이 한국영화를 철저하게 외면하여 자국 시장 점유율이 15% 내외로 떨어졌다.[24]

1991년은 국내에서의 침체와는 대조적으로 해외활동은 활발했다. 세계영화제에서 비교적 알찬 수확을 거두었고 외국에서 한국영화주간행사를 의욕적으로 전개했다. 제15회 몬트리올영화제에서 장길수 감독의 〈은마는 오지 않는다〉가 각본상(장길수)과 주연여우상(이혜숙) 등 2개 부문상을 수상했고, 싱가포르영화제에서 박광수 감독의 〈그들도 우리처럼〉이 최우수 아시아극영화상을 수상했다. 1992년 수입된 외국영화는 420편인 데 비해, 한국영화 제작은 96편이었다. 외국영화 수입편수는 늘어나는 데 비해, 한국영화 제작편수는 1991년 121편보다 줄어든 것을 보면 제작여건이 갈수록 어려워짐을 느낄 수 있었다. 1992년에도 해외영화제에서 눈부신 진출을 했다. 박종원 감독의 〈우리들의 일그러진 영웅〉은 몬트리올영화제에서 제작자상을, 하와이영화제에서는 최고상인 동서문화상을 수상했다. 정지영 감독의 〈하얀전쟁〉은 도쿄영화제에서 최우수작품상과 감독상을 수상했다.

그러나 1992년의 최고의 작품으로 손꼽히며 몬트리올영화제와 하와이영화제에서 명성을 떨친 〈우리들의 일그러진 영웅〉은 흥행에서 참패를 했다. 반면에 김의석 감독의 〈결혼이야기〉·강우석 감독의 〈미스터 맘마〉·신승수 감독의 〈아래층 여자 위층 남자〉는 흥행돌풍을 일으킨 로맨틱코미디물이다. 〈결혼이야기〉는 서울 개봉관에서만 53만 명의 관객을 동원, 1992년 흥행랭킹 톱을 차지했다. 〈미스터 맘마〉는 23만 명으로 2위, 〈아래층 여자 윗층 남자〉는 7만 명으로 7위를 차지했다. 이들 코믹 애정물은 주제는 가벼워도 경쾌한 스토리 전개에 깔끔한 영상으로 영화 관객의 주류를 형성한 20대 젊은 관객을 한국영화로 끌어들이는 데 큰 공헌을 했다. 〈결혼이야기〉의 흥행성공은 마침내 코믹애정물 붐을 일으켜 1990년대 중반을 휩쓸었다. 한국영화는 외국영화의 외압 속에서도 국내 시장의 입지를 넓혀갔지만 제작편수는 줄어갔다. 1992년 95편에서 1993년은 30%가량 줄어든 63편[25]이었다.

〈결혼이야기〉는 기획영화 첫 작품으로 명명되었다. 기획영화의 관객 전략은 관객층을 20대 중후반의 여성에 초점을 둔 것으로 짜여졌다. 젊은 관객들은 한국영화인데도 굉장히 재미있어 했다. 〈결혼이야기〉가 남긴 성과는 이뿐만이 아니다. 신철·유인택·오정완·심재명 등 1990년대 르네상스를 일군 젊은 프로듀서들이 이 영화를 통해 배출되었고, 신씨네가 대우의 투자를 받아 직접 제작한 〈미스터 맘마〉(강우석, 1992)를 통해서는 차승재·김선아·김무령 등이 활동을 시작했다. 유인택은 아예 영화사 이름을 '기획시대'로 짓고 안동규의 영화세상과, 〈할리우드키드의 생애〉(1994)를 공동제작했다. 강우석은 시네마서비스의 전신인 강우석 프로덕션을 설립해 〈투캅스〉(1993)를 제작했고 심재명은 1993년 명기획을 차려 〈그 여자 그 남자〉(익영영화사 제작)를 기획한 후, 1995년 명필름을

영화 〈결혼이야기〉(1992, 김의석 감독)

설립해 〈코르셋〉(1996)을 만들었다. 차승재는 싸이더스의 전신인 우노필름을 차려 〈돈을 갖고 튀어라〉(김상진, 1995)를, 오정완은 1999년 영화사 봄을 차려 〈반칙왕〉(김지운, 2000)을 만들었다.[26]

〈결혼이야기〉의 흥행에 힘입어 한국영화는 음습하고 어두운 에로티시즘 장르를 벗어나 발랄하고 세련된 로맨틱코미디의 세계로 진입했다. 1990년대 로맨틱코미디는 대체로 고학력의 전문직 여성과 가부장적 의식이 남아 있는 남성을 주인공으로 설정하고 이들이 티격태격하는 에피소드를 늘어놓는 이야기 방식으로 구성되었으며, 경쾌한 이야기 전개와 깔끔한 영상은 20대 젊은 관객을 한국 대중영화로 새롭게 끌어들이는 역할을 했다. 장르의 힘이 늘 그렇듯이, 로맨틱코미디는 1990년대 중반 〈닥터봉〉(이광훈, 1994)을 정점으로 시들해졌고, 그 힘은 복고풍 정서 혹은 신세대의 감수성을 담은 멜로드라마로 옮겨갔다. 최루성 멜로영화

〈고스트맘마〉(한지승, 1996)·〈편지〉(이정국, 1997)·〈약속〉(김유진, 1998) 등이 전자의 경향이라면, 후자는 도시적 감수성으로 관객과 소통한 〈접속〉(장윤현, 1997)과 절제의 미학을 보여준 〈8월의 크리스마스〉(허진호, 1998), 세련된 미장센의 〈정사〉(이재용, 1998)가 대표적이다.[27]

한편 전통적인 액션영화 장르는 임권택의 〈장군의 아들〉(1990)로 복권되었다. 이 영화는 단성사 단관 개봉으로만 67만을 동원, 1977년 〈겨울여자〉의 59만 명 기록을 14년 만에 경신했다. 젊은 감독들은 새로운 감각의 액션영화를 선보였다. 〈걸어서 하늘까지〉(1992)로 데뷔한 장현수는 〈게임의 법칙〉(1994)·〈본 투 킬〉(1996)을, 〈런어웨이〉(1995)로 데뷔한 김성수는 홍콩 누아르 스타일을 흡수한 청춘성장영화 〈비트〉(1997)로 신세대의 감수성을 접속했다. 1993년 〈투캅스〉의 흥행 성공이 코믹액션 장르의 붐을 일궜다면 1998년 〈남자의 향기〉·〈남자 이야기〉·〈태양은 없다〉는 남성멜로 경향을 이루었다. 한편 송능한의 〈넘버 3〉(1997)는 풍자적 감각을 독창적이고 기발한 화법에 담아 코믹액션 장르의 의미 있는 성취를 이루었다. 〈목포는 항구다〉(2004)가 그 적통이지만, 〈조폭마누라〉(2001)·〈달마야 놀자〉(2001)·〈두사부일체〉(2001) 등 이른바 2000년대 조폭코미디의 원조[28]가 되기도 했다.

1996년과 1997년은 2000년대 해외영화제를 통해 인정받은 작가주의 감독 홍상수·김기덕·이창동이 각각 〈돼지가 우물에 빠진 날〉(1996)·〈악어〉(1996)·〈초록물고기〉(1997)로 한국영화의 새로운 지평을 연 해이기도 하다. 이들 작가주의 감독들은 각본과 연출을 겸하며 작가의식을 더했다. 칼아츠와 시카고예술학교에서 공부한 홍상수는 낯선 모더니즘 화법을 한국영화에 선보였다. 〈강원도의 힘〉(1998)으로 제50회 칸영화제 '주목할 만한 시선'에, 〈오! 수정〉(2000)으로 제53회 칸영화제 같은 부문에,

〈여자는 남자의 미래다〉(2004)로 제57회 칸영화제 경쟁부문에 진출했다. 독학으로 영화를 공부한 김기덕은 생결하고 거친 만듦새에 독창적인 시선과 기이한 상상력을 담았다. 〈섬〉(2000)으로 제57회 베니스영화제 경쟁 부문에 진출한 뒤 2004년 한 해에만 〈사마리아〉와 〈빈집〉으로 제54회 베를린영화제와 제61회 베니스영화제에서 모두 감독상을 수상했다. 〈그 섬에 가고 싶다〉(1993)의 각본과 연출부에 참여하여 영화계에 입문한 이창동은 소설가 출신다운 이야기꾼으로서의 내공에 영화 매체에 대한 집요한 탐구를 거듭하여 〈박하사탕〉(1999)에 이어 〈오아시스〉(2002)로 제59회 베니스영화제 감독상을 수상[29]했다. 1993년 〈서편제〉로 서울 개봉관에서 104만 명 관객과 전국 220만 명의 관객몰이를 한 임권택은 '우리 것을 찾자'는 시의성을 내세워 한국 대중영화계를 휩쓴 데 이어 칸영화제에서도 한국적 정서와 아름다움의 표출로 감독상을 손에 쥐었다. 그는 〈춘향뎐〉(2000)으로 제53회 칸영화제 경쟁 부문에 진출했고, 드디어 제55회 칸영화제에서 〈취화선〉(2002)으로 한국인 최초로 감독상을 받았다.

영화 〈사마리아〉(2004, 김기덕 감독)

3. 〈쉬리〉와 〈공동경비구역 JSA〉의 성공비결

1) 한국형 블록버스터와 천만 만 관객 시대

할리우드 블록버스터에서 차용한 '한국형 블록버스터'라는 말은, 1997년 제작에 착수하여 1998년 여름에 개봉한 〈퇴마록〉의 홍보 문구에서 처음 등장했다. 원래 '블록버스터'라는 말은 영국 공군이 제2차 세계 대전 때 투하한 폭탄 이름이다. 〈퇴마록〉은 평균 제작비가 15억이었던 당시, 상대적으로 많은 24억 원의 제작비를 들였고, 디지털 테크놀로지에 기반한 특수효과 볼거리를 앞세웠으며, 고비용의 마케팅과 함께 서울 27개관, 전국 70개관의 대규모 전국동시 개봉을 추진했다는 측면에서 블록버스터 영화라 부를 수 있다. 개봉 첫 주에 관객 45만 명을 동원하는 초유의 기록을 세웠지만, 그해 한국영화 흥행 5위에 그쳐 블록버스터 전략을 완벽하게 성공시키지는 못했다.

명실상부한 한국형 블록버스터 영화로서 최초의 작품은 〈쉬리〉(1998)라고 할 수 있다. 〈쉬리〉의 제작발표회에서 강제규 감독은 "할리우드에 대적할 만한 한국형 액션 블록버스터"를 만들겠다고 출사표를 던졌다. 결국 〈쉬리〉는 개봉 21일 만에 〈서편제〉의 한국영화 최고 흥행기록을 돌파, 전국 620만 명 동원이라는 대기록을 달성[30]했다. 〈쉬리〉 이후 한국영화는 막대한 제작비와 마케팅 비용 투자, 와이드 릴리즈 개봉방식 등 할리우드방식을 취해 봇물 터지듯 놀라운 관객동원력을 과시했다. 2000년 박찬욱 감독의 재기작 〈공동경비구역 JSA〉가 전국 583만 명, 2001년 곽경택 감독의 〈친구〉가 전국 818만 명을 동원했고, 2003년 강우석 감독의 〈실미도〉와 2004년 강제규 감독의 〈태극기 휘날리며〉는 불가능해 보였던 1,000만 관객 시대를 열었다. 한국영화 점유율은 2004년 59.3%를 기

영화 〈쉬리〉(1998, 강제규 감독)

록했고, 2006년에는 64.2%의 기록적인 수치에 도달했다.

극장을 잘 찾지 않는 40~50대까지 끌어낸 1,000만 명 관객 영화 시대를 여는 데는 멀티플렉스의 확산, 즉 스크린 수의 증가가 지대한 역할을 했다. 1998년 강변 CGV 11개관으로 막을 올린 멀티플렉스 시대는 2000년 삼성동 메가박스가 가세하며 관람환경을 질적으로 변화시켰다. 1998년 전국 스크린 수는 극장 수와 일치하는 507개였지만, 2006년 전국 스크린 수는 1,880개가 되었다. 스크린의 확대는 관객의 증가를 불러왔다. 2006년 영화 관객 수는 1억 6,674만 3,766명으로 1960년대 르네상스의 정점인 1968년과 1969년의 연간 관객 1억 7천만 명에 이어 세 번째를 기록했다. 연간 1인당 관람 횟수는 1998년의 1.1회에서 2006년의 경우 3.1회로 늘었다.[31]

2) 영화 한류와 '한국형 블록버스터'로서의 신기원을 연 작품

〈쉬리〉(1998)와 〈공동경비구역 JSA〉(2000)는 한국영화사에서 큰 족적을 남긴 작품이다. 일본에서 한국영화로는 〈쉬리〉와 〈공동경비구역JSA〉가 한류의 토대를 구축한 영화라고 할 수 있다. 한국에서 〈쉬리〉의 열풍은 2000년 일본에도 그대로 전해지면서 수출되어 〈서편제〉가 가지고 있던 일본 내 한국영화 흥행기록을 넘어서는 것은 물론, 한국영화로는 처음으로 일본 박스오피스 흥행 1위에 오르게 된다. 그 요인은 그동안 소수 집단에 의해 한국영화가 소개되었던 것에서 벗어나 '도큐 체인'을 통해 전국적으로 영화가 상영됨으로써 대중들에게 폭넓게 다가설 수 있게 되었기 때문이다. 일본에서 〈쉬리〉 열풍은 대단했다. 한국영화를 한 수 아래로 내려다보았던 일본영화계 인사들이 〈쉬리〉를 보고 할리우드와 별반 차이가 없는 스펙터클하고 박진감이 넘치는 영화를 제작하는 한국영화계를 보고 깜짝 놀라게 된 것이다. 한마디로 〈겨울연가〉 드라마를 통해 일본에 갑자기 한류가 형성된 것이 아니고, 〈쉬리〉 등의 영화와 가수들의 활동을 통해 한국 대중문화에 대한 폭넓은 마니아층이 형성되었기 때문이라고 보는 것이 타당할 것이다. 즉 〈쉬리〉는 일본 내에서 한국 대중문화를 알리는 첫 번째 콘텐츠였으며 한류를 이끄는 견인차 역할로 그 의미가 깊다. 〈쉬리〉에 이어 2001년에는 〈공동경비구역JSA〉가 수입되어 〈쉬리〉의 기록을 뛰어넘는 흥행실적을 보인다.

〈쉬리〉의 엄청난 성공에는 IMF 외환위기 이후 한국사회의 분위기를 반영한 '신드롬'이 일정 부문 작용을 했다. 당시 최고 흥행작인 할리우드 블록버스터 〈타이타닉(Titanic)〉(1997)을 뛰어넘는 한국영화의 흥행은 올림픽에서의 금메달이나 월드컵에서의 승리처럼 대리만족의 효과를 가져왔다. 한국영화 한 편을 보는 행위가 애국이 되고, 한국영화의 성공이 경제위기의 상처를 치유하는 처방전이 된 것이다.

이제 한국영화의 목표는 〈쉬리〉의 성공을 확대 재생산하는 것이 되었다. 2000년 박찬욱의 〈공동경비구역 JSA〉는 전국 583만 명을 동원해 〈쉬리〉의 뒤를 이었고, 2001년 곽경택의 〈친구〉는 전국 관객 818만 명을 넘어서면서 또다시 흥행기록을 갈아치웠다. 그리고 2003년과 2004년에는 전국 1,000만 명 이상의 관객을 동원한 〈실미도〉(강우석)와 〈태극기 휘날리며〉(강제규)가 차례로 등장했다. 한국형 블록버스터의 전개 과정에서 한국영화산업은 제작비와 마케팅비의 급격한 상승, 멀티플렉스의 증가와 와이드 릴리즈 개봉 방식, 전국 규모의 흥행 집계 등 외형적으로 할리우드 블록버스터와 유사한 방식을 취했다. 프로듀서의 영향력이 증대했고 스타감독이 등장했으며 하이 콘셉트 영화와 장르의 혼합 현상도 가속화되었다.

그러나 지금까지의 흥행 성공작 등을 보면 내용 면에서는 할리우드 블록버스터의 경향과 근본적인 차이가 있다. 스펙터클한 볼거리를 최대한 활용한다는 공통점을 갖고 있으나, 할리우드 블록버스터에서 즐겨 다루는 전 지구적 재난 같은 거대한 주제나 인류의 위기를 해결하는 남성 영웅이 등장하지 않는다. 영화의 시간은 미래가 아니라 과거 지향적이며, 해피엔딩이 아니라 비극으로 끝난다. 한국 현대사를 배경으로 분단문제와 빨갱이 혐오증 같은 역사적 트라우마 속에서 고통 받는 주인공이 등장한다. 그들은 영웅으로 우뚝 서는 대신 죽음을 맞이하거나 엄청난 비극을 겪는다. 그렇지만 이 영화들이 역사의 상처와 시대의 어둠을 정면으로 마주하는 것은 아니다. 대신 판타지와 향수, 신파와 감상주의, 도피주의와 퇴행의 정서가 그 자리를 차지하고 있다.[32]

3) 시대정신을 제대로 반영한 영화

1960년대부터 1980년대까지 반공영화만이 판을 치던 한국영화계에

1990년대에 들어서면서 〈남부군〉(1990)과 〈태백산맥〉(1994)이 제작되어 개봉되면서 이데올로기 문제에 대한 새로운 시각과 균형감이 형성되었다. 하지만 여전히 북한은 우리의 적성국가였고, 휴전선을 사이에 둔 대치상태는 계속되고 있었다. 북한에 대한 전향적인 태도변화는 문민정부가 들어서면서 시작되었다. 북한이 줄곧 요구하던 비전향장기수를 조건 없이 북으로 보내고 남북의 밀사가 제3국에서 비밀리에 만나 남북정상회담을 추진한다는 외신보도도 나오면서 북한을 바라보는 지금까지의 시각과 다른 모습이 남한사회에서 나왔다. 물론 1994년 김일성의 급작스러운 사망으로 김영삼 대통령과 김일성 주석 사이의 남북정상회담은 물 건너 가버리고 말았다. 그렇게 세월이 흘러갔고 1998년 김대중 야당 총재가 대통령으로 취임하면서 다시 남북한 정상회담은 추진되었고 드디어 2000년 성사되었다. 이러한 남북한 사이의 해빙무드를 반영하면서 제작된 영화가 〈쉬리〉(강제규, 1998)와 〈공동경비구역 JSA〉(박찬욱, 2000)다. "아마 이 영화만큼 많은 이들의 입에 오르내린 영화도 없을 것이다. '햇볕 정책의 필요성을 확인할 수 있는 영화'라는 여권 쪽 해석과 '햇볕 정책에 대한 비판'이라는 한나라 쪽 입장이 정치면에 실렸고", 당시 국방부장관은 정부의 대북 포용정책으로 느슨해질 수 있는 장병들의 대적관을 고취시키기 위해 이 영화를 적극 활용하라고 지시하여 군인들의 정신교육용 비디오로 이용되기도 하였다. 영화평론계에서도 반응이 갈렸는데, 이데올로기적인 문제를 전면에 배치하고 첩보물과 멜로물을 혼합한 기획력과 영상미를 가졌다고 평가하는 쪽과 시대착오적인 반공이데올로기를 이용해 쾌락을 추구하여 흥행에 성공하였을 뿐 영화적인 완성도는 떨어진다고 비판하는 쪽이 있었다. 하지만 표면적으로 봤을 때, 〈쉬리〉는 한국영화의 성공신화를 이룩한 것처럼 보였고, 성공적이었다. 그로부터 1년 후 〈쉬리〉와는 아주 다른 상황의 남북 군인들이 등장하는 영화 〈공동경비구역 JSA〉가 개봉한다. 당시 한국사회는 분단 이후 최초로 남북 정상회담이 열려 김대중 대통령이 직접 방북하여 김정일과 만났으며, 남북 이산가족 상봉, 비전향장기수의 북송 등이 이루어지던 때였다. 두 영화는 이렇게 통일지향적인 사회분위기를 제대로 반영한 영화작품들이라는 데 그 가치가 있다.

〈쉬리〉가 개봉했을 때도 사회내부에서 논란이 있었지만 영화를 비판하는 세력들의 구체적인 저항은 없었다. 하지만 〈공동경비구역 JSA〉에 대해서는 조금 달랐다. 개봉 17일 째인 2000년 9월 26일 오후 3시에 서울 명륜동 (주)명필름 사무실에 JSA전우회 회원 20여 명이 찾아가 난동을 부렸다. 이들의 항의내용은 "적과 가장 가까이서 대치하며 근무해온 JSA 요원들이 영화에서는 조금 비현실적으로 그려졌다. 지뢰를 밟았는데 인민군이 구해주었다는 등의 설정이나 두 명씩이나 JSA요원이 자살하는 식으로 그려진 영화라면 자막을 통해 사실과 다르다는 점을 밝혀어야 한다"는 것이었다. 명필름 측은 이들의 항의 내용을 받아들여 9월 29일 전 일간지 광고면을 통해 JSA의 요구와 관련된 입장을 밝혔으며, "특히 여기 묘사된 내용은 실제 JSA요원의 근무현실과 다름을 밝히며 이 영화로 인하여 JSA요원 및 전역자들의 명예가 훼손되는 일이 없기를 바랍니다"[33]는 자막처리를 넣기로 약속했다. 이러한 저항세력들이 있었음에도 불구하고 이 영화는 580만이라는, 〈쉬리〉에는 조금 못 미친 기록이지만, 큰 흥행기록을 세운다.

두 영화는 모두 남한과 북한이라는 배경을 가지고 시작하였다. 그리고 북한을 하나의 국가체제로서 인정하였다. 왜 분단이 되었는지에 대한 의문을 제시하지 않으면서 마치 '통일'에 대한 강박증을 벗어버리는 듯 영화가 시작된다. 〈쉬리〉가 기본적으로 남파간첩을 소재로 하고 있기는 하지만 남북 정상회담과 남북 친선 축구 등을 통해 남북관계를 국가 차원에서 펼치는 일들이 그 배경이 된다. 그러나 영화 내에서 벌어지는 일련의 사건들은 남한을 배경으로 하고 있다. 〈공동경비구역 JSA〉는 '국경'이 배경이 되는 만큼 서로를 국가라는 차원에서 인정하고 있다. 그리고 이 영화의 배경은 남한도 북한도 아닌 '공동경비구역'이다. '남' 아니면 '북'이라는 공간적 차원을 넘어서면서 형제와 같이 맺어지는 네 남자에게 더 이상 정치적 이데올로기는 필요치 않다.[34]

4) 분단 상황과 통일 필요성을 동시에 변증법적으로 버무린 영화

〈쉬리〉의 도입부에서는 북한에서 남판간첩을 훈련하는 장면이 나온다. 영화 중반부에는 서울 도심 한복판에서 총격전이 벌어지는 모습이 그려진다. 영화 초반 간첩이 남파되는 이유는 남북화해 무드를 반대하기 위해 화해를 이끄는 남북의 정치세력들을 제거하고, 남한에서 개발한 CTX를 탈취하기 위함이었다. 살상무기로 훈련받은 비인간적인 북한과 냉철하지만 따뜻한 인간의 모습을 가지고 있는 남한의 비밀기관 요원들의 모습이 대비된다. 이러한 〈쉬리〉의 초중반 부분은 분단 상황과 남북한의 대치정국을 실감나게 확인시켜준다. 할리우드식의 스릴과 서스펜스를 보여주는 서울 도심 한복판에서 펼쳐지는 전투신은 손에 땀을 나게 하면서 관객층의 몰입도를 높이는 역할을 한다.

〈공동경비구역 JSA〉에서 군사분계선을 사이에 두고 불과 1m 앞에서 대치하는 남한군과 북한군 중에서 먼저 손을 뻗은 것은 북한군이었다. 구두에 살짝 침을 뱉으면서 장난을 걸어오거나 실수로 지뢰를 밟은 남한의 군사를 구해주는 모습 등은 당시 햇볕정책을 통해 보았던 '북한사람

영화 〈공동경비구역 JSA〉(2000, 박찬옥 감독)

도 우리와 똑같은 인간이다'라는 사실을 확인시켜 주는 구실을 했다. 남한군인이 가지고 다니는 연예인 사진을 애인이라고 믿는다든지, 조선인민공화국에서 남조선보다 더욱 맛있는 초코파이를 만들 때까지 남한의 초코파이를 먹겠다고 이야기하는 모습 등은 북한을 순박하고 친근한 이웃으로 인식[35]하게 만든다. 이러한 부분만 본다면, 이 영화는 관객들에게 통일지향적인 태도를 계몽하고 있다고 해석된다.

하지만 〈공동경비구역 JSA〉의 결말에서 북한의 오경필(송강호) 중사는 남한의 이수혁(이병헌)과의 대질심문 자리에서 이수혁을 밀어내며 '조선로동당 만세, 김정일 장군 만세'를 외친다. 이수혁은 건물에서 떨어져 자살한다. 이러한 부분이 관객들에게 더욱 큰 공감대로 다가갔다. 오경필 중사의 행동이 이수혁을 살리기 위한 행동이었고, 이수혁은 형제와 같은 사람들을 죽였다는 죄책감에 자살을 택했다는 사실을 관객들은 모두 안다. 이들은 총알을 가지고 공기놀이를 할만큼 서로 친밀하지만 외부에서 들려오는 아주 작은 소리에도 긴장하며 총을 집어들 만큼 개인적 친밀함은 군사적 대치상황을 뛰어넘을 수는 없다.[36] 초지일관 이성적으로 단호하게 행동하는 오경필이 모든 사태를 책임진다는 설득에도 불구하고 정우진은 이수혁과 남성식을 향해 총을 빼들자 이수혁은 원망의 눈빛으로 정우진을 바라보며 눈물을 흘린다. 형제로 믿고 있었지만 결국은 적군이라는 감당하기 어려운 전횡 앞에서 흘리는 눈물이었다. 이후 이성이 마비된 채 정우진과 오경필을 향해 총을 발사하는 이수혁과 남성식은 관념과 행위의 이율배반적 모습을 극단적으로 표출하는데 마음과는 다르게 정우진에게 무자비하게 총을 난사한다. 여기서도 오경필은 남성식과 이수혁의 자기 분열적 비이성 상태와는 대조적으로 일말의 주저 없이 부상당한 최만식 준위를 죽이고 사태를 수습하는 탈이념적 인물로 기능[37]한다. 이러한 장면은 남북한 대치상황이 현실이며, 분단상황의 극복은 쉽지 않다는 메시지를 관객들에게 던져준다.

한편 〈쉬리〉에서 이방희는 북한 특수8군단 소속의 간첩이다. 남한에서는 그녀를 잡기 위해 혈안이 되어 있고, 이명현으로 외모가 바뀐 지금도 여전히 북의 명령에 따라 남한 고위인사들의 저격을 담당하고 있다. 이명현은 사랑하는 남자의 집에 가서 마치 아내처럼 가정일을 돌봐주고 털 스웨터를 짜는 여성이다. 그녀는 박무영이 그녀를 비난하듯이 자본주의 세계에 물들어버렸다. 남북 정상회담이 열리고 남북 화합의 분위기가 고조되면서 '히드라'인 그녀는 갈 곳을 잃는다. 한 마리가 죽으면 다른 한 마리도 따라 죽는다는 키싱구라미는 분열된 정체성을 가진 이방희/이명현을 상징[38]한다. 〈쉬리〉의 유중원(한석규)은 이명현과 육체관계를 가진다. 이명현이 죽고 난 이후에 그녀가 자신의 아이를 임신했음을 뒤늦게 알게 된다. 이러한 상황은 민족적 비극이다. 이러한 슬픔과 아픔은 분단

상황의 냉엄한 현실을 관객들에게 인식시켜주는 동시에 통일의 필요성에 대한 변증법적 인식에 도달하게 해준다.

어찌되었든 〈쉬리〉와 〈공동경비구역 JSA〉의 주인공들은 분단을 소재로 정치적 이데올로기 속에서 희생되는 인간의 정체성 문제를 심도 있게 다루고 있다. 누가 이명현과 오경필에게 돌을 던질 수 있겠는가?

5) 근대의 그늘 —— 분단, 익숙한 기억의 사고방식

〈쉬리〉와 〈공동경비구역 JSA〉가 개봉될 당시는 근대적 모더니즘이나 리얼리즘이 무너지고, 포스트모더니즘의 새물결이 넘실거리던 경계선상의 시기였다. 21세기 밀레니엄시대로 접어들면서 대중문화의 흐름은 대중가요에서 '서태지와 아이들'의 등장에서 잘 드러나듯이 소모와 일상, 탈정치화, 해체를 통한 주체성의 상실 등이 한국사회의 중심 가치로 여겨졌다. 영화에서 〈주유소 습격사건〉(김상진, 1999), 〈비트〉(김성수, 1997)와 같은 해체와 불확정성의 텍스트, 생활의 일상성에 집착하는 일련의 홍상수 영화에서 이러한 흐름이 비쳐진다.

그러나 〈쉬리〉와 〈공동경비구역 JSA〉는 50여 년의 해묵은 남북 분단 문제를, 그리고 〈친구〉와 같은 조직폭력의 세계를 희화적으로 재생산하고 있는 일련의 조폭영화는 사회의 구조적 모순을 은밀하게 활용하는 모더니즘 텍스트라고 할 수 있다. 이들 영화 속에 등장하는 한국사회는 여전히 '근대의 그늘'에 묻혀 있는 듯하다.

밀레니엄시대의 화두는 남북 화해와 민족의 평화 정착이었다. 그동안의 대립과 갈등, 선과 악의 천편일률적인 형태로 도식화되었던 남북관계에서 벗어나 좀 더 유연한 시각으로 민족의 문제를 바라볼 수 있는 여건과 토대의 조성이었다.

영화 〈쉬리〉의 한석규(유중원)과 김윤진(이방희, 이명현)

그럼에도 〈쉬리〉는 여전히 이분법적 사고에서 벗어나지 못한 이미지를 제시한다. 삶과 죽음의 논리를 강요하는 훈련장의 모습, 북한 강경파의 냉전적 사고, 미화되는 무기산업, 승리와 패배가 뚜렷한 내러티브 구조는 1970~80년대 강요되었던 가치에서 크게 벗어나지 않는다. 차이가 있다면 로맨스를 덧붙여 그것을 중화시켜 나가고 있다는 점이다. 냉전이란 이미지가 분단을 상징하는 두 인물의 로맨스의 뒤로 모습을 감춘 것이다. 단선적 역사관을 설파하는 유중원(한석규)과 박무영(최민식)의 대결장면에서도 유사한 양상이 나타난다. 다양한 이견에도 불구하고 , 텍스트 내부에서 강조하는 대립의 기표보다 동질성을 주목하는 독해방식, 타자로서의 기억보다 모두 다 피해자라는 동일자로서의 기억에 무게 중심을 줄 수밖에 없는 것은 이러한 장치 때문[39]이다.

한편 〈공동경비구역 JSA〉는 정치구조의 회의를 바탕으로 아래로부터 타협에 의한 화해를 그리고 있다는 점에서 과거의 분단영화와는 다른 시각을 제공한다. 〈공동경비구역 JSA〉는 사건 발생→탐구→해결이라는 전형적인 탐정물(detective story)의 형식을 차용하고 있는데, 따라서 용의자를 인터뷰함으로써 사건의 실마리를 추적하고 그것을 각 인물의 진술에 따라 재현한다는 사실주의적 성격은 장르 고유의 특성에서 파생되는 것이라 할 수 있다.

그런데 영화의 시작 부분에 암시되고 있듯이 내러티브 전개과정에서 중요하게 다뤄지는 것은 판문점 총격사건의 주동자가 누구인가가 아니라, 그 사건의 동기이며 결과가 아닌 수사절차이다. 결국 파헤쳐지는 것은 중립이라는 허울을 쓴, 역사적 진실과 상관없는 구조적 힘, 즉 은폐와 침묵을 통해 전쟁을 억제하는 강대국의 논리이다. 닫힌 결말을 제시함으로써 관객의 기대를 충족시키는 상업영화의 틀을 유지하고 있지만, 〈공동경비구역 JSA〉의 방점은 남북한 군인들 간의 개인적 유대, 각각의 단편적인 장면들을 통해 추론되는 민족 연대의 필요성, 이것을 저지하는 지배 이데올로기, 그리고 이에 대한 문제 제기에 있다. 이러한 독해는 〈공동경비구역 JSA〉의 카메라 움직임을 통해서 재확인된다. 판문점 북한군 초소 지하에 숨어 대화를 나누는 네 명의 병사를 묘사함에 있어, 인물들 간의 유대가 강화되는 시점에는 가운데 놓인 카메라가 패닝(panning)을 통해 하나의 쇼트(shot)로 분할 없이 각각의 인물을 잡아내지만, 외부의 시선을 의식하고 적으로서의 강요된 정체성이 되살아나는 시점에서는 패닝을 하되 각각의 인물을 각각의 쇼트로 분할해 담음으로써 유대감의 소멸을 예견케 한다. 이러한 장치는 관객으로 하여금 유대감의 영화 속 장면에 실제 상황을 투사하고 영화가 제시하는 이데올로기에 주목하도록 만드는 기능[40]을 한다.

두 편의 텍스트는 유사한 모티프를 다루고 있지만, 현란한 볼거리와 탄탄한 내러티브 구조라는 각기 다른 장점을 내세우고 있는 것으로 보인다. 그런데 대중영화에서 이러한 장점이 관객들에게 설득력 있게 전달되기 위해서는 그럴듯함(verisimilitude)의 외피를 입고 있어야 한다. 일반적으로 영화 속에서의 그럴듯함은 배우들의 연기와 대사·사실적인 무대장치·촬영·편집 등을 통해서 창조된다. 이러한 그럴듯함이 관객의 적극적 수용으로 나아가기 위해서는 관객들이 공유하고 있는 유사 경험이 필요하다. 〈쉬리〉와 〈공동경비구역 JSA〉의 강점은 바로 여기에 있다. 한국인 모두가 공유하고 있는 분단의 경험과, 점점 폐기되어가고 있지만, 그래도 여전히 익숙한 기억, 혹은 사고방식이 이들 영화들에서 발견되기 때문[41]이다.

제5장

이순신 서사와 영화 〈명량〉

1. '이순신 서사'의 소환 의미

대한민국의 역사에서 이순신의 존재는 어둠 속에서의 일종의 빛이다. 항상 외국의 침략만을 받아온, 억압과 굴종의 슬픈 역사를 가진 우리나라의 역사에서 이순신의 위상은 매우 크고 높다. 일제 강점기의 말기와 해방정국에서 이순신 서사는 여러 작가들에 의해 자주 등장했지만 특히 박태원에 의해 많이 창작되었다. 이순신은 비단 박태원의 경우뿐만 아니라 해방 직후부터 문화·교육 전반에서 가장 빈번하게 호출된 민족 영웅이었다. 당시 남한의 문화텍스트를 통해 형상화된 인물은 을지문덕(김동인, 소설 「분토」, 「을지문덕」), 김유신(유치진, 연극 〈원술랑〉), 유관순(윤봉춘, 영화 〈유관순〉), 안중근(김춘광, 연극 〈안중근 사기〉), 김좌진(이운방 각색, 안종화 연출, 연극 〈김좌진 장군〉) 등의 구국영웅으로, 그중에서도 이순신은 가장 빈번하게 다뤄진 인물이었다.

1930년대 초반『동아일보』의 이순신 유적 성역화와 맞물려 동시기에 연재된 이광수의「충무공 유적순례」(『동아일보』, 1931.5.21~6.11)와 소설「이순신」(『동아일보』, 1931.6.26~1932.4.3), 최윤수의 희곡「장군 이순신」(『신생』, 1931.10~1932.2) 최남선의「이순신과 넬손」(『매일신보』, 1934.4.21~5.1) 이후 전시동원체제로 진입하는 과정에서 소강상태에 이르던 이순신 담론은, 해방 이후 남한에서 과부하 상태에 이를 정도로 많이 창작된다.[1]

해방 직후부터 이어진 이순신 추모 열풍이 절정을 이룬 시점은 1948년이었다. 이순신 장군의 서거 350주년을 기념하여 충무공 동상 기성회가 발족했고,『경향신문』등의 일간지는 충무공의 전적을 더듬기 위한 '한산도 기행'과 같은 특집을 마련했으며, 12월 19일을 충무공 추모의 날로 지정하자는 논의가 제기되기도 했다. 이 같은 대규모 추모 분위기와 맞물려 이승만은 수차례 충무공의 정신을 본받을 것을 역설하는 등,[2] 이순신은 민족국가 건설의 당위성을 주장하는 논의에 손쉽게 동원될 수 있었다.

좌익에서는 다른 각도에서 이순신의 업적을 바라보았다. 1953년 간첩사건에 연루되어 처형되었던『경향신문』기자 강처중은 "인민을 믿고 인민을 위하여 인민과 함께 그 위태로운 전쟁을 수행하기에 시종여일하였던", "민중과 함께 동고동우하며 투쟁하던"[3] 위인으로 이순신의 위상을 평가했고, 그를 봉건왕조시대 왕과 지배관료의 반대편에 배치하였다.

여기에서 알 수 있듯이 이순신은 우익과 좌익 그리고 남과 북을 모두 아우를 수 있는 민족 영웅이었다. 따라서 독해방식에 따라 애국심을 강조하는 이승만의 발화와 김일성을 우상화하는 작업에 모두 동원되었던 것이다. 한국전쟁 중에도『동아일보』와『로동신문』이 동시에 임진 육주갑(1952) 특집으로 이순신을 소환했으며, 전후에도 이순신은 이승만이 '충무공 정신'을 강조할 때나『로동신문』이 전쟁 승리 360주년을 기념할 때 다시 등장했다. 이때 이순신의 정신이란 공산주의를 분쇄하고 방위력을 유지 발전할 '통일과 발전을 위한 추진력'이기도 했으며, 조국해방전쟁에서 '적들의 침략을 분쇄하고 위대한 승리를 쟁취한' 애국정신[4]이기도 했다.

남한에서 이순신·임진왜란 담론이 쏟아져 나온 시기는 충무공 서거 350주년이자 단독정부 수립 직후인 1948년, 그리고 임진 육주갑을 맞이한 1952년이었다. 북한에서 관련 담론이 급증한 시기 역시 전쟁 중인 1952년과 '사상에서의 주체'가 논의되기 시작한 1955년, 전후복구 건설기를 마감하고 천리마운동이 시작될 무렵인 1958년, 그리고 1960년대 초반 천리마운동이 박차를 가하는 가운데 한일협정의 분위기가 무르익던 때였다. 남한의 경우 단독정부 수립을 전후하여 충무공 기념사업회의 발회식이 열렸으며, 전국 각지에 이순신을 추모하는 분위기가 팽배했다. 이 같은 분위기에 편승해 진단학회의 이상백은 임진왜란을 '세계사적 대동란'으로 간주하고, 이순신을 '세계사적으로도 비견할 인물이 드문' 위인으로 격상시킨다. 김상기 역시 한일 양국의 역사 관련성을 강조하며, 이순신으로 인해 공통의 운명을 가진 양국의 평화를 수호할 수 있었다며 그를 '동양의 국면에 결정 제약'을 준 위인으로 평가한다. 이처럼 건국 이후 진단학회를 대표하는 인사였던 이상백과 김상기는 공통으로 임진왜란을 동아시아, 나아가 세계사적 전쟁으로 확장시켜 인식했다. 한국전쟁 발발 이후인 1952년 1월, 주요 일간지는 공통으로 임진왜란의 의미를 역설한다. 『조선일보』의 '임진란은 이렇게 극복했다' 특집은 국민총궐기의 '힘'의 의미를 강조했으며, 『동아일보』는 '충무공 정신으로 국난을 극복'할 것을 제안했다. 같은 해 4월 진해에서 거행된 이순신의 동상 제막식에는 이승만과 유엔 한국부흥원단장 등이 참석하기도 했다. 그리고 전후

진해에서 열린 '반공아시아 민족대회'의 의의를 논할 때, 충무공의 위훈은 해방기 이승만에 의해 이루어진 태평양동맹의 구상과 병치됐다. 동아시아 평화의 수호자로서의 이순신은, 이와 같이 아시아 반공전선의 필요성을 강조하는 발화 속에 동원되었다.

한국전쟁 중 서울에서 평양시립극장이 김태진의 「리순신 장군」을 무대에 올리고 박태원이 두 편의 이순신 작을 발표한 데 이어, 북한에서는 1955년 박태원의 「리순신 장군 이야기」 외에 리청원의 『임진조국전쟁』이 발표되어 '애국 인민'으로서 이순신 장군을 부각시켰다. 여기서 리청원은 임진왜란을 조국방위전쟁인 동시에 "국제적 관점에서 동양의 평화와 안정을 수호하기 위한 조중 양국 인민의 공동적 반침략 전쟁"[5]으로 규정하고, 전쟁의 승리 요인으로 "명나라 응원부대의 전투적 위훈"과 "국제원조"를 비중 있게 언급[6]했다. 이처럼 임진왜란을 '아세아 인민의 안전과 독립 평화'를 위한 국제전으로 간주하는 시각은, '미제의 무력 침략에 의한 국제적 공동투쟁'이라는 점에서 한국전쟁과의 연관성을 파악하는 기저가 됐다.

이어 1958년에는 임진조국전쟁 승리 360주년 기념보고회가 마련되어 이순신과 인민들의 승리, 그리고 명나라와 조선의 유대 관계를 되새기고자 했다. 이 행사에서 당시 과학원 원장이었던 백남운은 "조선과 중국 인민은 공동의 적 일본 침략자들을 함께 격퇴함으로써 두터운 친선 관계를 맺고 있다"며 전쟁의 의의로 "우리 조국을 지켜내었을 뿐만 아니라 린방 중국을 전쟁의 참화로부터 보위함으로써 당시 동방의 평화를 굳건히 보존하였다"[7]는 것을 역설했다. 또한 같은 해 북한의 역사학자 박시형은 전쟁의 원인을 봉건 관료배들의 당파싸움으로 규정하고 전쟁을 승리로 이끈 인민들의 역량을 강조했으며, 이순신을 '우리의 자랑스러운 애국자이며 천재 전략가'로 평가한다. 이어 박시형은 임진왜란과 김일성의 항일운동, 그리고 한국전쟁으로 이어지는 세 개의 전쟁을 인민이 주축이 된 자주적 투쟁이라는 점[8]에서 연관 짓는다. 이처럼 임진왜란과 이순신은 김일성의 항일운동과 연결되어 북한체제의 정통성을 확보하는 과정에서 소환된다. 이 외에도 같은 해『조선문학』에는 이분의「행록」의 내용을 선택한「리순신 장군의 행록」이 실려 명나라와 조선의 유대관계를 강조했다.

〈표 2-5-1〉 박태원의 월북 이전 임진왜란 관련 작품

작품명	연재(발표) 시기	발표지(출판사)	비고
「한양성」	1945.12 ~ 1946.8	『여성문화』	2회로 연재 중단
「이순신장군」	1946.11.25. ~ 1947.11	『주간 소학생』	20회로 연재 마감
『이충무공행록』	1948	을유문화사	이분 저, 박태원 역주
『이순신장군』	1948	출판: 아협출판사/ 판매: 을유문화사	
「임진왜란」	1948	『서울신문』	273회로 연재 중단

자료: 전지니 논문

〈표 2-5-2〉 박태원의 월북 이후 임진왜란 관련 작품

작품명	연재(발표) 시기	발표지(출판사)	비고
『리순신장군전』	1952	국립출판사	
「리순신장군」	1952.6.4. ~ 6.14	『로동신문』	11회로 연재 마감
『리순신장군이야기』	1955	국립출판사	
『임진조국전쟁』	1960	평양국립문학예술 서적출판사	

이렇게 해방과 한국전쟁을 전후하여 남북한이 동시에 이순신을 민족·애국영웅으로 칭송하고 이순신 서사를 쏟아내고 있을 때, 작가 박태원이 남북을 오가면서 임진왜란·이순신 관련 저작물을 9편이나 출간했다는 것은 커다란 의미를 지닌다.

박태원의 첫 번째 작품인 연재소설 「한양성」은 『서울신문』에 연재된 「임진왜란」의 기반이 된 작품으로, 일본 사신의 조선 방문과 조정 내 당파싸움으로부터 시작해 전쟁에 대한 대비가 되어 있지 않은 조선군이 부산에 당도한 왜병에게 패하는 상황을 그려내는 지점에서 연재가 중단됐다. 「한양성」에서 여종 삼월이의 시선으로부터 출발해 일본 사신, 장군이일 등의 시선으로 전쟁의 전후 상황을 조망하고자 하는 박태원의 시도는 이후 「임진왜란」에 이르러 본격화되는데, 매체의 창간과 폐간이 빈번했던 해방기의 특성상 연재가 중단될 수밖에 없었던 상황을 감안해도, 그가 소설화하고자 했던 임진왜란의 전모는 잡지 연재소설이라는 형식과 부합하지 않는 것이었다. 다양한 이들의 시선을 빌려 전쟁의 시작과 끝을 조망하겠다는 목표는 지나치게 방대한 것이었으며, 그 과정에서 작가가 직면했던 한계는 이후 임진왜란 속에서 이순신을 부각시키는 작업으로 이어진다. 두 번째 이순신 관련 작품인 「이순신 장군」은 초등학교 3학년쯤의 아동을 대상으로 기획되었으며 학교 교재로도 활용되었던 잡지 『주간 소학생』에 연재된다. 작가는 어린이 독자를 위해 "재미있는 소설일 뿐 아니라 또한 역사의 자세한 기록"을 담은 이야기를 발표하는데, 편집진은 「이순신 장군」의 광고를 통해 역사적 객관성을 강조하는 과정에서 작가가 "장군에 대한 실기며 역사를 조사"했다는 사실을 재차 내세웠다. 또한 어린이 독자가 지금이야말로 "진정한 이 장군의 역사를 알아야 할 때"임을 역설했다. 비단 박태원을 통해서뿐만 아니라 『주간 소학생』에 등장한 이순신은 전쟁 영웅 외에도 정성과 충의, 겸손과 넓은 도량 및 청렴한 생활을 겸비한 위인이었으며, 식민지 시기 최남선이 그랬던 것처럼 "영국의 넬손보다 더 훌륭한 분"으로 규정했다.

대략 1년간 총 20회(33~52호, 제15장)에 걸쳐 연재된 「이순신 장군」은 '역사소설'로 표기되었으며, 어린이를 대상으로 했던 만큼 이순신의 유물이나 원균의 초상 및 수군 격전지를 표시한 지도 같은 자료를 삽입해 아동의 이해를 돕고 전쟁 상황을 정리하는 동시에, 역사가 주는 교훈을 보다 직접적으로 제시하는 방식을 취했다. 「이순신 장군」은 「한양성」과 마찬가지로 풍신수길의 야욕과 관료들의 타락에서 출발하지만, 이순신 개인에게 초점을 맞춰 4회부터 군비 강화와 거북선 발명에 골몰하는 이순신의 활약상을 묘사한다. 이어 옥포해전, 당포해전으로 이어지는 수군의 승리와 수군의 선전에 힘입어 의병이 급증하고 왜군이 후퇴하는 상황 및 이순신의 백의종군과 명량해전의 승리 및 전장에서의 사망까지를 담았다. 박태원은 이 작품을 통해 이순신을 "오직 나라와 백성만을 자나 깨나 생각하는" 영웅으로 묘사했고, 부패한 관료 및 명나라 지원군과의 갈등을 부각시켰다.

1948년 박태원은 이순신의 조카 이분이 저술한 「행록」을 전역하고 주해를 곁들인 「이충무공 행록」을 발표한다. 작가는 이순신 관련 저작을 준비하는 과정에서 이분의 저서를 주요하게 참고했는데, 그 과정에서 「이충무공 행록」을 발표한 것으로 보인다. 이순신에 대한 최초의 전기라 일컬어지는 「이충무공 행록」은 이순신의 탄생부터 성장과정·가족사·무과 급제 이후의 순탄치 않았던 벼슬길과 수사(水使)로의 등용 및 왜적의 격퇴 과정 등을 순차적으로 기록하고 있는데, 이 같은 전개 방식은 박태원이 월북 발표한 두 편의 「이순신 장군」 외에 월북 후 발표한 「리순신 장

모던보이 박태원과 북한에서 말년의 박태원

군」·「리순신 장군 이야기」 등에도 반영됐다. 역자로서 박태원은 가급적 원문에 충실하고 상세한 주해를 첨부하려 했는데, 「이충무공 행록」의 경우 이순신에 대한 고증 작업에 충실하겠다는 시도와 맞물려 발간된 것으로 보인다. 그 외 같은 해 발표한 단행본 『이순신 장군』은 『주간 소학생』에 게재했던 「이순신 장군」을 단행본으로 정리한 책이다. 단행본 『이순신 장군』의 경우 부록으로 어려운 용어에 대한 해설이 수록됨으로써 소년 대상 문고라는 특성을 명확히 했다.

1949년에 『서울신문』에 연재된 「임진왜란」은 작가가 애초에 의도했던 임진왜란의 한 구상을 실현하기 위해 역량을 결집시킨 대작이었다. 편집진은 역사소설의 새로운 경지를 연 작가가 "해방 이후 자료 수집만으로도 4년의 긴 세월이 걸렸고, 구상 역시 수년간의 오래된 시간을 닦아왔"음을 강조하면서, 『주간 소학생』의 광고가 그랬던 것처럼 역사적 실증성을 부각했고 실제로 『임진왜란』은 그 같은 의도를 충분히 반영했다. 박태원은 대작의 연재 작업에 앞서 다음과 같은 작의를 피력한다.

임진왜란은 외침을 겪어온 우리가 이제까지 겪어온 가운데서 가장 큰 폭난이었다. 따라서 소설 『임진왜란』은 필연으로 우리 민족 최악의 수난 굴욕의 기록이 아닐 수 없다. 그러나 이 기록을 하여 나의 한 작가로서의 재능과 역량은 대체 얼마만한 정도로 발휘될 것인가—진즉부터 이 작품을 하여 나로서 얼마간 준비는 있었다. 하나, 막상 붓를 잡고 보니, 또한 조심스럽고 두려웁기가 그지없다. 다만 나는 내 힘이 자라는 데까지, 내 재주가 미치는 데까지 당시의 이모저모를 그려볼 뿐이다.[9]

『임진왜란』은 해방 정국에서 작가가 구상해온 역사소설의 양태가 구현된 소설로, 일전의 「한양성」·「이순신 장군」·「이충무공 행록」은 모두 『임진왜란』 연재의 한 과정에 있었다. 저자는 『임진왜란』을 집필하면서 자신이 펼쳐나가는 세계가 『징비록』과 『난중일기』와 같은 사료에 입각해 있음을 명시했으며, 「한양성」에서 그랬던 것처럼 여러 사람의 시선을 빌려 전쟁의 배경부터 발발까지를 단계적으로 설명하는 방식을 취한다. 특히 『임진왜란』에 이르면 전쟁을 둘러싼 다양한 시선이 더욱 빈번하게 교차되고, 소설 속 사건은 매우 느리게 전개되면서 소설의 초점은 분산된다. 이 같은 서술방식은 '사관이 부재하다'는 점에서 당대 평론가들에게 비판의 대상이 되기도 했다.[10] 홍효민은 "소위 역사소설류의 연재소설은 소설이 아니라 논문이오, 사론 같은 것이 당당히 소설이라고 버젓이 나오고 있는, 비문학을 문학같이 내세우는"[11] 풍조를 비판하는데, 「임진왜란」은 이 같은 지적으로부터도 자유롭지 못했다. 그리고 명확한 시각·초점이 없이 사료에 의거해 방대한 구상을 펼쳐놓은 결과는 연재 중단이라는 수순으로 이어졌다.

실상 해방 이후 박태원의 정치 행보는 두드러지지 않는다. 그는 조선문학가동맹의 일원이었지만 이태준·임화와 같이 활발하게 정치 노선에 나서지도 않았으며, 문학의 정치 참여를 내세우면서 봉건주의적 문화 잔재의 일소를 주장하는 혁명적 슬로건을 내세우지도 않았다. 대신 그가 매달린 것은 역사 인물-사건의 재구성과 고전의 번역이었으며, 「임진왜란」은 그 같은 작업이 집성된 결과였다. 오히려 박태원의 정치 행보는 좌익 문인들이 월북 이전 적극적으로 목소리를 냈던 해방 직후가 아닌, 단정 직전 이어진 「108인 문화인 성명」·「52 문화예술인 공동성명」·「문화언론인 330명 선언」에 이르는 일련의 사건에서 확인할 수 있다. 작가는 좌우를 초월한 단정 반대, '자주 통일 국가 수립'의 움직임에 모두 참여한 유일한 인물[12]이었다.

박태원은 한국전쟁 중 월북을 택했고, 임진 육주갑에 이르면 다시 임진왜란과 이순신을 논하기 시작한다. 대신 이번에는 「임진왜란」의 실패를 반복하지 않기 위해 이순신 개인의 서사에 집중하면서, 사료로부터 상대적으로 자유로워진다. 임진조국전쟁 360주년을 기념하여 국립출판사에서 발간한 『리순신 장군전』은 1948년 남한에서 발표한 「이순신 장군」의 전개, 곧 영웅의 일대기를 그대로 따라가지만, 김일성 체제하에서 이순신을 형상화하는 과정에서 이전과 몇 가지 차이를 드러낸다. 특히 월북 이후에는 민중-인민에 대한 서술을 확대하며, 사료의 인용을 상대적으로 축소하는 대신 김일성, 역사가 리청원 등의 서술을 동원해 소설의 집필 의도를 명확히 했다. 그리하여 박태원의 월북 이후 이순신 저작에는 과거의 전쟁과 작금의 전쟁을 병치하는 방식이 반복되었다. 이순신의 탄생부터 사망까지의 일기를 다룬 『리순신 장군전』은 월북 이전의 이순신 서사와 마찬가지로 장군의 영웅 풍모에 대한 서술로부터 주변인들의 모함, 전쟁이 일어난 배경, 해전에서의 승리, 백의종군, 통제사로의 복귀와 영웅 죽음까지를 묘사해나간다. 다만 이순신이 민중 친화적 지도자였음을 재차 강조하고, 인민들의 활약상을 보다 분명하게 부각시킨다. 또한 당대 북한의 정세를 반영해『임진왜란』까지 부정적으로 묘사했던 명나라를 전쟁의 '응원부'로 명명하고, 명나라의 전쟁 개입에 중국 인민들의 요구가 있었다고 설명함으로써 이전까지와 확연하게 다른 세계관을 드러낸다. 특히 조선을 기점으로 삼아 명나라를 침략하려는 일본의 의도를 비판적으로 서술하고, 진린과 이순신의 우애를 지속으로 강조한다. 이제 명나라와 조선은 운명 공동체로 등장하며, 여기에 더해서 조선 인민이 전쟁의 승패를 갈랐다는 설명이 삽입된다.

박태원은 임진 육주갑, 한국전쟁 2주년을 기념하여『로동신문』에『리순신 장군』을 연재한다. 주지하다시피 신문 연재물의 기획은 같은 시기 남북에서 동시에 이루어졌으며, 작가는 주요 일간지의 문화 이벤트에 참여함으로써 월북 후 존재감을 과시한다.『리순신 장군』에 이르면『임진왜란』의 실패를 보완하려는 듯 이순신 개인에 초점을 맞춰 수군의 전투와 직접적인 관련이 없는 사건은 걷어냈고,『리순신 장군』에서와 마찬가지로 임진왜란과 한국전쟁을 직접적으로 병치하는 방식을 이어갔다.『리순신 장군』은 임진년 4월, 예견했던 전쟁이 도래했음을 느끼고 대책 마련에 몰두하는 이순신의 모습을 비추며 시작된다. 이어 과거로 돌아가 춘추전국시대 이후 일본의 국내 사정과 조선 내부의 당쟁을 대조하며, 단 '한 사람' 이순신만이 머지않아 왜적이 침공할 것을 믿고 준비했다고 설명한다. 소설 속에서 이순신은 "버러지 같은 무리들"과 대비되고, 인민을 존중하는 유일한 관료로 묘사된다. 이어 왜군이 부산성을 침입하고 동래성과 밀양이 이어 함락되며, 고니시 유키나가·가토 기요마사·구로다 나가마사가 3개의 부대를 꾸려 서울로 향한다. 같은 달 원균의 구조 요청을 받은 이순신 휘하 부대는 "조국과 인민을 위하여 목숨을 바쳐서 싸울 것을 맹세"하고 이순신은 출정과정에서 만난 난민들에게 반드시 돌아오겠다는 약속을 한다. 한편 이순신 진영에는 서울이 왜의 손에 떨어졌다는 비보가 도착하고, 계속 북쪽으로 도주하던 왕 일행은 평양 시민들의 노여움을 사지만 반성 없이 다시 성을 버리고 영변으로 향한다. 『임진왜란』에서 276회 동안 다루었던 이야기는 『리순신 장군』에 이르면 4회만에 마무리된다. 작가는 이야기의 잔가지들을 걷어내고 이순신과 왕 일행을 지속으로 대비시키며, 이어 부상을 딛고 이루어낸 당포해전의 승리와 왕의 피난길 상황을 대조하는 데 주력한다.

이후 대규모 숙청으로부터 상대적으로 안전했던 박태원은 『리순신 장군』 이후 3년 만에 다시 「리순신 장군 이야기」를 발표한다. 역시 이순신의 일기를 다루는 「리순신 장군 이야기」에 이르면 『리순신 장군』과 마찬가지로 명나라 응원부대의 역할이 강조되며, 명나라와 조선의 협공이 비중 있게 묘사된다. 또한 작가는 전열을 정비하기 위하여 화평설을 제안하는 '원쑤'를 강하게 비판하고, 무기를 개발하고 운주당을 건축하는 과정에서 부하들과 민주적인 토론 절차를 거치는 이순신의 합리성 면모를 형상화한다. 이후 이순신은 당파싸움에 희생되지만, 원균의 패전 이후 다시 부임하여 명량해전의 승리를 이끌어낸다. 그러나 이순신은 노량해전에서 진린의 배를 구하는 과정에서 적의 총탄을 맞고 숨을 거두게 된다.

이후 처형은 피할 수 있었지만, 박태원 역시 남로당 계열로 몰려 평안남도로 추방당하면서 5년간 작품 활동을 정지당한다. 그리고 작가로서의 활동을 재개함과 거의 동시에 발표한 『임진조국전쟁』은 임진왜란과 이순신 관련 저작의 집대성인 동시에 이후 북한에서 활동을 지속할 수 있는 교두보가 됐다. 역시 전쟁의 배경으로부터 시작해 그 진행과정과 이순신의 영웅적 행적을 따라가는 『임진조국전쟁』은, 『서울신문』에 연재했던 『임진왜란』과 월북 이후 상대적으로 인민을 부각시켰던 이순신 관련 저작의 특성이 적절하게 뒤섞인 작품이다.

2. 미메시스와 시뮬라크르

'재현(再現)'은 예술이 보여주는 것이 무엇인가에 대해 근본으로 성찰할 수 있게 해주는 예술론의 한 핵심개념이다. 이 개념은 예술에 끊임없이 사용되면서 많은 경우 '미메시스(모방)'나 '반영' 등과 유사한 의미를 지니고 쓰여왔지만 미메시스만큼 미학의 근본개념으로 간주되지는 않았다. 하지만 오늘날 예술론에 적용된 후기구조주의, 해체론 철학의 영향으로 예술에 있어, 재현의 해체, 또는 재현의 위기가 끊임없이 거론되면서 재현은 다시 예술논의의 화두가 되었다. 재현이란 예술가가 일정한 형식을 통하여 무엇인가 의도하는 바나 지시하는 대상을 '다시 제시하는 것'을 의미한다. 이 '다시(re-)' '제시하다(present)'라는 말에는 재현하는 사람이 표현하거나 나타내기를 원했던 '원래의 대상', 또는 '원본'이 항상 전제되고 있다. 이러한 원래의 대상은 흔히 '리얼리티(reality)'라고 가정된다.

'리얼리티'가 무엇인가에 대한 해석은 철학의 입장에 따라 다르기 때문에 철학의 역사와 병행되는 다양한 해석을 필요로 하지만 용어 그대로는 '실답게 존재하는 것', '진실로서 다가오는 것'이라는 의미로 이해된다. '리얼리티'는 '실재(實在)' 또는 '현실(現實)'로 번역되는데 독일어권의 미학에서는 리얼리티에 해당되는 실재(Realität)보다는 현실(Wirklichkeit)이란 용어[13]가 예술론에서 더 많이 쓰인다. 예술과 실재의 관계를 고찰하는 데에 있어서 미메시스(모방)·모사·반영·표현 등의 용어가 중시되었지만 오늘날은 '재현'이 다른 유사 개념들의 의미를 포괄하거나 더 넘어서면서 예술담론의 중심개념이 되었다. 특히 이 용어는 시각예술 분야에 주로 적용되면서 전통적 모방론으로부터 탈피하는 다양한 해석을 보여주고 있다. 그 내용은 대체로 예술이 객관적 실재의 모방이나 재현이 아니라 새로운 실재를 만들어낸다는 것으로 수렴된다. 작품 속에 재현된 것은 더 이상 객관적 실재 속에서 '원본'을 찾으려 해서는 안 되고 원본과의 '유사성'이 재현의 준거가 되어서도 안 된다는 것이다. 이러한 이론은 실제 대상과 어떠한 유사성도 찾기 어려운 추상 이미지, 또는 실재의 이미지가 해체되고 변형되며 재조합된 이미지로 이루어진 현대 미술의 주된 흐름을 뒷받침해준다.[14]

서사 행위의 두 측면을 일컫는 용어로써, 미메시스(Mimesis)는 '외부 대상의 모방 내지 재현'을, 디에게시스(Diegesis)는 '서술자에 의한 서술'을 각각 의미한다. 미메시스는 작중 상황을 마치 그대로 보여주는 것처럼 전달하는 것을, 반면에 디에게시스는 서술자가 자신의 말로 작중 상황을 완전히 바꾸어 전달하는 것을 각각 가리키는 것이다. 그러나 이 두 용어는 항상 대립관계로 연결되어 쓰이는 것만은 아니다. 특히 미메시스는 세계를 반영하는 현실성의 개념과 관련되어 독자적으로 쓰이는 경우가 많다. 미메시스가 제식과 관련되어 쓰이던 의미에서 외적인 실재를 재현하는 것을 의미하기 시작한 것은 기원전 5세기경으로 간주된다. 예컨대 소크라테스는 미메시스를 사물의 외관을 복제한다는 의미로 사용하면서 회화나 조각에도 적용시킨다. 플라톤은 미메시스를 이데아와 실재의 관계를 규정하는 철학 원리로 사용하면서 조형술뿐만 아니라 음악, 시 등 거의 전체 예술에 광범하게 적용시키고 있다. 플라톤과 아리스토텔레스에게 있어서 미메시스는 각각 철학과 예술론의 중심개념이 되면서 실재의 개념과 다소 의미상의 차이를 보인다. 먼저 플라톤의 이데아론을 따른다면, 진정한 모방이란 눈에 보이는 무가치한 사물의 모방이 아니라 관념, 즉 실재 그 자체를 모방해야 한다는 것이다. 이에 비해 아리스토텔레스는 모방은 '인간의 본능'이자 '인식의 즐거움'을 얻는 중요한 수단이라고 생각했다. 그러므로 모방은 인간의 현실적인 면들과 관계가 없는 관념의 세계에 관한 것이 아니라, 사람이 살고 있는 이 세상, 특히 인간의 심성과 행위의 보편양상을 '개연성과 필연성의 법칙'에 따라 제시하는 것이라고 하였다. 그는 사물의 본질이 사물 속에 그대로 내재해 있는 것이라고 믿으면서 플라톤의 모방론보다 현상을 중요시하는 모방론을 제시하였다. 모방은 이렇게 인간의 본질적 특성(보편성), 또는 우주의 실재를 모방한다는 생각에서, 사물, 특히 인간생활의 표면적 현상을 사실적으로 보여준다는 생각까지 폭넓은 의미를 담고 있는데 재현은 후자의 의미를 함축[15]하면서 쓰여왔다.

E. H. 카(역사학자)

이후 근대 사실주의 문학이 추구했던 현실성(reality)은 바로 이러한 아리스토텔레스의 미메시스 개념과 연결되어 있다. 세계를 모방 또는 반영하는 것이 문학의 본질이자 기능이라는 것이다.

한편, 미메시스와 디에게시스의 대립이 다시금 부각된 것은 영미의 소설이론에서였다. 1920년대 중엽 퍼시 러벅 등의 논의에 의해, 미메시스는 '보여주기(showing)'에, 디에게시스는 '말하기–설명하기(telling)'에 각각 대응하는 것으로 파악되었다. 여기서 러벅이 중점을 둔 것은 보여주기, 곧 미메시스가 더 우월한 또는 발전된 기법이라는 것이었다.

역사학에서 미메시스는 외부 세계의 재현이라는 개념으로 근대까지의 이데올로기적 거대담론의 토대를 의미했다. 토인비에서 E. H. 카(Edward Hallet Carr)까지의 역사는 미메시스를 기반으로 한 거대담론을 중시했다. E. H. 카는『역사란 무엇인가』에서 '역사는 과거와 현재와의 끊임없는 대화'라는 명제를 남겼다. 또한 그는 역사가의 주된 임무는 '있었던 일'을 기록하는 것만이 아니라 '있었던 일'을 평가하고 비판하는 일이며 따라서 역사적 사실이라는 것도 역사가에 의해 창조되는 것이라고 밝히고 있다. 이러한 카의 역사인식은 역사란 시대정신을 반영해야 한다는 헤겔 철학에 기반하고 있다. 헤겔은 세계사의 실체를, '특수적인 민족정신'의 흥망을 '이성의 교지'에 의해서 지배하는 '세계정신'으로 보고, 세계사 과정을 자유이념의 발전으로서 파악했다. 이러한 헤겔의 역사관을 '관념론'이라 하여 비판했던 마르크스·엥겔스는 '사적 유물'을 확립하여 물질적인 생활의 생산을 토대로 하는 '자연사적 과정'으로서 파악하는 객관적인 역사법칙의 인식과 거기에 입각하는 실천을 제창하였다. 궁극적으로 마르크스는 헤겔 철학에 영향을 받아 그것을 토대로 자신의 변증법적 세계인식의 기초를 다졌던 것이다.

G. 루카치(사상가)

헤겔과 마르크스의 정신을 잘 계승한 비평가이자 역사연구가로는 루카치(G. Lukács)가 있다. 아리스토텔레스가『시학』에서 모범적인 선례를 보여주었지만 그에게 영향을 받은 루카치와 같은 이론가도 반영론을 통해 예술작품 속의 실재가 객관적 실재를 닮았으면서도 어떻게 구별되며 독립적인 세계를 구축하고 있는가를 서술하는데 미학의 많은 부분을 할애하고 있다. 루카치는 자신의 당대에 반파쇼 휴머니즘 역사소설의 과도기적 성격을 긍정적으로 바라보았다. 월터 스콧·푸시킨·레오 톨스토이 등의 주인공들은 숫자상 대부분이 사회의 상류층 출신임에도 불구하고 그들이 생활하는 사건들 속에는 전 민중의 삶과 운명이 반영되어 있다고 강조했다. 이들 작가들이 모두 민중의 운명을 형상화하고 있는 점이 지나간 시대의 부르주아 역사소설과 분리시켜 놓는 결정적 차이점이라고 평가했다. 즉 기이하면서도 또 상궤를 벗어난 정신병리학이란 것을 근거로 삼아 역사를 개인화하며 역사를 현란한 이국풍의 것으로 변형시켜놓는 등의 경향에 대하여 그들이 결별을 고하였다는 점을 높이 평가하였다. 이러한 역사소설에서 묘사되는 중심적인 운명이 처음부터 민중의 운명과 사회적·인간적으로 깊이 결합되어 있게 됨으로써, 내용상 고전적 역사소설의 문제제기 방향으로 나아가는 중요한 움직임이 생겨난다[16]고 설명하고 있다. 루카치의 반영론에서 결국 예술이 재현하는 객관적 실재는 무엇일까? 그것은 삶의 체험내용이라고 할 수 있다. 루카치는 예술작품이 환기시키는 강력한 정서는 실제 삶의 체험이 없으면 가능하지 않을 것이라고 이야기한다. 예술은 삶의 내용과 삶의 정서를 다시 보여준다고 할 수 있다. 구체적으로 드러난 외적인 것을 통해서는 영혼·정신성·정서 등 내적인 것이 제시되며, 그 어느 대상도 직접 지시하지 않은 추상적 형태와 색채 등도 나름대로 예술가의 의도의 표현이자, 지시이다.

오늘날의 시대에 감각적 아름다움을 목표로 하면서 조화와 통일성에 맞추어 대상의 유사성을 만들어내는 재현방식은 사라졌으며 그보다는 해체되고 추상화된 형식의 재구성을 통해 대상의 본질을 암시하는 '비감

벤야민과 아도르노

각 유사성'이 확립되었다. 이러한 재현론은 벤야민과 아도르노의 예술론을 통해 고찰할 수 있다. 벤야민은 그의 초기 언어철학에서 표현할 수 없는 것에 언어를 통해 접근하면서 신이 부여했다고 생각되는 원초적 언어의 의미를 재현하게 되는 언어의 유사성을 '비감각적 유사성'이라고 불렀다. 언어의 원초적 형태인 사물의 이름에는 사물과 이름(언어) 간의 유사성과 교감관계만이 존재할 뿐 논리적·의미적 상관관계는 존재하지 않았다. 이러한 언어론에서 제기되는 재현은 주어진 대상의 복제·사실 모사의 의미를 넘어서서 우리가 볼 수 없는 것, 붙잡을 수 없는 것을 파악하는 것이다. 언어철학에서 이야기되었던 '비감각적 유사성'은 회화적 재현에서도 알레고리라는 형상화 방식으로 나타난다. 알레고리는 비가시적인 것을 가시적인 것의 형상을 빌려 표현하는 기법이다. 여기서는 눈에 보이는 형태로 묘사할 수 없는 어떤 추상관념이 눈에 보이는 대상의 형태를 빌려 나타난다. 알레고리를 통해 묘사된 것은 그 자체로 의미를 주는 것이 아니라, 자신을 넘어서 있는 어떤 것을 재현한다. 여기서 재현된 것과 그 의미하는 바가 공통으로 나타내는 것은 시각적으로 명백한 것이 아니라 의미상으로 명백하다. 이러한 형상화 방식은 감각으로 드러내기 힘든 내용을 암시하거나 상기시키는 역할을 주로 하는데 아름다움

과 통일성, 조화를 목표로 하는 고전적 재현방식과 현격한 대조를 이룬다.[17]

재현의 문제는 이제 벤야민의 영향을 받은 아도르노에게서 다시 부각되면서 오늘날의 사회적 현실과 좀 더 깊은 내적 연관성을 나타낸다. 아도르노는 벤야민과 마찬가지로 아름다움을 목표로 하는 고전적 재현 방식이 현대예술에 와서 사라졌다고 생각한다. 그는 고전적 재현의 해체를 추상미술을 통해 파악하면서 미술은 재현이나 묘사를 벗어나 언어로는 지시할 수도 표현할 수도 없는 것을 보여주고 있다고 주장한다. 미술이 무엇인가를 보여준다면 그것은 외적이거나 감각적인 것보다는 내면성이나 정신성의 상태를 유사하게 표현하는 '비감각적 유사성(unsinnliche Ähnlichkeit)'에 가까운 것이다. 예컨대 음악에서 '불협화음'이 정신성을 드러내는 특징이라면 미술에서도 마찬가지로 '감각적인 매력'을 거부하고 '고통'을 드러내는 '불협화음'이 미술의 특징을 이룬다. 현대미술은 파국과 충격을 통하여 보이지 않는 현상의 본질을 완전히 보여줄 수 있게 된다.

"작품의 내적인 면은 형상을 통해 외적인 것으로 나타난다. 작품이 이러한 형상으로 변하는 순간 내적인 것을 위하여 외적인 것의 껍질이 파열된다."[18] 아도르노에게서 예술의 진정한 가치는 다루어진 대상의 허구 혹은 유사성에 의해 좌우되지 않는다. 예술에서는 유기적 통일성, 어떤 한 가지의 요소가 생명력 있게 다른 요소를 따르게 된다는 믿음은 파괴된다. 그 대신 통일적으로 결합되지 않은 요인들이 집약되는 몽타주가 미학 구성의 원칙이 된다. 몽타주는 유기적 단일성에 대한 반대행위로서 충격을 목표로 하고 있다. 몽타주를 통해 미술은 비감각적인 유사성을 통해 일상적인 세계가 가상이고 환상이라는 점을 섬광처럼 폭로한다. 현대미술의 대표적인 흐름인 추상미술·구성주의·초현실주의 등은 환상을 깨뜨리는 조형언어를 통해 사실주의보다 현실의 역사적 변화와 더 깊은 유사성을 보여준다. 이와 같이 미술은 '아름다운 가상'이 되기를 포기하고 대상성을 파괴하면서 재현을 해체한다. 미술은 감각적으로 대상과 유사하게 현실을 재현하는 것은 아니지만 추한 현실에 동화되면서 스스로 추해지는 미메시스 방식을 통해 사회현실의 진정한 모습을 재현한다.[19]

그러나 1989년 베를린장벽의 붕괴에서 시작된 구소련연방의 해체와 동유럽의 변화는 21세기로 접어들면서 거대담론과 이데올로기의 조락과 함께 변화된 역사인식을 가져오게 된다. 재현의 위기가 역사적인 입장에서 다가온 것이다. 미메시스에서 시뮬라크르로의 전환이 이루어지게 되었다. 또 다른 관점에서 재현의 위기는 세 가지 방향에서 제기되었는데, 첫 번째, 예술과 매체의 영역, 두 번째, 철학의 영역, 세 번째, 기호학의 영역이다. 예술과 미디어에서 재현의 위기는 사라졌거나 사라져가는 준거(準據)의 위기로 가정된다. 디지털과 매체 속에서는 이미지의 세계는 실재로부터 끊임없이 멀어지게 된다. 미디어에서 재현의 위기는 특히 정치담론의 진실성 여부가 의문시되는 데서 나온다. 사건과 사실을 옮기는 담론과 그것들이 옮겨진 담론이 서로 걸맞지 않는 위기가 그것이다. 그 속에서 현실과 가상·환상의 경계가 모호해지고 미디어는 권력에 의해 조작되고 이미지는 날조된다고 간주된다. 두 번째는 철학적 관점에서이다. 오늘날 후기구조주의와 해체주의 사유는 전통적 가치체계와 질서를 해체하며 실재를 객관적으로 재현한다는 것이 더 이상 가능하지 않다는 결론에 도달했다. 후기구조주의자들은 형이상학·자기 동일적 주체·그리고 전통적 가치기준인 진리에 대하여 비판한다. 이러한 철학적 관점에서 실재는 우리가 알 수 없다고 하는 입장에서 재현의 위기가 거론된다. 세 번째 기호학의 입장에서 기호는 무엇인가 재현할 힘과 지시대상을 상실하고 자기 지시적이 되었다는 데 재현의 위기가 지적된다. 재현으로부터 떨어져 나온 언어 자신은 그 자체로 파편화되었다. 언어는 지시대상과 어떠한 규정적 관계도 갖지 않은 순수하고 단순한, 유동하는 기표에 불과하며 이러한 기표들은 의미자체를 붕괴시킨다. 그렇기 때문에 언어는 대상을 재현할 힘을 상실하고 텍스트는 실재를 재현할 수 없다는 것이다. 기호학으로 보면 재현의 위기는 극복이 불가능하다고 간주되지만 텍스트를 읽는 주체들이 그 속에 담긴 현실을 읽으면서 진정한 현실에 점점 접근해가고자 하는 해석의 노력에 의해 재현의 위기를 극복할 가능성이 제시된다.[20]

최근 퓨전사극이 TV드라마와 영화의 스크린을 점령하게 된 것도 이러한 변화된 역사인식을 반영한다. 과거에는 사극이 본질적이고 근원적인 네이션의 역사를 그 원본으로 하는 미메시스였다면, 이제 사극은 원본 없는 모방, 시뮬라크르가 된 것이다.[21] 재현의 위기를 논하는 입장에는 보드리야르의 시뮬라크르 이론이 많은 영향을 주었다. 그의 이론은 매체와 이미지의 문제를 집중적으로 다루고 있다. 현실에 개입하는 권력과의 공모에 의해 미디어를 통한 이미지는 날조된다. 이미지는 실재와는 아무 상관없는 시뮬라크르에 불과하지만 현실에 직접적 영향을 미친다. 예술가상실재는 현실에 직접적 영향을 미치지 않는다. 상식적인 사람이라면 누구나 영화·소설·그림에서 보이는 세계가 참이 아니라는 것을 알고 있다. 그러나 시뮬라크르는 단지 거짓 꾸미기, 즉 병의 시뮬라크르를 예로 들면서 단지 '병이 난 척하기'하는 것만이 아니라 병의 징후를 직접 만들어내어 현실에 영향을 미친다. 즉 가상이 현실을 대체하고 만들어낸다.[22]

보드리야르는 탈현대이론을 문화이론으로 설명한 탁월한 이론가이다. 마르크스·니체·하이데거·프랑크푸르트학파의 영향을 받고 앙리 르페브르의 가르침을 받은 그의 이론적 배경만 보더라도 문화와 사회의 관계에 대한 그의 문제의식은 전통적인 이론의 틀로는 설명이 되지 않는 문화의 영역을 새로운 접근방법으로 분석해야 할 필요성과 관련을 맺고 있음을 알 수 있다. 사실 전통적인 사회이론의 지평을 문화이론으로까지 확장한 서구의 문화이론가들에게서 유지되던 문화와 사회의 관계는 보드리야르에게 오면 '사회적인 것의 사라짐'에 의해 해체된다. 1970년대부터 보드리야르는 놀라운 충격과 암시를 던지면서 탈현대의 문화이론에 끊임없는 도전을 시도한다. 즉 그는 정치경제학과 소비사회에 대한 초기의 비판을 넘어서서 완전히 새로운 단계로 접어든 탈현대사회의 문화이론을 분석한다. 그리하여 그의 관심은 주로 탈현대시대의 미디어와 사회현상 및 문화적 경향에 대한 연구에 집중된다.

보드리야르는 시뮬레이션(simulation)·내파(implosion)·하이퍼리얼리티(hyperréalité)라는 새로운 현상들이 인간경험의 새로운 영역, 사회의 새로운 유형을 구성하면서 현 사회의 모든 가치와 경계를 무너뜨리고 있기 때문에, 새로운 방식으로 사유할 것을 주장한다. 보드리야르의 이러한 진단은 『상징적 교환과 죽음(*L'échange symbolique et la mort*)』에서 실험을 시작하여 『시뮬라시옹(*Simulacres et Simulation*)』에서 구체화된다. 그에 의하면, 탈현대사회

보드리야르

는 사물이 기호로 대체되고 현실의 시뮬레이션이나 이미지, 즉 시뮬라크르들이 실재를 지배하는 사회이다. 이제 실재와 재현의 관계는 역전되며, 더 이상 흉내낼 대상이 없어진 시뮬라크르들이 실재보다 더 실재적인 하이퍼리얼리티를 생산해내는 것이다. 실재보다 더 실재적인 이 시뮬레이션의 질서를 이끌어나가는 것은 정보와 미디어의 증식이며, 시뮬레이션의 체계에 갇힌 대중은 모든 정보와 메시지를 흡수하긴 하지만, 결국 그것들의 의미에는 무관심한 블랙홀 내지 스펀지 같은 존재로 묘사된다. 따라서 사회 자체는 이 같은 대중 속으로 내파되어 사회적인 것은 불가능한 것이 된다. 오직 무의미한 시뮬레이션의 순환만이 존재할 따름이다. 보드리야르의 이 같은 논의에 의하면, 시뮬레이션과 내파, 하이퍼리얼리티의 새로운 현상들은 기존의 지배적이던 현대성의 가치와 범주를 폐기한다. 그리하여 더욱더 인공품에 의해 지배되는 패션이나 욕망의 표현이 아니라 기호들의 유희로서의 성이 문제시된다. 보드리야르는 생산의 논리에 근거한 성의 억압·해방의 이분법을 비판하며, 성은 더 이상 억압되는 것이 아니라 사회적으로 규정되고 증식된다고 주장한다.

보드리야르는 『유혹에 대하여(*De la séduction*)』에서 유혹·생산의 관계를 통하여 생산주의적 성개념에 대한 대안으로 '유혹'을 제시하여 사고의 형이상학적 전환을 보여준다. 이러한 형이상학적 전환은 특히 『숙명적 전략(*Les stratégies fatales*)』에서 두드러진 양상을 드러낸다. 『숙명적 전략』에서 보드리야르에 의해 묘사되는 세계는 사물이 주체보다 우월하며 주체를 지배하는 세계이다. 즉 사물은 주체를 압도하고 사물이 승리하는 것이다.

『상징적 교환과 죽음』, 『침묵하는 다수의 곁에서』, 『시뮬라시옹』에서 보드리야르는 완전히 새로운 단계로 접어든 탈현대의 사회와 문화를 묘

보드리야르 저서 『시뮬라시옹』

사한다. 보드리야르에 의하면 생산·산업자본주의·기호의 정치경제학이 지배하는 현대는 이제 사라지고, 시뮬레이션과 새로운 형태의 테크놀로지, 미디어문화로 구성되는 탈현대가 도래한다는 것이다. 그리하여 현대가 산업자본주의에 의해 통제되는 생산의 시대였다면, 탈현대는 모델과 코드·미디어·사이버네틱스가 지배하는 기호와 정보의 시대라는 것이다. 한 사회를 이해하는 데 있어서 보드리야르는 실제로 상품의 생산관계보다 상품의 기호학적 성격을 더 중요시 여긴다. 그는 사용가치에 입각한 인간과 상품의 진실한 관계를 상품의 물신주의를 통해 교환가치가 대치하는 것이 아니라 모든 가치는 기호로 대체된다고 주장한다. 따라서 기호가 그 자체에 의해 구조화된 새로운 질서를 구성하면서 사회생활을 지배하게 된다. 보드리야르는 이러한 상황의 사회적 조건을 소비사회(오늘날 개념으로 '탈현대사회')라고 부른다. 그리고 소비사회의 문화적 논리를 '일상생활의 기호학'이라고 간파한다. 이 일상생활의 기호학에 따라 사회적 이미지나 기호는 상품으로 간주되며 나아가 문화적 이미지는 상품의 교환가치나 사용가치에 비해 가장 발전된 상품형식으로 받아들여진다. 결국 새로운 기호가치는 소비의 영역이나 문화적 차원에서 산출되는 것이다. 이러한 상황에서 보드리야르는 기본의 가치와 경계와 영역을 무너뜨리는 새로운 과정, 즉 시뮬레이션의 과정이 오늘날의 사회를 지배함에 따라 새로운 유형의 하이퍼리얼한 사회질서를 구성하게 된다고 주장한다.[23]

보드리야르에게 있어서 시뮬레이션이란 사물이나 사건들의 재현, 혹은 원본도 현실성도 없는 실재, 즉 하이퍼리얼한 모델에 의해 산출되는 것, 혹은 실재가 실재 아닌 실재인 하이퍼리얼리티로 전환되는 작업을 가리키는데, 바로 이 시뮬레이션 개념이 탈현대의 문화이론에서 중요한 역할을 맡는다. 그러나 이 시뮬레이션은 비실재의 모습을 취하기보다는 실재보다 더 실재 같은 하이퍼리얼리티의 모습을 띤다. 예를 들어 다양한 미디어들로부터 쏟아지는 지나치게 많은 정보들, 질식할 정도로 우리를 둘러싸고 있는 사진·영화·텔레비전·컴퓨터그래픽 따위의 이미지들, 전시장에 놓였다는 것만으로 예술작품이 되는 온갖 것들, 성·육체·풍속·일상생활 등 모든 것들의 역사가 쓰여지는 상황, 지구를 수없이 파괴시키고도 남는다는 핵무기들, 이 모든 넘침은 실재사건들에 너무도 많은 의미를 부여함으로써 그것들을 아무런 의미 없는 것으로 만들어버리는데, 그런 와중에서 실재보다 더 실재 같은 하이퍼리얼리티의 출현을 보게 되는 것이다. 이런 의

보드리야르의 저서『소비의 사회』

미에서 시뮬레이션이란 개념은 탈현대문화 현상의 주된 내용을 배포한다. 나중에 하이퍼리얼리티라고 명명된 이 시뮬레이션 개념은 특히 미디어가 사회 속으로 확산되는 것을 포착한다. 사실 미디어의 증대는 실재보다 더 실재 같은 시뮬레이션의 질서를 추동한다. 보드리야르는 '미디어는 메시지다'라는 마셜 매클루언의 명제를 수용한다. 그러나 미디어 자체가 증발한다고 주장함으로써 매클루언을 넘어선다. 이제 시뮬레이션의 질서는 미디어에서의 무엇인가를 감추고 있는 기호로부터 아무것도 없음을 감추는 기호로의 이행이라는 과정을 통과한다는 것이다. 여기서 그는 미디어의 형태를 조작하고 실재까지도 변화시킬 수 있는 가능성을 파악한다.[24] 보드리야르는 이 하이퍼리얼리티의 단적인 예로 디즈니랜드를 보여준다.

보드리야르에 의하면 실재는 등가적인 재현이 가능한 것이며, 하이퍼리얼리티는 언제나 이미 재현된 것, 즉 자신의 모델을 완전히 예시하는 것이다. 그리하여 하이퍼리얼리티는 모델이 실재를 대체하기 위한 조건이 된다. 그것은 여성잡지나 생활잡지에서 엿볼 수 있는 이상적인 가정·섹스에 관한 책자들에서 묘사되는 이상적인 섹스·광고나 패션쇼에서 표현되는 이상적인 패션 등과 같은 현상들로 예시될 수 있다. 이렇게 하이퍼리얼리티의 세계에서 모델은 우선한다. 보드리야르에 의하면, 오늘날 사회는 사회생활의 다양한 영역들이 모델과 코드의 체제 안에서 조직된 모델의 재현이라는 점에서 하이퍼리얼하다. 따라서 하이퍼리얼한 시뮬레이션 사회는 모델의 재현이나 코드의 예시가 되는 미디어·광고·패션·디자인·건축·성 등의 다양한 영역을 포함하는데, 이 영역은 일상생활을 구조화하는 시뮬레이션 모델이나 코드의 논리에 의해서 지배된다. 보드리야르는 오늘날 하이퍼리얼리즘의 시뮬레이션 차원을 구체화하는 것은 정치적·사회적·역사적·경제적 형태의 일상적 실재라고 말한다. 이처럼 시뮬레이션의 실재가 실재 자체의 기준이 된다. 이제 보드리야르가 보기에, 정치(권력)는 더 이상 존재하지 않는다. 그리고 정치캠페인에서는 미디어에 의한 이미지나 기호가 실재보다 더 중요한 역할을 맡는다. 그의 이러한 견해는 정치나 권력이 이미지나 기호로 내파되어 마침내 사라져버린다는 것이다.[25]

이런 맥락에서 보드리야르는 사회·제도·계급·정치·권력에 대한 이전의 논의들을 의문시하는데, 왜냐하면 이러한 범주자체가 시뮬레이션 사회 속에서 내파되기 때문이다. 그는 정치·사회적인 것, 계급갈등, 사회변화에 대한 전통적인 이론들이 개인·계급 및 대중을 사회적 행위의 가능태로 가정한다면, 시대에 뒤떨어진 것이라고 주장한다. 이 하이퍼리얼리티의 시대에 대중은 오로지 스펙터클에만 관심을 갖는다. 시뮬레이션의 조작의 대상이 되어버린 대중은 사회와 사회현상에 대해서는 무관심하고 냉담한 반응을 보일 뿐이다. 즉 대중은 모든 의미·정보·의사소통·메시지를 흡수하고 그것들을 의미없는 것으로 만든다. 이러한 대중의 성격을 그는 '스펀지 레퍼런트'·'불투명한 실재'·'무기력'·'침묵'·'내파의 현태'로, 그리고 사회적인 것을 삼켜버리는 '블랙홀'로 묘사한다. 따라서 보드리야르는 사회적인 것이 인간상호작용·의사소통 등의 모든 이상화된 반향과 더불어 대중 속에서 내파되었다고 주장한다. 그러면 보드리야르에게 있어서 내파란 무엇인가? 그는 내파란 블랙홀로 모든 것이 흡수되어 응축되는 현상으로 그리고 사회와 관련하여 사회적인 것의 포화에 대한 격렬한 반응·수축으로 파악한다.[26]

한편 1980년대에 접어들면서 보드리야르는 탈현대적 형이상학으로 기울어진다. 1983년에 발표한 그의 저작 『숙명적 전략』은 사물의 궤도와 사물의 특징과 관련된 수수께끼 같은 예언적 암시로 가득하다. 사물들은 자신을 귀찮게 하는 의미의 변증법을 벗어나는 방법을 발견하였다. 그것은 사물들에게 내재적인 궁극성과 무분별을 대신하는 외설스러움을 통해서, 극단으로의 나아감을 통해서 무한히 증대하고 자신을 잠재화하고 자신의 본질을 능가하는 것이다. 보드리야르에게 있어서 사물들(대중·정보·미디어·성·상품 등)은 이제 무한히 증대하여 자신의 한계를 초월함으로써 주체에 의한 개념화나 통제를 벗어나고 있다. 그리하여 보드리야르에 의해 묘사되는 세계는 사물이 주체보다 우월하며 주체를 지배하는 세계이다. 사물에 대한 주체의 우위성에 기초하던 근대철학의 인식론은 더 이상 유지될 수 없다. 황홀경과 무기력에 대한 논의에서 그는 탈현대의 사회에서 사물들이 어떻게 끊임없이 그 자체를 넘어서고 확장되는가를 보여준다. 그는 오늘날 사물들이 이상발달하는 과정을 사물들의 황홀경이라는 말로 표현한다. 즉 사물들의 황홀경이란 사물들이 최고도로 증대하고 확장하는 것, 다시 말해서 그 자체를 넘어서거나 능가하는 것이다. 유행 속에서의 미보다 더 아름다운 미, 텔레비전에서의 현실보다 더 현실적인 현실, 포르노그라피에서의 성보다 더 성적인 성 등이 그러하다. 그리하여 황홀경은 모두 완전히 드러내져 더 이상 감출 것이 없는 외설스러움과 하이퍼리얼리티의 형태를 취한다.[27] 탈현대사회에 대한 보드리야르의 비전은 더 많은 상품·서비스·정보·메시지와 욕구를 확장하고 분비하면서 그리고 통제되지 않는 성장과 모사의 악순환 속에서 모든 합리적 목적과 경계를 넘어서면서 이상발달과 이상성장을 하는 과정을 보여준다. 그런데 이러한 과정은 주체에게 파국을 초래한다. 왜냐하면 사물들의 증대가 우연과 불확정성의 불확실한 차원을 부과할 뿐만 아니라 사물들 자체가 주체보다 우월해지기 때문이다.

『숙명적 전략』의 핵심적 부분들은 '사물의 교활한 특질'·'사물의 우월'·'투명한 복수'라는 '사물의 복수'를 기술한다. 이 기이한 표현들은 예전에 사물을 지배하고 통제하려고 했던 주체에 대한 사물의 승리와 복수를 의미한다. 사실 예전에는 역사를 창조하고 자연을 지배하며 지식의 토대를 이룬 것은 주체였으며, 이 주체의 탁월함은 널리 인정되었다. 주체의 이런 형이상학에 맞서서, 보드리야르는 오늘날의 사물의 탁월한 힘을 꿰뚫어보면서 '사물의 우월'을 선언한다. 사실 보드리야르에게 있어서 주체의 지나친 자부심, 권력에의 의지, 초월성, 자기도취는 너무 극단적으로 보이기 때문에 그는 주체의 입장은 지지할 수 없는 것이 되어버렸다고 주장한다. 따라서 그는 주체가 사물의 입장을 취하고 그것의 술책과 전략을 배울 것과 사물들이 도전하고 유혹하며 결국에는 주체를 압도하는 사물의 '숙명적 전략'을 배울 것을 제안한다. 사물의 승리는 정치적인 것의 종언과 초정치적인 형태의 출현과 밀접한 관련이 있다. 초정치적인 것은 파괴된 세계에서의 모든 구조의 투명함과 외설스러움, 탈역사화된 세계에서의 변화의 투명함과 외설스러움, 사건이 없는 세계에서의 정보의 투명함과 외설스러움, 복잡한 망 속에서의 공간의 투명함과 외설스러움, 대중 속에서의 사회적인 것의 투명함과 외설스러움, 과도한 비만 속에서의 육체의 투명함과 외설스러움이다. 투명함·황홀경·외설스러움은 모든 것이 노출되어 표시되고 지수계산의 대상이 되는 사회에서 사물이 존재하는 양식을 특징짓는다. 사물의 과포화 속에서 그는 역사·정치·성·주관성·육체 등이 사라지는 양식에 주목한다. 매혹하는 것은 더 이상 생산의 양식이 아니라 사라짐의 양식이다. 보드리야르는 육체의 사라짐의 양식으로서의 과도한 비만, 성의 사라짐의 양식으로의 포르노, '사회적인 것의 죽음'으로서의 사회화, 집단의 잃어버린 자기 결정성에 의한 환각 등과 같은 다양한 예[28]를 든다.

보드리야르는 미디어·정보·성·대중 등과 같은 사물들이 추구하는 것, 즉 미디어와 정보의 확산, 포르노그라피에서의 성의 확산, 탈현대사회에서의 대중의 확산은 모두 숙명적 전략이며, 여기서 사물은 무한히 증대하여 극단에 이르며 모든 한계와 경계를 넘어서서 새로운 어떤 것을 생산함과 동시에, 주체를 파괴한다고 주장한다. 이제 주체의 입장은 막다른 골목에 도달해 있으며, 사물의 전략을 받아들이지 않으면 안 될 운명에 놓여 있다[29]는 주장이다. 보드리야르의 이 형이상학적 전환에 대해 두 가지 평가가 있어왔다. 하나는 인식론적으로 냉소주의와 허무주의에 빠졌다는 비판[30]이고, 다른 하나는 오늘날의 문화이론과 사회이론에 새로운 사유방식을 요청함으로써 도전과 함께 기여를 한다는 긍정적인 평가이다.

이러한 탈근대적 문화담론의 흐름을 반영해볼 때, 박태원의 『임진조국전쟁』은 거대담론에 의존하는 데 반해, 김훈의 작품은 철저하게 '탈이념적' 양상을 보인다. 따라서 박태원의 장편소설은 미메시스에 기반을 두고 있다면, 김훈의 작품은 보드리야르가 말한 '시뮬라크르'에 토대를 두고 있어서 허무주의와 냉소주의의 양상을 보이고 있다고 평가할 수 있다.

3. 『임진조국전쟁』·『칼의 노래』와 〈명량〉

박태원의 『임진조국전쟁』(1960)은 임진왜란이 일어났던 임진년(1592) 4월부터 무술년(1598) 10월 노량해전에서 이순신 삼도수군통제사가 숨질 때까지 7년간의 피비린내나는 임진왜란·정유재란 전쟁의 참상과 민족영웅 이순신의 지략과 용맹을 다룬 역사소설이다. 이에 비해 김훈의

김훈(소설가)

『칼의 노래』(2001)는 이순신 삼도수군 통제사가 모함에 의해 체포된 정유년(1597) 2월부터, 4월 삭탈관직과 7월 16일의 원균의 거제도 칠천량해전에서 수군이 전몰한 후 7월에 다시 삼도수군통제사로 복직하여 9월의 명량대첩에서의 승전, 그 다음 해인 무술년(1598) 11월의 철수하는 왜선 500여 척과 조선·명나라 연합수군과의 싸움인 노량해전에서 이순신 장군이 전사하기까지를 상세하게 묘사한 역사소설이다.

『칼의 노래』는 총 44장으로 구성되어 있다. 시간적 배경으로 보면, 총 39장으로 구성된 『임진조국전쟁』의 제28장 '적의 반간계'에서부터 제39장 '노량해전'까지에 해당된다. 『칼의 노래』가 『난중일기』라는 이순신의 진중일기를 토대로 하여 창작하였다면, 『임진조국전쟁』은 다른 사료들도 참조했겠지만, 주로 박태원이 번역했던 『이충무공 행록』과 유성룡이 집필한 『징비록』을 토대로 하여 창작하였다.

여기에 적은 인물들은 임진왜란과 정유재란의 전사에 등장하는 인물들이다. 모든 인물을 다 챙기지 못했다. 이순신의 『난중일기』를 중심으로, 이순신과 직간접적인 관계에 있었던 인물들 중에서 중요하다고 판단되는 인물을 가렸다. 그러나 이 인물지가 한 인물에 대한 역사적 평가가 될 수는 없을 것이다. 인간을 평가한다는 것은 늘 어려운 일이다.[31]

『임진조국전쟁』은 이러한 모든 임진왜란 및 이순신 서사의 결정판으로서 다양한 자료 수집과 거듭된 창작적 실험의 소산이다. 이 작품은 『이충무공행록』

과『징비록』의 내용을 뼈대로 삼으면서 남쪽에서 연재했던『임진왜란』의 다소 지리한 문장과 난삽한 인용에서 벗어나 7년에 걸친 전쟁과 전체상을 흥미진진하게 공간적으로 펼쳐내 보인다.[32]

우선『임진조국전쟁』과『칼의 노래』의 두 작품을 같은 시기만을 대상으로 하여 서사구조의 틀을 비교해보기로 한다.『임진조국전쟁』은 1949년『서울신문』에 273회에 걸쳐 연재했던『임진왜란』에서의 사료의 충실성과 연대기적 서술의 틀을 벗어났다고는 하지만, 소설의 서술과정이 시간적 순서에 따라 순차적인 진행을 하고 있다. 다만 왕과 조정대신의 행로와 일반백성들의 행동 간의 소설적 긴장미, 수많은 다양한 인간 군상들의 등장과 섬세한 묘사, 그리고 임진왜란 발생의 원인 분석과 도망 다니기에 급급한 임금·조정대신의 나약한 모습에 대한 비판 등이 생동감 있게 그려지고 있어서 구보 특유의 문장솜씨를 느끼게 해준다. 특히 노환의 모친 걱정과 자식에 대한 애정 표현을 통한 구보 특유의 '가족주의'의 훈훈함을 보여주는 것은 전쟁터의 살벌함과 대조적으로 이채롭다고 할 수 있다.

이에 비해『칼의 노래』는 1인칭 시점의 소설로 이순신의 기억이라는 회상기법을 구사함으로써 시간의 역전현상이 자주 일어나는 역행적 진행을 하고 있다. 또 이순신의 기억을 되돌려 그의 눈을 통해 자연에 대한 묘사, 시대적 모순에 대한 통찰력, 16~17세기의 동아시아의 정치적 역학관계, 조선수군과 일반 백성들의 일상적 삶에 대한 따뜻한 시선, 끝이 보이지 않는 전쟁에 대한 공포·두려움·불안 표현, 장수이기 이전에 한 인간으로서의 삶의 고뇌 등의 소소한 디테일을 '작은 것이 아름답다'라는 시각에서 모순어법으로 절묘하게 구성하고 있다.

『임진조국전쟁』과『칼의 노래』의 토대를 이루는 에피소드를 도표로 정리해본다.

〈표 2-5-1〉 박태원의 『임진조국전쟁』(1960)

에피소드	에피소드의 내용	소설에서의 소항목과 쪽수
1	요시라(소서행장 부하)의 반간계	240쪽 〈적의 반간계〉~ 244쪽 〈한산섬 달 밝은 밤에〉
2	조정의 서인무리 모함, 이순신의 삭탈관직과 체포 · 압송	249쪽 〈사또는 어디로 가십니까〉~ 261쪽 〈옥중에서〉
3	섬 안의 백성들의 분노 · 비탄	249쪽 〈사또는 어디로 가십니까〉
4	도원수 권율 막하에서 백의종군 (모친 별세)	267쪽 〈백의종군〉
5	삼도 수군통제사 원균의 패배 및 수군 전몰(부산포 · 거제 칠천량전투)	270쪽 〈수군이 전몰했다〉
6	이순신, 다시 삼도수군통제사 임명	277쪽 〈다시 수군통제사로〉
7	(1597 정유년 9.16) 명량대첩 승리와 수군 재건	284쪽 〈명량해전〉~290쪽 〈수군재건〉
8	(1597.9.5) 조명연합육군,직산전투 승리 및 소서행장의 편지(철군길 개방)	295쪽 〈궁지에 빠진 왜적〉~ 299쪽 〈왜적은 길을 빌리란다〉
9	(1598 무술년 11.18) 노량해전에서 이순신 전사(진린제독 배 구원하다가)	303쪽 〈노량해전〉

〈표 2-5-2〉 김훈의 『칼의 노래』(2001)

에피소드	에피소드의 내용	소설에서의 소항목과 쪽수
1	백의종군-다시 삼도수군통제사 임명	21쪽 〈칼의 울음〉~67쪽 〈서캐〉
2	관기 여진과의 두 차례 포옹	41쪽 〈칼과 달과 몸〉(에피소드 1 포함)
3	12척 배로 '명량대첩' 대승 800명의 군사로 330척 2만 군사를 패퇴	76쪽〈식은 땀〉~134쪽 〈내 안의 죽음〉
4	조선수군과 일반 백성의 '일상적 삶'	143쪽 〈젖냄새〉~269쪽 〈더듬이〉
5	'보성만 전투' 승리(조선수군 · 명수군 연합작전으로 왜선 50척 쳐부숨)	286쪽 〈달무리〉
6	명 육군 · 수군과 왜적과의 강화협상 소문	304쪽 〈백골과 백설〉

7	이순신, 명육군 유정대장에게 육군·수군 합동작전 제안(약속했으나 행동 없음)	358쪽 〈빈손〉
8	진린명제독, 고니시 유키나가와 비밀 협상	370쪽 〈볏짚〉
9	노량해전에서 이순신 전사	380쪽 〈들리지 않는 사랑노래〉

위의 도표를 분석해보면, 『임진조국전쟁』의 에피소드 1, 에피소드 2, 에피소드 4, 에피소드 5, 에피소드 6은 『칼의 노래』에서 에피소드 1과 내용상 일치한다. 또 『임진조국전쟁』의 에피소드 7의 '명량대첩' 승리는 『칼의 노래』의 에피소드 3과 일치한다. 작품의 대단원에 해당하는 『임진조국전쟁』의 에피소드 9의 '노량해전'에서의 이순신의 장렬한 죽음은 『칼의 노래』의 에피소드 9의 내용과 대동소이하다.

『칼의 노래』가 『임진조국전쟁』과 커다란 변별성을 보이는 것은 에피소드 4에서의 수영(병영)에서의 '일상적 삶'을 묘사하는 장면과 에피소드 5~8에서 명나라 수군·육군이 왜적과 강화협상을 펼치거나 비밀협상을 전개하는 과정을 묘사한 부분이다. 이러한 에피소드는 두 작품 간의 궁극적 간극을 보여주는 장면들이다. 『임진조국전쟁』이 거대담론을 근거로 하여 '이상적 이념성'을 보여주려고 한다면, 『칼의 노래』는 미시담론을 바탕으로 해서 '모호한 일상성'을 묘사하려고 한 것이다.

박태원이 월북하여 창작한 『임진조국전쟁』은 작가가 '반종파 투쟁'의 피비린내나는 숙청의 과정에서 살아남았다는 점과 김일성 유일체제가 구축되어가던 초기의 정치현실에서 당의 이데올로기적 지침을 벗어나서 독창적인 창작을 하는 것이 불가능했을 것이라는 점을 고려하지 않으면 안 된다는 점을 감안해야 한다. 북한에서 이순신 서사가 많이 출몰하는 시기는 전쟁 중인 1952년과 '사상에서의 주체'가 논의되기 시작한 1955년, 전후 복구 건설기를 마감하고 천리마운동이 시작될 무렵인 1958년, 그리고 60년대 초반 천리마운동이 박차를 가하는 가운데, 남한에서 한일협정의 분위기가 무르익던 때였다.[33] 북한에서 1955년은 박태원이 「리순신 장군 이야기」를 내놓았고, 리청원이 『임진조국전쟁』을 발표하면서 임진왜란을 조국방위전쟁인 동시에 "국제적 관점에서 동양의 평화와 안전을 수호하기 위한 조·중 양국 인민의 공동적 반 침략전쟁"[34]으로 규정하던 해였다.

북한은 1958년에 임진조국전쟁 승리 360주년 기념보고회를 진행하여 이순신과 인민들의 승리, 그리고 명나라와 조선의 유대관계를 되새기고자했다. 당시 북한 사회과학원 원장이었던 백남운은 "조선과 중국인민은 공동의 적 일본 침략자들을 함께 격퇴함으로써 두터운 친선관계를 맺고 있다"고 하면서 전쟁의 의의로 "우리 조국을 지켜내었을 뿐만 아니라 린방 중국을 전쟁의 참화로부터 보위함으로써 당시 동방의 평화를 굳건히 보존하였다"[35]는 것을 역설했다. 북한의 역사학자 박시형은 전쟁의 원인을 봉건 관료배의 당파싸움으로 규정하고 전쟁을 승리로 이끈 인민들의 역량을 강조했으며 이순신을 "우리의 자랑스러운 애국자이며, 천재적 전략가"[36]로 평가했다. 이어 박시형은 임진왜란과 김일성의 항일운동, 그리고 한국전쟁으로 이어지는 세 개의 전쟁을 인민이 주축이 된 자주적 투쟁이라는 점에서 연관 짓는다.[37]

> 신음 소리는 도리어 당상에 앉아 있는 추국관들의 입에서 나왔다. 윤근수는 그 잔인한 고문에도 끝끝내 굴하지 않는 이순신을 빤히 내려다 보다가
>
> "참말 독하구나……"

하고 저도 모르게 한마디 웅얼거렸다. 그러나 그는 다만 이순신이 '독'한 줄만 알았지 정작 정의라는 것이 얼마나 굳센 것임을 깨닫지 못하였다. 정의란 무엇을 가지고서도 굴복시킬 수 없는 것임을 그는 종시 알지 못하였던 것이다.

(···)

이순신은 다시 전옥으로 돌아가서 그 침침하고 습한 간 속에가 머리에 큰 칼을 쓰고 수갑과 착고 차고 앉아서 조용히 왕명을 기다렸다.

그는 사실 자기 일신의 생사에 대하여서는 그다지 많이 생각하지 않았다. 그는 죽게 되면 오직 죽을 따름이라고 오히려 마음에 태연해 하였다.

그러나 생각이 한번 나라 일에 미치면 그는 곧 가슴이 미어지는 듯하였다. 불현듯이 백성들이 —, 자기가 금부 도사에게 압령되여 서울로 올라올 때 울며 자기를 부르던 백성들의 모양이 눈앞에 떠오르면 그의 창자는 곧 끊어지는 것만 같았다.[38]

때에 조정에서는 우리 수군이 전선도 몇 척 되지 않고 군사도 또한 많지 못해서 그것으로는 도저히 강성한 적의 수군을 대적할 수 없으리라 하여, 바다를 버리고 육지로 올라와 육군과 합세하여 싸울 것을 이순신에게 명령하였다.

그러나 그는 듣지 않았다. 바다를 그대로 적에게 내주고 나라를 어떻게 온전히 보존하랴.

이순신은 곧 붓을 들어 왕에게 올리는 장계를 초하였다.[39]

앞의 인용문에서 이순신은 심한 문초와 고문에도 자신의 뜻을 굴하지 않는다. 그는 '정의라는 것이 얼마나 굳센 것임'을 보여준다. 여기에서 정의는 '의(義)'를 바로 세우는 것이다. 그것은 다른 말로 '신념'이라고 표현할 수 있다. 이순신은 왕을 그릇되게 인도하는 조정대신들을 우습게 생각했으며, 그들이 목숨을 바치라면 태연하게 바치겠다는 굳은 생각을 가지고 있다. 그가 조정대신들을 제대로 된 인간으로 보지 않는 것은 백성들을 버리고 자신만이 살겠다고 도망을 가거나, 나라가 망해가는데도 당파싸움이나 일삼고 있기 때문이다. 또 뒤의 인용문에 잘 드러나 있듯이 조정대신들은 전쟁에 대처하는 방책과 전략도 없고, 육군과 수군의 역할도 구분 못하는 한심한 인간이라는 데 생각이 미쳤기 때문이다. 그러나 이순신이 세우려는 신념으로서의 '정의'는 봉건적 모순이 극에 달한 조선에서는 손에 취할 수 없는 것이란 데에 비극성이 자리 잡고 있다. 따라서 그의 신념은 '이상적'이 될 수밖에 없다.

거대담론에 의존하는 박태원에 반해, 김훈의 작품은 철저하게 '탈이념적' 양상을 보인다. 김훈의 역사소설은 1인칭 화자의 등장, 영웅 이순신의 회의적 성격에 따른 유약한 내면성, 항상 울고 있는 임금, 벨 수 없는 대상에 대해 '칼'을 갈고 있는 모순된 무인상 등을 제시함으로써 영웅서사의 해체와 개체적 인간의 운명을 다루고 있다. 『칼의 노래』는 "민족의 위기를 타개하는 영웅으로서의 이순신 서사"가 아니라, "개인의 운명"에 초점을 맞춤으로써 "민족과 같은 추상적 가치에 대한 신념" 대신, "일상적 삶"을 그 중심에 두고 있는 것이 특징이다.[40] 그리하여 '포스트모던적 역사 인식'[41]이라든가 '뉴에이지 역사소설' 등의 용어로 평가된다.

리오타르(J. Francois Lyotard)는 들뢰즈·가타리와 깊은 유대를 맺으며, 이성 중심의 주체로서는 서술될 수 없는 것에 대한 관심으로 이끌린다. 리오타르는 새로운 형태의 합리적 사회를 향한 점진적 도약이라는 하버마스의 전망을 거부한다. 리오타르는 합리성은 아우슈비츠에서 이미 사망선고가 내려졌다고 주장한다. 그는 투명하고 왜곡되지 않은 의사소통이 가능한 사회가 존재할 수 있다는 것을 인정하지 않는다. 합의는 담론의 상태이지 담론의 목표가 아니라는 것이다. 이런 맥락에서 그는 주체에 의하여 배제된 것, 이성에 의해 비이성적인 것으로 배제된 것, 변증법

들뢰즈(사상가)

에 의해 망각된 과거 따위와 새로운 관계를 모색한다. 요컨대 리오타르는 해방의 모델에 대하여 회의하면서 사회의 모순과 분열 자체가 사회발전의 동력이라고 여긴다. 그 결과 단지 현재 일어나고 있는 것에 대한 개방적 태도만이 후기 산업사회에서의 인간의 자율성을 정당화한다고 주장한다.[42] 리오타르는『포스트모던적 조건』에서 후기산업사회의 변화의 양상을 포스트모던이라는 개념으로 설명을 시도하면서 문제의 틀을 '서사의 위기'라는 문맥 속에 위치시킨다. 리오타르는 포스트모던을 "대서사에 대한 불신과 회의"라고 정의한다. 그는 대서사란 총체성을 지향하는 제반 서사를 일컫는다. "메타담론에 근거해서 스스로를 정당화시키는 것", 정신의 변증법, 의미의 해석학, 이성적 주체 혹은 노동주체의 해방, 혹은 부의 창조와 같은 모종의 대서사에 자신의 정당성을 호소하는 것이 대서사라고 개념정의를 내렸다. 헤겔·마르크스로 대변되는 계몽서사는 대서사에의 호소, 정당화와 탈정당화를 통한 배제의 불가피한 확장, 동질적 인식론적 도덕적인 규범에의 욕망이라는 조건을 상정하고 있다. 즉 진리와 정의에 관한 담론을 거대한 역사적 그리고 과학적 서사에 묶어놓았는데, 이러한 사회가 바로 모던 사회[43]라고 말한다. 그리고 리오타르는 포스트모던 문화의 특징을 언어게임의 분화현상으로 해명한다.

이러한 리오타르의 설명은 거대담론을 비판하고 미시사적 담론의 일상적 삶의 묘사에 치중하는 김훈의『칼의 노래』를 비평하는 것처럼 들린다.

> 나는 적의 적의의 근거를 알 수 없었고 적 또한 내 적의의 떨림과 깊이를 알 수 없을 것이었다. 서로 알지 못하는 적의가 바다 가득히 팽팽했으나 지금 나에게는 적의만이 있고 함대는 없다.
>
> 나는 정유년 4월 초하룻날 서울 의금부에서 풀려났다. 내가 받은 문초의 내용은 무의미했다. 위관들의 심문은 결국 아무것도 묻고 있지 않았다. 그들은 헛것을 쫓고 있었다. 나는 그들의 언어가 가엾었다. 그들은 헛것을 정밀하게 짜맞추어 충(忠)과 의(義)의 구조물을 만들어가고 있었다. 그들은 바다의 사실에 입각해 있지 않았다. 형틀에 묶여서 나는 허깨비를 마주 대하고 있었다.[44]

정당성의 논리를 따질 수 없는 언어의 유희이며 언어의 향연이다. 칼이 벨 수 있는 것도 없고 베지 못할 것도 없다는 논리와 같다. 그래서 칼은 항상 울고 있다는 서술이다. 전통과 관습에 기반한 '서사의 논리'와 정당성을 따지는 '과학적 논리'가 충돌하는 경계선이다. 그래서 작가 김훈은 근대라는 계몽적 지식의 총체성을 해체하자는 입장이다. 리오타르는 탈현대의 지식의 정당성을 논의하기 위해서 '서사적 지식'과 '과학적 지식'을 구분하여 설명한다. 서사적 지식과 과학적 지식은 항상 경쟁과 투쟁의 관계에 있다. 전통사회에서는 '서사적 지식'이 주도적인 위치를 차지하여 서사가 사회제도에 정통성을 부여하고 권력의 기본을 제시하고 그 기준들이 어떻게 적용되어야 하는지를 규정하였다. 이에 비하여 '과학적 지식'은 발화자가 자신의 주장에 대하여 증거를 제시해야 할 뿐만 아니라 같은 지시대상에 대해 반대하거나 모순되는 진술을 논박할 수 있어야 한다. 리오타르는 정당성에 대한 물음으로 시작하는 과학적

영화 〈명량〉의 전투신

지식과 그 자체가 정당성의 과정인 서사적 지식 사이에는 '불가공약성(incommensurability)'이 존재한다[45]고 말한다. 둘 사이에는 서로에게 적용되는 기준이 따로 있으므로 그 다양성을 인정하는 것이 포스트모던 시대의 자세라는 것이다. 결국 규범의 기준을 해체하자는 말은 인간존재에게 부메랑처럼 날아드는 '개별존재의 고독과 허무'를 전달하는 것에 지나지 않는다. 그래서 '모호한'이라는 수식어를 앞에 붙일 수밖에 없다.

영화 〈명량〉은 〈최종병기 활〉의 김한민 감독의 연출작품이다. 〈명량〉은 한국영화사에 불멸의 기록을 남겼다. 이 영화는 최종관객 1,761만 명의 관객을 동원해 한국영화 역대 흥행순위 1위에 올랐던 영화다. 2014년 8월 10일, 영화 〈명량〉은 12일 만에 역대 최단기간 천만 관객을 돌파하는 쾌거를 이루었고, 이러한 기록은 역대 영화 흥행순위 12위와 한국영화 역대 흥행순위 10위에 해당되는 대기록[46]이다. 〈명량〉은 제작비가 200억 원 가까이 들어간 대작으로 600만 관객이 손익분기점이다. 여름 영화로는 작품의 전반적인 분위기가 지나치게 무겁다는 개봉 전 우려와 달리 〈명량〉은 개봉 일주일이 채 안 돼 제작비를 모두 회수하는 폭발력을 보였다. 2014년 8월 4일까지 누적매출액은 442억 원을 넘어섰으며, 8월 5일에 600만 명 관객을 돌파해서 손익분기점을 넘어섰다.[47] 〈명량〉은 10~20대의 젊은 관객들뿐 아니라 중·장년층과 노년층, 가족 관객까지 전 연령대를 아우르는 세대를 극장으로 불러들이며 독주를 이어갔으며 해외에서도 한국 블록버스터의 위력을 보여주는 관객몰이를 했다.

미국 연예매체 버라이어티는 2014년 8월 3일(이하 현지시간) "〈명량〉이 지난 주말 3,000만 달러의 흥행수익을 올렸다"며 "〈명량〉의 지난 주말 해외 극장수입 순위는 전세계 4위에 해당한다"[48]고 전했다. 2014년 8월 첫주 주말 해외 박스오피스의 왕좌는 할리우드 제작사 마블의 블록버스터 신작 〈가디언즈 오브 갤럭시〉의 몫이었다. 〈가디언즈 오브 갤럭시〉는 43개 국가에서 6,640만 달러의 흥행수입을 올렸다. 뒤이어 〈혹성탈출: 반격의 서막〉이 4,750만 달러를 벌어들이며 꾸준한 흥행세를 보였다. 3위는 판빙빙 주연 신작 중국영화 〈백발마녀전–명월천국〉(白髮魔女傳之明月天國)이 차지했다. 5위엔 2,000만 달러의 흥행수익을 거둔 애니메이션 〈드래곤 길들이기 2〉가 이름을 올렸다.

무엇이 이렇게 엄청난 대기록을 남기게 했는가? 대체로 영화 〈명량〉이 상영되어 관객몰이의 대기록을 달성할 즈음인 2014년 8월의 언론이나 영화비평계의 반응은 영화 〈명량〉이 성웅 이순신 장군의 모습을 장중하게 묘사하여 관객들의 큰 호응을 얻어냈다고 평가했다. 〈명량〉이 강인한 자세로 위기에 맞서는 동시에 자신의 임무에 최선을 다하려는 이순신의 모습을 그려냈는데, 이러한 면모가 바로 대중이 원하는 이상적인 리더의 모습[49]이라는 것이다.

학계에서는 좀 더 다양한 분석과 평가가 이어지고 있다. 텍스트 차원의 분석을 진행한 윤성은은 영화 〈명량〉의 서사구조를 전반부와 후반부로 구분하여 특징을 추출했다. 전반부의 특징으로 이순신을 돋보이게 만들어주는 등장인물들의 기능성을 제시하고 있으며, 후반부의 특징은 대규모 전투장면의 연출력이라고 분석했다. 〈명량〉의 연출력이 이 두 가지를 잘 봉합하여 영화적 완성도를 탄탄하게 만들었기 때문에 영화가 흥행에 성공했다는 평가[50]를 내린다. 「〈명량〉을 보는 세 가지 방식」의 논문에서 신원선은 영화 〈명량〉의 장점으로 절제미와 아웃사이더 간의 충돌 양상이 보여준 판타지성, 그리고 역사해석이라는 세 가지 요소를 내세운다. 여기에서 절제미는 주인공의 행동과 대사가 최소화되어 말하고자 하는 바를 명징하게 전달한다는 것이고, 아웃사이더의 미학은 이순신이 왕 대신 백성들을 먼저 생각한다는 것을 뜻한다. 신원선은 영화가 이 두 가지 미학을 자유롭게 사용하고 있지만, 그 행위가 역사적 진실을 해치지 않는다[51]는 점을 강조한다.

한편 백대현은 영화 〈명량〉의 구조를 이순신을 재구축하는 전반부와 전투장면으로 구성된 후반부로 구분하고, 전반부의 카메라가 이순신의 남성적인 면모에 초점을 맞추고 있다고 보았다. 후반부의 전투장면은 〈명량〉의 가장 핵심적인 부분으로, 세 개의 카메라시선이 복잡하게 교차하고 있는데, 첫 번째 시선은 관객에게 이야기를 서술하는 카메라시선으로 군인으로서 이순신의 모습을 그려낸다. 두 번째 시선은 일본군들의 시선이다. 이들은 이순신의 능력을 검증하는 역할을 맡고 있다. 세 번째 시선은 전투 중인 이순신을 바라보고 있는 아들 이회의 시선(절벽 위에서 일본군과 조선군을 한눈에 내려다보고 있는 백성들의 시선)[52]이다. 백대현은 이들을 종합해서 판단했을 때, 〈명량〉은 단순한 사회적 열망을 반영한 텍스트가 아니라, 기존에 통용되고 있었던 이순신의 담론을 그대로 재생산하고 있다[53]고 평가한다.

4. 기호학적 담론으로 본 〈명량〉의 성공요인

김한민 감독의 영화 〈명량〉은 정유재란 때인 1597년(선조 30) 9월 16일 이순신이 명량(울돌목: 전라남도 진도와 육지 사이의 해협)에서 일본 수군을 대파한 세계해전사에 길이 남을 해전을, 창조적인 상상력으로 스펙터클하게 제작한 작품이다. 1597년 정유재란이 일어날 때 서인의 당파적 이해에 의해 삼도수군통제사에 임명된 원균은 거제 칠천량전투에서 대패하고, 도망간 배설은 겨우 12척의 배만 남긴다. 일본 수군은 한산섬을 지나 남해안 일대를 침략하면서 남원성·전주성을 함락시킨 육군과의 합공을 통해 서해로 진출, 한양으로 치달으려고 시도한다. 1597년 7월 22일 유성룡의 간곡한 건의로 이순신은 다시 삼도수군통제사로 임명된다. 이순신은 서해 진출의 물목이 되는 명량을 지키기 위해 이진(利津)·어란포(於蘭浦) 등지를 거쳐 8월 29일 벽파진(碧波津, 전라남도 진도군 고군면 벽파리)으로 이동하였다. 일본 수군은 벽파진에 있는 조선 수군에 여러 차례 야간 기습작전을 전개하였으나 그때마다 조선 수군의 경계망에 포착되어 실패로 돌아간다. 적의 정세를 탐지한 이순신은 명량을 등 뒤에 두고 싸우는 것이 매우 불리하다고 판단하여 9월 15일 조선 수군을 해남 우수영(右水營)으로 옮겼다. 다음 날인 9월 16일 이른 아침 일본 수군이 명량으로 진입하였다. 일본 수군의 진입 사실을 알게 된 이순신은 전군의 출정 명령을 내리고 최선두에 서서 명량으로 향하였다.

이러한 역사를 감한민 감독은 역사적 상상력에 예술적 상상력을 가미하고 허구적인 장치를 활용하면서 스펙터클한 전투신의 도입을 통해 반전에 반전을 도모하여 관객들의 흥미를 배가한다. 특히 시나리오상 서사구조를 탄탄하게 하기 위해 투항왜인 준사가 지목해낸, 이미 안골포해전

영화 〈명량〉의 후반부 '백병전'

에 참전한 바 있는 왜선의 수군장수 '구루지마 미치후사(來島通總)'를 풍신수길이 보낸 '야수성을 가진 해적출신 선봉장'으로 장치하여 전투신의 몰입도를 증가시킨다. 〈최종병기 활〉에서도 잘 드러난 바 있지만, 김한민 감독의 특장은 대사를 최소한도로 줄여 절제미를 활용하면서 전투신과 추격신의 스펙터클한 연출을 통해 관객들의 몰입도를 증가시키는 기법을 구사한다는 점이다.

〈명량〉은 총 2시간 3분 정도의 러닝타임으로 상당히 상영시간이 긴 영화작품이다. 명량대첩이라는 단일 해전을 다룬 자료의 협소성에도 불구하고 호흡이 길어진 이유는 후반부의 '드라마틱한 전투장면' 때문이다. 이 영화의 서사구조는 크게 정유재란 당시의 정세와 이순신의 전쟁 준비과정을 묘사한 전반부, 그리고 조선수군과 왜선과의 전투신으로 이루어진 후반부로 쪼개진다.

우선 에피소드를 중심으로 영화의 전반부와 후반부를 요약해서 도표로 제시하기로 한다.

〈표 2-5-3〉 영화 〈명량〉 전반부 요약

번호	시간	이야기	특징
1	0:01:16	이순신 고문 장면	
2		자막: 1597 정유재란 이순신 파직, 한양압송, 고문	
3	0:01:35	자막: 정유년 7월 거제 칠천량에서 원균 조선수군 궤멸	
4	0:01:39	조선지도 이미지 8월 남원성·전주성 함락, 왜육군 한양으로 북상	
5	0:01:55	백의종군하던 이순신을 수군통제사로 재임명, 진도 벽파진, 배 12척	
6	0:02:48	대장선 안 작전실 — 장수들의 패배의식 배설 "언제 육군에 합류할 생각인지?" 김억추 "열흘 사이 군영을 이탈한 자가 서른이 넘었지요."	장수들의 두려움-패배의식
7	0:06:40	도도의 왜군진영 "이런 때에 관백께서는 선봉 세울 자를 보낼 테니 그저 기다리라 하시니…."	
8	0:08:15	벽파진에서 이순신은 교지를 읽으며 피를 토했다.	
9	0:08:59	포로로 왜병에게 저항하다 살해당한 배홍석과 아들 수봉	
10	0:10:00	구루지마(류승룡)와 와키자카(조진웅)의 만남	
11	0:12:05	진도 벽파진에서 이순신은 탐망꾼 임준영에게서 적선 200척이 보급선을 준비하고 있고 이만오천 별동대도 전주에서 내려오고 있다는 첩보를 들었다. 준영은 정씨 부인으로부터 나무부적을 받는다.	이순신의 '정보력'
12	0:14:25	합천 도원수부 권율 진영에 파견된 나대용은 권율에게 군사와 무기를 내어달라고 애원한다. 권율은 어명을 따르라고 말한다. 이순신이 "바다를 버리는 것은 조선을 버리는 것이다"라고 한 말을 전한다.	
13	0:16:36	도도와 구루지마의 만남	
14	0:19:27	이순신은 칼을 쳐다보다 어머니 위패를 바라본다.	
15	0:22:25	아들 이회와 식사를 함께 한다. 아들은 이참에 모든 것을 놓아버리고 고향으로 가시라고 제안한다.	임금에 대한 불신 의리/忠/위민
16	0:23:49	이순신은 백성들과 배홍석 수급을 보고 경악을 금치 못하였다. 와키자카와 구루지마가 포로의 수급과 코, 귀를 벤 포로를 돌려보낸 것을 따지며 칼싸움을 펼쳤다.	

17	0:26:54	구루지마는 하루와 술잔을 기울이며 자신의 원한과 야망을 드러냈다(왜군의 시선으로 이순신에 대해).	구루지마 캐릭터 부각시킴
18	0:27:12	이순신은 탈영해서 피섬으로 도망갔던 모상구의 목을 베서 군율의 엄함을 보여주었다.	
19	0:29:20	배설과 김억추는 도망갈 계책을 논의하였다.	
20	0:29:42	울돌목 피섬으로 이순신은 김노인과 안위를 데려가 '회오리'에 대한 경험을 듣는다.	울돌목 전략
21	0:32:30	이순신은 이회와 술잔을 기울이며 '집단적 두려움'에 대해 술회한다.	인간적 고뇌, 두려움과 용기
22	0:36:13	거북선을 방화하고 배설의 부장이 이순신의 암살을 기도하나 이회가 팔을 다치면서도 아버지를 구하였다.	
23	0:37:40	배설은 배를 타고 도망가다 안위의 화살을 맞는다.	'두려움'
24	0:40:00	도도와 가토는 이순신의 거북선이 방화로 없어졌다고 좋아한다.	
25	0:40:50	임준영은 왜수군 탐망을 나갔다가 선비를 구하다 포로로 위장한다.	
26	0:43:27	어머니 위패를 들고 절벽에 오른 이순신은 '회오리 바다'를 보고 거북선(구선)을 독백한다. 준사의 보고는 300척의 배와 구루지마 미치후사란 자가 선봉에 임명되었다는 보고를 받는다.	이순신의 '정보력'
27	0:45:37	도도는 가토를 통해 육군 고니시의 전령을 받고 구루지마는 화약, 화포 등 보급품을 준비한다.	
28	0:48:18 ~ 0:54:50	이순신은 왕에게 "신에게는 아직 12척의 배가 남아 있다"고 장계를 올린다. 벽파진 관아 집무실에 모여든 안위 등 장수 일동은 "왜 수군과의 싸움은 불가하다"고 충언하지만 병사를 모두 모으라고 한다. 이순신은 "우리는 죽음을 피할 수 없다"라고 외치며 포구진영에 횃불을 던져 불태운다. "살고자 하면 필히 죽을 것이고, 또한 죽고자 하면 살 것이다"라고 외친다.	'집단적 두려움'에 대한 이순신의 신념과 각오
29	0:55:30	이순신은 배홍석의 아들 수봉에게 아비의 갑옷을 내어준다.	'용기'
30	0:57:56	이순신은 어머니 위패 앞에서 절을 하며 '그저 제 죽음이 (···) 헛되지 않기를 바랄 뿐'이라고 빈다. 이순신은 스님 혜희와 준사에게 고맙다는 인사를 하고 "전군 출정하라"고 명령을 내린다.	이순신의 각오

〈표 2-5-4〉 영화 〈명량〉 후반부 요약

번호	시간	이야기	특징
1	1:03:25	자막 울돌목 진시(여덟 시경) 역류 이순신은 "일자진을 펼쳐라"고 명령을 내린다.	울돌목 전략
2	1:04:27	왜수군의 수백 척 배가 바다를 뒤덮고 있는 것을 본다.	
3	1:05:45	이순신의 대장선만 앞으로 나가고 11척의 배는 뒤로 물러선다.	두려움
4	1:07:38	백성들의 시선 "저 시커먼 것들이 뭣이오?" 구루지마, 제1군 진격하라 명령하고, 이순신은 우현으로 틀어 함포를 준비하라고 명령한 후 적선들이 좁은 해협 목을 빠져나오기 시작하자, "발포하라"고 결연히 말한다.	두려움
5	1:11:37	도도와 와키자카, 구로다는 멀리서 지켜보며, "이순신이 앞선 배들만 골라서 공격한다"고 분석한다.	
6	1:12:10	(이회의 회상) "회야, 두려움은 필시 적과 아군을 차별치 않고 나타날 수 있다"고 회상한다.	두려움
7	1:13:48	이순신은 "닻을 끊고 물살을 타면서 피섬 쪽으로 배를 물려라"라고 송희립에게 명령한다.	
8		구루지마는 2군을 보내라고 명령하고, 이순신은 "속히 전열을 갖추고 화포를 대장전하라"고 명령한다.	
9	1:14:49	또 포탄을 조란탄으로 바꾸고 백병전을 준비하라고 명령한다.	조란탄
10	1:17:19	적의 갈고리가 오르고 널빤지를 걸어 넘어오는 왜병들에게 조란탄과 화살을 쏜 후 백병전을 펼친다.	
11	1:19:05	가토는 도도에게 "구루지마가 승기를 잡았다"고 판세를 분석한 결과를 보고한다.	
12	1:19:35	적의 포탄에 이순신이 뒹굴었으나 준사가 빠르게 감싸안아 구한다.	
13	1:20:57	삼면이 적에게 포위된 이순신은 나대용에게 화포들을 모두 격군실 좌노 쪽으로 옮겨 집중하고 적선에 발포하라고 명령한다.	
14	1:23:38	(이회의 회상) "극한 두려움에 빠진 저들을 어떻게 큰 용기로 바꿀 수 있단 말입니까?"의 질문에 "죽어야겠지, 내가"라고 답한다.	
15	1:24:11	가토는 "이렇게 끝난 건가"라는 반응을 보인다.	

16	1:25:15	절벽 위 백성들 시선 "대장선이 살아 있다."	
17	1:26:07	자막: 울돌목 미시(오후 2시경) 순류	
18	1:26:36	김노인 "회오리, 회오리가」"를 독백한다. 이순신이 초요기를 세우라고 명령한 후, 안위와 김응함의 배가 따라나선다.	
19	1:29:40	하루는 안택선 지붕에서 조총으로 이순신을 저격하지만 실패하고 오히려 안위가 쏜 화살이 눈에 박힌다.	
20	1:30:27	이순신은 안위에게 피섬을 막으라고 명령하고, 대장선은 목 중앙으로 이동하라고 하는데, 구루지마의 적선 2척이 안위의 배와 충돌하여 위기에 빠진다. 이순신은 배를 돌려 안위를 구하려고 한다.	
21	1:33:07	구루지마의 짚더미 배(폭약선)가 대장선으로 접근하자, 포로로 잡혀 있는 임준영이 목숨을 던져 폭약배의 위험성을 알리고, 절벽에 있는 정씨부인은 치마를 흔들어 김응함부장 배에게 구원을 요청한다.	구루지마 전략
22	1:40:34	이순신은 구루지마와 백병전을 펼치고, 결국 그의 목을 벤다.	백병전
23	1:48:05	와키자카의 20척, 구로다의 30척, 총 50척의 대선단이 대장선에게 돌진해오고, 대장선은 회오리 때문에 침몰 위기에 빠지지만 백성들 어선 20척이 구해준다.	
24	1:51:44	이순신의 대장선은 와키자카의 선단과 충파를 펼친다.	충파
25	1:53:47	동시에 11척의 판옥선에서는 비격진천뢰, 지라포가 쏟아져 아키자카의 세키부네를 깨부순다.	
26	1:54:40	김노인은 "충파다"라고 독백한다.	
27	1:56:08	후군인 도도는 후퇴명령을 내리며 왜선들은 도주한다.	
28	1:56:30	함포로 계속 적선을 격파해나가는 모습을 지켜보던 이순신은 "물살이 돌아섰으니 멈추어라, 배를 돌려라"라고 명령한다.	
29	1:58:18	절벽 위 백성들은 엎드려 절하며 "장군님"이라고 환호한다.	
30	1:59:30	이회는 울돌목의 회오리를 이용할 생각을 어찌 했냐고 묻자 이순신은 "천행이었다"고 말하고는 "백성들이 구해주었다"고 답한다.	

이러한 전체 이야기와 장면을 총체적으로 압축하여 다시 도표로 제시하면 다음과 같다.

〈표 2-5-5〉 영화 〈명량〉 전반부 에피소드

번호	에피소드 내용	특징
1	이순신 고문 당함, 피를 토함/권율과의 갈등(당파싸움 희생)	봉건왕조의 당파싸움 전쟁 무대비
2	조선지도 이미지 몽타주 – 육군 패전	
3	이순신 삼도수군 통제사 – 배설, 김억추 배신 탈영(장수들의 두려움)	조선군대의 두려움
4	탐망꾼 임준영과 귀순 왜병 준사의 활용	이순신의 정보력
5	왜 수군 구루지마와 도도의 갈등	왜수군 장수의 갈등
6	칼과 어머니 위패, 이회와의 대화(집단적 두려움/용기)	두려움을 용기로 전환
7	김노인의 경험 활용(울돌목 회오리)	회오리전략
8	암살기도와 거북선 방화(모략) – 배신	
9	왕에게 장계 올림 "신에게는 배가 아직 12척"(자기신뢰, 자신감)	
10	전군 출정 명령 "살고자 하면 필히 죽을 것이고, 또한 죽고자 하면 살 것이다."	이순신의 신념과 각오

〈명량〉의 전반부 스토리 전개에서 중요한 것들은 크게 네 가지로 압축된다. 첫째, 정유재란의 판세가 육군을 중심으로 볼 때 매우 위급하고 불리하게 전개되고 있는 데 비해, 한양에 있는 왕을 비롯한 관료대신들은 당파성에 근거해 대비책 마련에 실패할 뿐만 아니라 결정적 패착만을 거듭하고 있다. 감독의 카메라워크는 이러한 정세판단을 강렬한 첫 장면 및 자막과 조선지도의 이미지 몽타주를 통해 압축적 농밀도로 관객에게 제시한다. 영화의 첫 장면은 충격적이다. 전쟁을 반전시킬 수군장수를

명량해전의 '울돌목'

당파적 모함에 근거하여 한양으로 압송, 모진 고문으로 기동도 불편할 정도의 상태로 만든 채 백의종군케 한다는 사실이다. 관객들의 분노를 극에 달하게 하는 봉건관료들의 모리배적인 처사이다.

권율: 상감의 명을 다시 한 번 어긴다면 공의 목숨을 진정코 장담 못하네.
나대용: 남원성과 전주성이 함락되었습니다. 놈들의 지상군이 북상하고 있습니다. 동시에 적의 수군이 서해를 돌아 한강을 통해 한양으로 들이닥친다면 어찌되겠습니까.
권율: (무거운 한숨) 고작 12척의 배로 무얼 할 수 있단 말인가?
나대용: 고작 12척의 배가 육군에 무슨 힘이 된다고 합류하라 하십니까.
권율: 말장난 하지 말게. 통제공은 지금 몸도 성치 않은 사람이야!
나대용: 장군의 몸을 그리 만든 게… 누구입니까.
권율: (부르르) 이 자가 정녕…(이내 깊은 한숨) 자네 대체 이쪽 사정을 알고나 이런 억지를 부리시는 겐가. 울산성에 악랄한 가등청정(가토 기요마사)이 시방 코앞에 들이닥쳐 있단 말일세. 말인즉, 사람 하나 마필 하나가 시방 몹시 절실한 형국이다. 이 말이네.
나대용: (다가와 무릎을 꿇으며) 제발… 장군, 군사와 무기를 내어주십시오! 지금 수군은 바람 앞에 등불이옵니다![54]

권율과 이순신의 부하인 나대용과의 대화 장면이다. 권율은 선조의 명령대로 수군을 권율이 통솔하는 육군에 병합하여 합류하라 강권한다. 이에 대해 나대용은 수군을 버리는 것은 곧 나라를 버리는 것으로 왜적은 바로 서해를 돌아 한양으로 들이닥칠 것이라고 그 위험성을 말하면서 수군에게 약간의 무기와 군사 지원을 부탁한다는 이순신의 뜻을 전한다. 하지만 오히려 권율은 나대용을 감옥에 가두라고 명령을 내린다. 정유재란 당시 정세판단을 제대로 하지도 못하고 전쟁대비는커녕, 패퇴만을 거듭하는 왕과 관료대신들을 상징적으로 힐난하는 장면이다.

행주대첩을 승리로 이끈 권율 장군

둘째, 이런 환경 속에서 이순신은 백의종군 상태에서도 옛 부하들을 만나 전쟁의 현황을 청취하고 전쟁무기의 점검 및 보급물자의 정비가 가능한지에 대해 점검을 한다. 물론 이러한 에피소드는 극도의 절제미 속에 잠복된다. 임준영과 탈영왜병 준사를 통한 정보력의 구축, 김노인을 통한 울돌목의 자연적 조건 점검, 그리고 판옥선 보수와 보급물품 조달 방안 마련 그리고 비격진천뢰 · 지자포 · 현자총통 · 조란탄 등 무기개발과 과학적이고 체계적인 전쟁준비 등이 은폐되어 있는 가운데에서도 관객들에게 상징적으로 비쳐진다.

S#15. 새벽(Day for Night).

횃불에 비치는 빠른 물살! 조심스럽게 앞으로 나아가고 있는 어선 한 척.

어선을 몰고 있는 한 군관이 조심스럽게 조류를 타고 있다.

횃불을 든 안위 뒤로 이순신과 김노인이 눈앞의 작은 섬을 응시하고 있다.

달빛 속, 울돌목의 가장 좁은 곳에서 해남 쪽으로 서 있는 '피섬!'

우우우~ 소리를 내며 피섬을 끼고 돌아 나가는 거센 조류가 인상적인데,

S#15. 피섬. 새벽(Day for Night).

우거진 나무 사이로 횃불을 밝히며 올라오는 안위, 이순신, 김노인.

이순신의 시야로, 주변 바다의 거센 물살이 보인다.

김노인: 목이 젤로 좁은 곳이다 보니 항시 물살이 부딪치고 돕니다.
오죽하면 물살이 울면서 돌아나간다고 울돌목이라고 부르겠습니까요.
저그다 낼모레가 대조기다 보니 물도 엄청스리 많아졌습니다.

안위: (근심어린) 이곳이옵니까?

이순신: …

안위: 허나… 아무리 이곳이 목이 좁아 우리가 일자진으로 막아선들 앞에서 구선이 버텨내지 못한다면 무용지물이 될 것입니다. 물살이 바뀌는 시각까지 족히 반나절은 버텨내야 할 터인데.

이때 '우우웅 ~~'거리는 나직한 소리가 들려오자 돌아보는 이순신.

달빛 속, 피섬을 지나 멀리 물살들이 작은 회오리들을 만들어 내며 사라지고 있다.

이순신: (유심히 살피는데) …

다가서는 김노인 얼굴이 점차 상기되며,

김노인: 평상시 우는 소리허고 쪼까 달라졌습니다요.[55]

영화 〈명량〉에서 이순신 역을 맡은 배우 최민식

전쟁을 대비하는 이순신의 지략을 살펴볼 수 있는 좋은 사례가 될 수 있다. 이순신은 안위가 모는 어선을 타고 김노인과 함께 울돌목을 찾아가 자연환경과 조건을 자세하게 살펴본다. 이러한 장면은 임진왜란의 참상을 겪었으면서도 전쟁에 대한 대비책을 전혀 세우지 못한 임금과 관료 대신들의 자세와 대비된다. 군사와 전쟁 보급품, 무기들을 전혀 지원해주지도 않고 사후 책임만을 묻는 모순되고 열악한 환경 속에서도 신념을 가지고 묵묵히 자신의 임무와 책임을 다하는 이순신의 모습에 감동하지 않을 관객이 없을 것이다.

셋째, 전반부에서 가장 중요한 것은 아들 이회와 이순신의 대화 장면이다. 두 사람의 긴밀한 대화는 후반부 전투 장면 사이사이에서 플래시백기법으로 반복해서 비쳐진다. 애초에 이회는 이순신에게 이참에 불리한 전쟁에서 발을 빼라고 신중하게 아버지에게 건의를 한다. 하지만 이순신은 오히려 의리·충·위민사상을 내세우며 자신의 신념과 각오를 다진다. 부하장수들에게는 의리(義理)를, 임금에게는 충(忠)을, 백성들에게

〈명량〉에서 연기 지도하는 김한민 감독

는 위민(爲民)사상을 앞세우고 있는 이순신의 신념을 확인하게 된다. 영화에서 아들 이회가 직접적으로나 회상기법을 통해 등장하는 경우가 많다. 이때 아들 이회는 사실상 이순신의 내면을 보여주기 위한 심리장치라고 할 수 있다. 감독은 이순신의 각오를 밝힐 때나, 사면초가로 몰릴 때, 이순신의 마음가짐과 내면상태가 어떤지를 보여주고 싶을 때 빈번하게 이회의 진술이나 회상을 활용하고 있다.

S#23.대장선. 격군실 숙실.N.
차가운 밤바다… 달무리에 어슴푸레 구선이 보인다.
이순신이 장막을 걷어 놓은 채 구선을 바라보고 있다.
우우우 ~~ 소리가 바람결에 실려온다.

이순신: 들리느냐? 우우우우~
나는 저 소리가 칠천량에서 죽은 자들의 곡소리로 들린다.
(잔을 들어 비우며) 한 잔 더 다오.

이회가 술잔을 마주하고 있다. 이회가 아버지 이순신의 술잔에 술을 따른다. 단숨에 술잔을 비우는 이순신.

이회: (조심스럽게) 아버님의 복안은… 정녕 저 구선이옵니까?
이순신: (잠시 말이 없다 담담이) 복안이 문제가 아니다.
문제는 … 이미 독버섯처럼 퍼져버린 두려움이지.
이회: (착잡) 극복할 방안이 있겠습니까?
이순신: 없다. 특히 집단적인 두려움이란…
이회: (먹먹) 극복할 수 없다면 어찌하면 좋습니까?
저 목 베인 오상구처럼. 엄한 규율로 다스리는 것만이 그저 유일한 방법입니까? 그렇게 하면 승리할 수 있습니까?
이순신: (이회가 물끄러미… 다시 술 한 잔을 들이켜며) 없다.
이회: (파르르) 그럼 아버님께서는 대체…
이순신: (불쑥) 이용할 수는 있을 것이다.
이회: (순간 이해되지 않음) 이용하다니요? 무얼 두려움을 말입니까?

이순신의 기침이 갑자기 심해진다. 이회가 급히 장막을 닫는데,

이순신: 그만 됐다. 이리 와 너도 한 잔 받거라.[56]

이 장면은 영화 〈명량〉에서 가장 의미심장한 대목이다. 전쟁의 승패는 훌륭한 무기체계, 수많은 군사와 전선(배) 등의 것보다 전장을 이끄는 장수의 신념과 용기에 의해 좌우된다는 결기 서린 뜻을 피력한 장면이다. 두려움은 병사들이나 장수에게만 있는 것이 아니라 이 모두를 통솔해야 하는 수군통제사에게도 있다는 점을 분명하게 밝힘으로써 이순신의 인간적인 면모를 보여준다. 하지만 일반병사와 장수들과 달리 통솔관은 두려움을 용기로 바꿀 수 있는 신념과 자신감을 내면에 간직하고 있어야

한다. 신념과 자신감은 결의와 각오 속에 내재된다. 이순신의 신념은 의리·충·위민사상이라는 체계적인 논리로 압축된다. 그에 비해 결의와 필승의지는 "우리는 죽음을 피할 수 없다"는 처절한 현실상황에 대한 인식과 "살고자 하면 필히 죽을 것이고, 또한 죽고자 하면 살 것이다"라는 '사즉생, 생즉사'라는 세계관에 담겨 있다. 아들과의 대화를 통해 이순신은 두려움을 용기로 전환할 수 있는 신념과 자기 의지를 밝힌다. 이러한 두려움의 극복방법은 이회의 플래시백을 통해 영화 후반부의 위기상황을 맞게 되는 전투신에서 빈번하게 등장한다.

넷째, 정보력을 통한 일본 수군 장수들 간의 갈등양상을 파악하여 그것을 전투에서 활용하여 승리로 이끄는 비상한 책략이다. 이순신은 부하 임준영과 탈영왜병 준사를 통해 구루지마의 특성에 대해 사전에 분석을 한다. 그래서 구루지마의 야수성에서 빚어 나오는 '조급성'과 '무모성'에 대해 분명한 판단을 하게 되고 그가 선봉장으로 나선다는 것까지 파악한다. 그래서 대장선만을 선봉에 세워 구루지마의 선단을 울돌목으로 유도하고 바다의 회오리상황 속에 왜선들을 몰고 들어와 백병전과 충파를 통해 각개격파를 하고 구루지마의 수급을 깃발과 함께 대장선에 내걸어 도도와 와키자카의 50여 척이 넘는 대선단의 무리들의 간담을 서늘케 한다.

왜병인 준사가 이순신과 내통하여 왜선의 정보를 건네주고 있는 장면이다.

> 김중걸: (기겁해서, 일본말로) 살려주십쇼.
>
> 준사: (일본말로) 내 말을 알아듣겠소?
>
> 김중걸: (고개를 끄덕끄덕)
>
> (일본말로) 저, 저기 저 아이도 얼른 좀…

중걸과 준사, 쳐다보면 멀리 이미 왜병4는 짱돌을 여러개 맞아 머리가 깨져 피를 흘린 채 죽어 있다. 불쑥! 수봉이가 다시 바위사이로 모습을 드러낸다.

수봉이 짱돌 몇 개를 더 들고 씩씩거리며 서 있다. 수봉이 왜군복장의 준사에게 갑자기 짱돌을 던지려 한다.

아니야! 얘야! 좆도맞… 아이구! 김중걸이 막아서다 짱돌을 맞았다.

준사: !

(cut to) 바위 터 밑, 큰길가. 푸르딩딩… 한쪽 눈이 밤탱이가 된 김중걸과 수봉이 말에 올라탄 채 고삐를 잡고 있다.

중걸에게 준사가 급히 돌돌말린 전갈을 내밀며,

준사: (또박또박) 이것을 필히 이순신 장군께 전해야 하오.

김중걸: (얼결에 전갈을 받아들고 놀라) 누구? 이순신이요!?

(낭패) 아니 근데 왜 하필 나를?

준사: (수봉이를 보며 문득 조선말로) 그건 저 아이에게 물어보시오.

준사가 말 엉덩이를 힘껏 손으로 치면,

김중걸의 퍼렇게 멍든 눈이 휘둥그레지며 말이 급박하게 달리기 시작한다.[57]

후반부 전투신의 압축 장면을 살펴보면, 이순신의 승리요인은 세 가지로 정리된다. 첫째, 장수로서 솔선수범의 자세와 담력을 확인하게 된다. 이순신도 다른 장수나 일반병사처럼 죽음을 두려워한다. 중요한 것은 두려움을 이용하고 두려움을 용기로 바꿀 수 있는 존재가 되느냐의 여부가 이순신의 분별력이다. 이순신은 왜선의 장수들도 분명 두려움을 가지고 있다고 믿었다. 따라서 그들의 두려움을 이용하는 것이 두려움을 용기로 바꾸는 비결이라고 인식했던 것이다. 그러한 실험이 바로 일자진 전략

〈표 2-5-6〉 영화 〈명량〉 후반부 에피소드

번호	에피소드 내용	특징
1	일자진을 펼치는 이순신의 조선 수군	일자진 전술
2	수백 척의 왜선의 기세에 놀란 조선 수군은 대장선을 제외하고 11척의 판옥선은 뒤로 처진다.	조선군대의 두려움
3	언덕 위의 백성들 "저 시커먼 것들은 뭣이오"라고 두려움에 웅성댄다.	두려움
4	이순신의 대장선은 왜선의 선봉 배들에 함포사격을 가한다.	
5	이회의 회상을 통한 '두려움'에 대한 극복방안	두려움을 용기로 전환
6	구루지마의 거침없는 공격에 이순신은 백병전을 선택한다.	백병전
7	삼면이 포위된 이순신의 대장선에서 화포들을 격군실 좌노 쪽으로 옮겨 집중 발포하라고 명령한다.	
8	회오리 활용	회오리전략
9	구루지마의 목을 백병전에서 벤다.	
10	어선 20여 척이 회오리로 침몰하려는 대장선의 균형을 잡아준다.	백성들의 시선
11	도도와 아키자카의 50여 척의 적선을 충파를 통해 침몰시킨다.	충파
12	도도는 퇴각명령을 내리고, 뒤쫓아간 조선수군은 상당수의 적선을 파괴한다.	왜적의 패퇴

으로 나머지 판옥선 11척을 뒤따라오게끔 명령했지만, 다른 배들은 뒤로 처져서 따라오고 자신의 대장선만이 선봉에 위치해 나아간다. 영화 〈명량〉에서 그래도 부하들에게 그대로 두라고 명령한다. 예상을 깨고 자신의 대장선이 선봉에 서서 적진의 구루지마의 선봉배와 당당히 맞선다. 그것은 적진의 두려움을 이용하는 전략이다. 이순신과 해전을 치른 경험이 있는 도도와 와키자카의 대선단은 멀찌감치 중군이나 후군으로 뒤처져서 선봉들의 싸움을 지켜보는 위치에 있다. 그렇기 때문에 선봉대만 깨부수면 명량해전의 승리는 눈앞에 닥치게 된다는 전략을 이순신은 손

〈명량〉에서 이순신의 아들 '이회와 백성들'

에 든 것이고 울돌목의 회오리를 이용한 이러한 작전은 보기 좋게 성공한다. 구루지마의 수급을 갑판 깃발 옆에 단 이순신의 대장선은 막강한 대선단을 이룬 도도와 와키자카의 왜선에게 '강한 두려움'으로 작용한다.

유명한 철학자 레비나스는 죽음에 대해 실존주의 철학자 하이데거와 다르게 인식했다. 고통 속에서 느끼는 죽음은 불가능성의 가능성이 아니라 모든 가능성의 불가능성이라고 파악했다. 즉 죽음은 자유의 기초가 아니라 인간의 무력, 그의 부자유의 경험이다. 죽음에 대항해서 인간은 그가 가진 주도권을 모두 상실한다. 따라서 죽음은 본질적으로 알 수 없는 신비요, 절대적 타자성으로부터 나를 지배하는 미래라고 해석한다. 죽음과 타자는 둘 다 계산이 불가능하고 알 수 없는 미래이다. 이 점은 우리의 자유에 대한 분명한 위협이다. 죽음은 일종의 살인이요, 가해이며 폭력이다. 따라서 레비나스는 "죽음의 폭력은 마치 전제군주의 폭력처럼 우리를 위협한다"[58]고 말한다. 그러므로 죽음에 대한 불안은 타자에 대한 불안으로 이어진다.

그러나 확실한 것은 죽음의 위협은 언제나 연기되어 있다는 것이다.

나는 지금 당장 죽음을 맛보지 않는다. 죽음은 나에게 아직 남아 있는 시간이다. 내가 그 정체를 알 수 없는 죽음은 내가 이해할 수 없는 타자와의 관계의 연장선상에서 체험되기 때문에 바로 이 때문에 '죽음의 의미는 변경될 수 있다'고 레비나스는 생각한다. 타자는 그의 초월성(외재성) 때문에 마치 죽음처럼 나의 자유를 위협하는 존재이지만 동시에 그의 상처받을 수 있는 가능성과 무력성 때문에 나에게 죽임을 당할 수 있는 존재인 것[59]이다. 영화 〈명량〉에서 김한민 감독은 12척의 판옥선으로 130여척의 왜선을 깨부순 해전사에 남을 이순신의 승리에 대해, 두려움을 용기로 바꾼 전략을 죽음에 대한 레비나스적 철학으로 새롭게 해석하였다.

구루지마: 기무라! 어서 저놈들을 따라 붙어라!
기무라: (좌절스러운) 주군… 우리 배들이 이미 회오리에…

거센 회오리에 이미 그의 선단이 모두 붕괴되고 엉켜버렸다!
아차! 싶은 구루지마.
전열이 완전히 붕괴되어 더 이상 자신의 명령을 수행할 배가 보이지 않는다.
충격적인 듯 구루지마의 입술이 파르르 떨린다.

기무라: 주군… 시, 시급히 지원을 요청하심이…
구루지마: …

구루지마의 눈에 그저 멀리서 지켜만 보고 있는 와키자카의 배들이 보이고…

구루지마: (냉소) 네놈은 아직도 눈치가 없구나. 올테면 진작 왔을 것…
구루지마: 왜놈이냐, 조선놈이냐!

갑자기 포효하는 구루지마,

준사가 포효하며 내려치는 구루지마의 칼을 막아서다 옆으로 튕겨 나가고…

이순신: !

구루지마, 그대로 다시 이순신에게 돌진한다.

온몸에 화살이 박힌 채 돌진하는 그의 괴력이 놀랍다!

〈명량〉에서 구루지마 역의 배우 류승룡

다시 한 번 이순신! 구루지마! 구루지마! 이순신!

촤락~!

느닷없이… 파란 하늘 위로 난(蘭)잎처럼 그려지는 붉은 핏줄기!

텅! 구루지마의 도깨비 투구가 바닥으로 떨어져 구른다.

머리가 없는 구루지마의 몸통이 이순신 앞으로 털썩 무릎을 꿇는다.

이순신의 검이 구루지마의 목을 베었다.

모두가 조용하다.[60]

둘째, 영화 후반부 스펙터클한 전투신에서 이순신의 승리를 안겨준 요인으로 과학적인 전술을 들 수 있다. 울돌목의 좁은 수로를 의식해 '일자진'을 펼쳐 막강한 왜선의 대선단을 좁은 회오리의 지점으로 유도하는 전략이나 대장선으로 회오리의 소용돌이 치는 물길에서 '백병전'을 펼치는 담대한 뱃심, 그리고 '충파'로 몇 척 안 되는 조선 판옥선으로 50~60척의 왜선을 파괴시키는 전법 등은 해전에 대한 여러 차례의 경험에서 우러나온 전법이라고 할 수 있다.

명량해전을 재현하는 '명량대첩축제'(2016. 9.3. 해남 우수영 울돌목)

셋째, 비격진천뢰 · 지자포 · 천자총통 · 조란탄 등의 과학적인 대포의 개발과 체계적인 준비는 구선(龜船, 거북선)이 없는 가운데에도 승리를 가져오게 된 결정적인 계기로 작용한다. 단순히 회오리바람의 울돌목이라는 지형적인 공간을 활용한 것에서 머물지 않고, 원근 거리를 생각해서 다양한 화포를 체계적으로 준비한 이순신의 지략은 관객들의 몰입도를 증가시켜 손을 땀에 젖게 만드는 등 흥분상태에 이르게 한다.

와키자카: 추, 충파(衝破)…!

저, 저것들이!!! 다같이 죽자는 것이냐!!!

콰콰쾅! 판옥선들이 일제히 적선들을 들이받는다.

부들부들… 김노인의 뜨거운 시선…

이회의 주저앉음…

산위 민초들의 안타까운 울부짖음…

(CUT TO)

대장선 격군실 안이 통째로 흔들린다.

갑판 위 이순신과 오둑이, 병사들이 함께 갑판 위를 나뒹군다.

굴러 떨어지는 화포들에 손발, 몸이 짓이겨지는 병사도…

대장선 이물이 적선을 짓이기며 올라탄다.

충격에 투구마저 날아가 버린 이순신.

대장선 격군실 문이 부서져 나간다.

김중걸이 노를 젓다 튕겨나간다.

수봉이… 온몸으로 노를 잡고 버틴다. 버텨라. 버텨라… 제발 판옥선아…

거센 물살에 해일이 해안을 덮치듯 마구 부딪치며 나아가는 12척의 판옥선들!

문득 안위의 판옥선에서 지자포가 작렬한다.

와키자카: 저, 저것들이!

동시에 일제히 모든 판옥선에서 쏟아지는 비격진천뢰와 지자포의 포성!!

와키자카의 세키부네가 깨어져 나가며 물속으로 처박힌다.

물속에 처박힌 와키자카의 머리 위로 연이어 날아가는 포탄들.

문득 안택선 위 구로다, 미동도 못한 채 그저 멍한 표정으로 떨어진 포탄에 산화해버리고…

화포 한 방 쏘아보지 못한 채 와키자카의 안택선이 깨져 나가버린다.

이어 자욱한 포연 속에 통째로 가려져버리는 전장… 포탄 소리만이 난무한데…

(CUT TO)

자욱한 포연 속, 후군의 도도가 시선을 뗄 줄 모른다.

도도: (그저 홀린 듯 중얼) 이순신…[61]

기호학자 퍼스는 기호는 다른 무엇, 그것의 '대상체'를 대신하며, 이 기호는 모든 관념 아래서 이 대상체를 대신하는 것이 아니라, 일종의 관념에 대한 참조를 통해 대신한다고 말했고, 이 관념을 '표상체'의 토대라고 설명했다. 표상체가 세 가지 요소, 즉 토대(ground)·대상체·해석체에 연결된다는 사실로부터 그것은 세 가지 연구영역인 순수 문법·논리학·수사학을 구획한다고 보았다. 기호(sign)란 말은 총칭적(generic)이며, 하나의 대상체를 주제로 하나의 정보를 소통시키는 모든 것은 하나의 기호인 것이다. 모든 기호는 그것과 독립되어 있는 '대상체'를 대신한다. 그러나 이 대상체가 기호의 본질, 사고의 본질을 갖는다는 점에서만 이 대상체의 기호가 된다. '표상체(representament)'는 그것의 대상체라고 불리는 것과 더불어, 그것의 '해석체(interpretant)'라고 불리는 세 번째의 것에 대해 삼원적 관계의 주어가 되며, 이 삼원적 관계는 임의 해석체에 대해서 동일한 대상체와 이 같은 삼원적 관계[62]를 갖는다.

기호의 표상적 성격은 기호와 대상체의 관계 또는 상관관계와 관련된다. 기호의 표상적 성격은 하나의 기호가 대상체와 상관관계를 맺는 방식에 따라 결정된다. 이 점에서 이것은 상관관계를 맺기 위해 기호의 현존적 성격 또는 기호의 토대를 사용한다. 만약 기호의 현존적 성격들이 대상체와 유사하다면, 그것은 그 수단을 통해서 그 대상체와의 상관 관계를 설정한다. 그 기호는 '도상(iconic sign)'이라고 불린다. 만약, 다른 한편, 기호의 현존적 성격이 그 대상체와 근접한 것이며, 그런 방식으로 대상체와 상관관계를 맺는다면, 그 기호는 '지표(indexical sign)'라고 불린다. 끝으로, 만약 그 기호가 주로 기호의 계약적인 성격을 통해서 대상체와 상관관계를 맺는다면, 그 기호는 '상징(Symbolic sign)'[63]이 된다. 영화 〈명량〉은 역사와 이순신 서사가 만나는 부분을 대상체로 삼아 서사구조를 형성한다. 〈명량〉의 전반부에서는 기호로서의 토대와 대상체가 표상체로서의 관계를 맺는다. 즉 누군가에게 어떤 면에서 또는 어떤 명목 아래 다른 무엇을 지시하는 것이다. 그래서 그 기호는 '지표'라고 불린다. 영화의 전반부에서는 표상체로서 이순신의 장수로서의 신념과 필승의지를 주로 보여준다. 아울러 전장에서의 지휘자로서 정보의 수집력과 과학적인 전쟁 준비작업이 선보인다. 특히 수집된 정보로 왜군 수군 장수 간의 갈등을 짚어낸 것은 명량대첩의 승패의 갈림길이 된다. 그에 비해 〈명량〉의 후반부 전투신에서는 기호가 누군가에게 호소한다. 다시 말해, 그 사람의 정신 속에서 동등한 가치를 갖는 기호, 또는 더 발전된 기호를 창조한다. 그러한 관계를 퍼스는 기호의 '해석체'라고 명명했으며, 그러한 기호의 움직임을 '상징'이라고 설명했다. 해석체로서 〈명량〉의 후반 전투신에서는 대화와 장면묘사는 많이 등장하지 않고 주로 스펙터클한 전투장면이 마치 인터넷 게임처럼 상징적으로 보여진다. 그러한 이미지 덩어리 속에서 이순신의 솔선수범의 담력, 과학적 전술·전략이 이회의 플래시백이 반복되는 가운데 빠르게 비쳐진다.

그것을 도표로 그리면 다음과 같다.

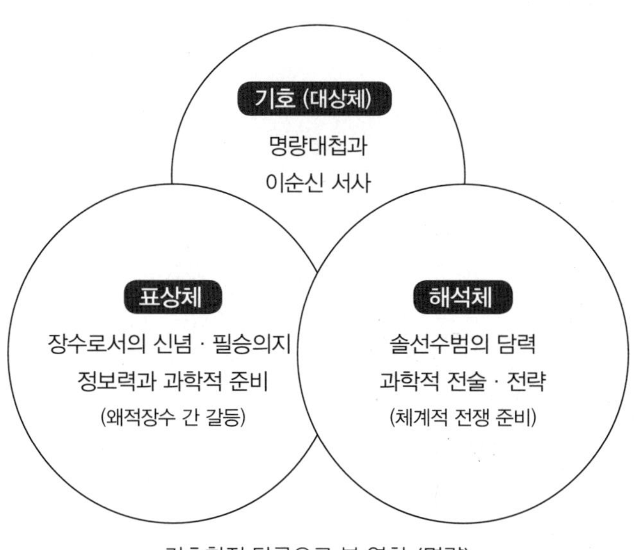

기호학적 담론으로 본 영화 〈명량〉

제 III 부

소설 텍스트의 영상화

제1장

허세적 가부장제에 희생된 여성들의 목소리

—— 장편 『김약국의 딸들』과 영화 <김약국의 딸들>의 거리

1. 박경리 문학의 위상과 가치

박경리는 한국문학사의 여러 곳에서 언급되는 다양한 활동을 펼친 작가이자, 여성작가이면서도 페미니즘적인 냄새를 풍기지 않는 특이한 성향의 소설가이기도 하다. 한국문학사에서 박경리는 1950년대 작가로 평가받는다. 이재선은 『현대한국소설사』에서 박경리를 6·25 전후에 등단한 1950년대의 신인작가로 그 위상을 설정했다. "50년대 소설의 본격적인 등장은 수복과 휴전에 이어 폐허로부터 전후의 사회적인 수습의 중반단계에 들어선 중반에 『문예』·『문학과 예술』·『현대문학』·『자유문학』 등의 순문예지 및 『신천지』·『신태양』·『사상계』·『새벽』 등과 같은 종합지 등의 문화매체가 다시 등장하고 또 신문사들의 신춘문예제도가 자리잡게 됨으로써 비로소 가능할 수 있었던 것이다. 이 시기에 활동한 작가는 염상섭·박영준·김동리·황순원·안수길·유주현·최정희·한무

박경리(소설가)

숙 등의 기성작가와 6·25 전후에 등단한 손창섭·장용학·정한숙·전광용·이호철·김광식·추식·서기원·오상원·하근찬·최상규·송병수·선우휘·이범선·박경수·오영수·김성한·박경리·정연희·곽학송·강용준·한말숙·최인훈 등이다"[1]라고 하여 박경리를 1950년대 작가로 평가했다.

김윤식과 정호웅도 박경리를 1950년대 작가로 자리매김시켰다.『한국소설사』 제7장 '한국전쟁의 충격과 새로운 출발의 모색'에서 구세대 작가들의 세계와 전후세대의 새로움으로 2대 분류를 하면서 박경리를 이호철·김광식·오상원·서기원·최상규·하근찬·송병수·선우휘·이범선·전광용·최인훈 등과 함께 후자에 포함시켰다. 또 후자 중에서도 최일남·이호철·강신재·김성한·서기원 등과 함께 '5) 원점의 확인'의 분류에 집어넣었다. "박경리의「불신시대」(1957)는 또 다른 하나의 '탈향'이 중심 내용을 이루고 있는 작품이다. 한 젊은 여인이 있다. 9·28수복 전야에 유엔군의 폭격으로 남편을 잃었다. 전쟁은 가공할 폭력이었던 것, 악몽에 시달리듯 속수무책으로 치러내야만 했다. 전쟁이 끝났다. 전쟁의 폭력에서 놓여났지만, 이번에는 현실의 타락성이 새로운 폭력으로 덮쳐온다. (…) 그녀의 상황은 세계의 폭력성에 강타당해 정신과 육체가 함께 망가진 당대인들의 외로움과 무기력함을 대변하는데, 그것은 또한 우리 전후소설의 일반적 성격에 대응된다. (…) 눈물을 씻고 폭력적인 세계에 맞서려는 그녀의 결단은 그러므로 그 같은 전후 상황으로부터의 '탈향'선언이며, 또한 새로운 소설을 향한 출발"[2]인 것으로 파악했다. 과거의 주박에서 벗어나 '생명의 항거'를 결단하는 박경리의 '탈향'선언을 세계의 폭력성에 맞서 '나'를 지키고자 하는 '인간 자존의 회복' 선언으로 보았다. "「불신시대」가 이 같은 경향의 첫머리에 나선 것이다. 이로써 소박한 휴머니즘을 넘어 인간 내면의 심부를 탐사함으로써 인간의 고귀함을 확인하는 소설이 대두하게 되었는데 『김약국의 딸들』(1962), 『시장과 전장』(1964)을 거쳐 『토지』(1995)로 이어지며 높은 수준의 성취를 이루게 된다"[3]고 평가했다.

권영민도 박경리 문학을 장용학·강신재·이범선·김성한·선우휘·이호철·오상원·서기원·최일남 등과 함께 1950년대 전후소설로 자리매김시켰다. 박경리의 초기 작품들 가운데에는 한국전쟁 때 남편을 잃고 사는 전쟁 미망인을 주인공으로 하고 있는 작품들이 많다. 참담한 현실 속에서 이루어지고 있는 그들의 고통스러운 삶을 보여주기도 하고, 그들의 눈을 통해 사회 현실의 훼손된 국면들을 예리하게 파헤치기도 한다. 부정과 악에 대한 강렬한 고발의식을 보여준 「불신시대」(1957)가 그 대표적인 작품이라고 파악했다. 소설의 주인공이 배금주의에 물든 사회 현실에 대해 환멸을 느끼고, 그것들에 대해 항거할 수 있는 생명력이 자신의 내부에 남아 있다는 것을 애써 확인하는 것으로 결말에 이른다고 설명한다. 그러나 주인공은 현실 앞에서 항상 슬퍼하고 외로워하는 데에만 그치지 않는다. 주인공은 '인간에의 증오감'을 폭발시킴으로써 부정과 위선과 허위로 가득 찬 현실의 상황을 비판하고 있다는 것이다. 박경리는 1960년대에 접어들어 장편 『김약국의 딸들』(1962)을 발표하면서 작품 세계의 전환을 이루고 있다. 자기 체험의 영역에서 벗어나 객관적인 시점을 확보하였고, 제재와 기법 면에서도 다양한 변모를 보인다. 장편 『시장과 전장』(1964)은 한국전쟁이라는 민족사의 비극을 두 가지의 시각을 통해 그려내고 있는데, 일상의 현실에서 삶을 영위하는 평범한 생활인의 시각과 전쟁을 수행하는 이데올로기의 시각을 동시에 부각시킴으로써 역사를 정면으로 바라보고자 하는 노력을 담고 있다. 박경리는 1969년 이후부터는 대하장편소설 『토지』에 몰두하고 있다[4]고 평가했다.

박경리는 1955년 문단 데뷔 이후 2000년까지 총 46년간 작가로 활동하는 동안 「불신시대」 등 중·단편 45편과 장편 『표류도』 등 11편, 그리고 대하소설 『토지』(1부~5부) 16권 등 방대한 작품을 창작하였다. 그에 대한 업적 평가는 1984년 『한국일보』 창간 30주년 기념 '한국 전후 문학 30년 최대 문제작'에서 선우휘의 『불꽃』, 황석영의 『장길산』과 더불어 박경리의 『토지』가 선정된 데에서 잘 입증되고 있다. 그리고 1983년 『토지』 1부 8권이 일본어판으로 출간되었고, 1994년에는 『토지』 1부(3편 11장)가 프랑스 벨퐁출판사에서 불어판으로 출간되었으며, 1995년에는 같은 『토지』 1부가 영국 키건폴출판사에서 영어판으로 출간되는 등 외국에서도 호평을 얻고 있다.

작가 박경리는 1957년 『현대문학』에 발표한 단편 「불신시대」로 문단에 이름을 널리 알리게 되었지만, 문명을 드높이게 된 계기는 역시 『표류도』·『김약국의 딸들』·『파시』·『시장과 전장』·대하소설 『토지』 등 장편소설을 간행한 때문이다.

박경리의 문학세계는 몇 차례 변천과정을 겪는다. 그것은 6·25 한국전쟁과 4·19혁명 등 사회현상의 변화에 따라 그녀의 세계관이 변한 것과도 연관이 있을 것이다. 그녀의 문학세계의 변모양상을 『토지』 이전까지의 대표작을 중심으로 살펴보기로 한다. 작가 박경리의 세계관은 문단데뷔 시절에는 자신의 삶의 고통에서 비롯된 운명론적 사고에서 한국전쟁을 겪으면서 허무주의 내지 냉소주의로 기울어지게 된다. 하지만 4·19 학생혁명을 목도하고는 개인적인 문제에서 시각이 확대되어 사회현실에 관심을 가지기 시작하면서 민족과 국가의 문제에까지 관심 범주가 넓혀지게 된다. 즉 초기의 '운명'에 대한 관심에서 후기의 '역사'에 대한 관심으로 영역이 확대된 것이다. 어느 정도 리얼리스트에 가깝게 세계관이 바뀌게 된 것[5]이다. 하지만 작가 스스로도 밝혔지만, 이때의 작가는 철저하게 인간주의자의 모습을 드러낸 것이라고 할 수 있다.

박경리의 초기 단편소설이라고 하면 1955년 8월 『현대문학』에 단편 「계산」이 추천되면서 문단에 등단한 이후에 1950년대에 주로 쓴 「흑흑백백」·「군식구」(1956)·「호수」·「전도」·「불신시대」·「영주와 고양이」·「반딧불」(1957)·「벽지」·「도표 없는 길」·「훈향」·「암흑시대」(1958)·「재귀열」·「어느 정오의 결정」·「비는 내린다」·「해동여관의 미나(迷那)」(1959) 등을 지칭한다. 이러한 작품에는 작가의 자전적인 성격이 강하게 배어 있다.[6]

책과 원고지로 둘러싸인 박경리

장편소설 『표류도』에서는 낭만적 사랑에 대한 꿈과 생명성에의 지향을 드러낸다. 1959년 2월부터 11월까지 『현대문학』에 연재했다가 대한교과서와 예문관을 통해 출간했으며 그 이후 여러 차례 박경리 전집에 수록되었던 『표류도』는 단편에서 장편으로 전환하여 성공을 거둔 박경리의 대표작 중의 한 작품이다. 『표류도』는 그녀의 초기 단편의 연장선상에 서 있는 작품이기도 하다. 즉 초기 단편에 자주 등장했던 어머니와 딸을 부양하는 미망인이 주인공으로 나오고, 유부남과의 로맨스 등 낭만적이고 환상적인 사랑을 꿈꾸며, 자식 훈아의 죽음이 나오고 현실적인 성격의 어머니와의 마찰이 도처에서 묘사되는 등의 양상과 가난한 현실 속에서의 좌절 등도 그대로 반복되고 있다. 그리고 결벽증에 가까울 정도로 자기 존엄성과 고독을 추구하는 것도 초기 단편의 특징을 그대로 옮겨 오고 있다. 즉 『표류도』는 초기 단편에서 추구했던 세계를 장편소설로 확대한 양상을 보이고 있는 작품이라고 할 수 있다.

주인공 강현희나 그녀의 파트너들인 이상현과 김환규(김선생)가 '바다에 표류하며 떠 있는 섬'인 '표류도'로 상징화되고 있는 장편 『표류도』는 주인공 강현희를 6·25전쟁 중인 9·28수복 직전 남편 찬수를 공산주의자에게 잃어버리고 어머니와 딸 훈아를 데리고 다방을 경영하는 전쟁 미망인으로 설정한다. 경제적 궁핍 속에서 외로움과 고독을 느끼며 자라난 강현희는 어머니의 피보다는 난봉꾼이며 중국을 헤매고 돌아다니는 아버지로부터 반항적이고 격정적인 피를 이어받은 결벽증적인 자존심을 가진 에고이스트이다. 현실에서 강박관념을 느낀 강현희는 환상적인 꿈이나, 낭만적 도피를 모색하면서 다방의 단골손님인 신문사 논설위원인 유부남 이상현을 사랑하지만 현실의 한계로 인해 Y출판사 사장인 김환규의 헌신적 돌봄에 갈등을 느낀다. S대학 동창인 이상현의 아내 양수정과 운명적 대좌를 하게 된 강현희는 현실의 고통을 못 이겨 다방의 단골이지만 외국인 스미스에게 자신을 창녀처럼 소개하고 넘겨주려는 최강사의 말을 엿듣고는 청동꽃병으로 내리쳐 살인을 저지르고 형무소에서 1년간 복역을 한다. 형을 마치고 나온 그녀는 감정의 대상인 이상현을 포기하고 의지의 대상인 김선생에게 청혼을 한다는 줄거리[7]이다.

『김약국의 딸들』과 『파시』에서는 한의 정서와 운명론적 사고가 짙게 배어나온다. 이러한 운명론적 사고에 대해 최근 소장학자들은 다른 해석을 내놓고 있다. 박경리의 초기 단편과 장편 『표류도』가 '인간의 생명성에 대한 지향'을 보여주는 한편 개인적인 차원에서의 작가의 자서전적인 성격이 강하였다면, 『김약국의 딸들』(1962)과 『파시』(1964년 『동아일보』 연재, 1965년 단행본 간행)에서는 작가의 관심의 영역이 확대되어 가족이나 사회의 제도 문제 등을 다루게 된다. 특히 인간적 삶의 불행과 고통을 극대화시켜 보여주되 언어의 형상화를 통해 그 비극성을 드라마틱하게 보여주려는 데에 작가의 의도가 자리잡고 있는 것으로 보여진다.

박경리의 대다수의 작품들이 여성 주인공을 중심 축으로 하여 스토리가 전개되지만, 『김약국의 딸들』에 와서는 그러한 경향이 좀 더 강하게 나타나고 있다. 하지만 페미니즘적인 시각이 두드러지지도 않으며 오히려 운명론적으로 다루어지고 있는 것이 특징이다. 이러한 현상은 작가 자신이 불교나 기독교 등의 특정 종교에 심취해본 적이 없이 개인의 내면의식에 강하게 의존하고 있으므로 우리 민족의 전통적인 샤머니즘이나 동양적 순환론에 근거하게 된 것이 아닌가 생각된다.

『김약국의 딸들』에서 김약국 집안의 불행은 조선조라고 하면 귀신이 들 이야기인 비명횡사로부터 이야기가 출발한다. 관약국 집안의 전통을 이은 김약국의 부친 김봉룡은 재취 숙정이 혼전의 애인 송욱과 만나는 것을 목격하고 송욱을 칼로 살해하고 아내 숙정이 비상을 먹고 자살을 하자 타지로 도망을 가 종적을 감추게 되는데, 이러한 비극성은 이 집안의 대내림으로 이어지는 것으로 묘사된다. 김약국의 사실상 후계자인 김성수는 약국 대신에 어장을 경영하면서 상업 자본주의 시대에 적응해나가지만 결국에는 실패하고 그의 다섯 딸들도 하나같이 불행한 삶과 고통스러운 현실상황에 처하게 되어 과부가 되거나 정신이상 상태에 빠지고 버림을 받거나 죽는 등의 상태에 처하게 된다. 즉 삶의 비극성이 처절하게 드러나는 것이 박경리 문학의 특징인데, 이 작품에 와서는 좀 더 극대화되는 양상을 보여준다.

그런데 재미있는 사실은 김약국의 다섯 딸들이 대개가 전통적으로 유교사회에서 윤리적으로나 도덕적으로 금기시하는 터부를 깸으로써 불행에 빠지게 된다는 점에 있다. 그러한 현상에 운명적 복선을 깔아놓음으로써 그 비극성이 더 파세틱하게 나타난다는 점이 특징이다. 따라서 이러한 개인적 불행은 가족문제로 확산되면서 민족의 보편적 정서인 한(恨)으로 형상화되고 있다. 즉 작가는 사회제도로서 금기사항인 불륜이나 여성의 정조관념을 중요시하지 않는 태도를 설정하는 것 등으로 주인공들의 삶이 불행에 빠지는 것으로 묘사함으로써 고소설이나 신소설과는 또 다른 차원에서 운명론적인 사고를 보여주고 있는 점이 특징이다.

이러한 현상은 작가가 애정을 두고 있는 인물이 지식인이거나 종교적 질서에 순응하는 인물이나 관습에 타협하는 인물이 아니라 본능적이고 자연적인 충동성이 강한 인물, 즉 용란 정도의 인물로 형상화된 것은 아닐까 생각된다. 그러나 이러한 인물들은 철저하게 제도권에 진입하지 못하고 파멸의 삶을 살게 된다. 즉 작가 박경리는 이러한 인물이 고통을 받으며 희생되어 가는 과정을 생동감 있게 그려나가는 데 주안점을 두고 있는 것[8]으로 보인다.

『토지』 이전까지의 박경리 문학에서 또 다른 전환을 보여주는 작품으로 『시장과 전장』이 있다. 이 작품에서 작가는 소모적 희생과 역사에 대한 탐구를 그려낸다. 박경리의 새로운 모색은 장편 『시장과 전장』에서 확연하게 드러난다. 이 작품은 3인칭 관찰자 시점을 취함으로써 외부 장면 묘사의 객관성을 확보하려고 시도한다. 서사구조의 기본 축은 남편과 아이들을 두고 연안에 교사생활을 하기 위해 떠나는 남지영 집안(어머니 윤씨와 두 아이 포함)의 이야기와 공산주의자인 하기훈과 이가화의 이야기의 두 축을 중심으로 전개된다. 이러한 구조를 조남현은 병렬식 구성[9]이라고 한 바 있다. 이러한 서사구조는 『파시』에서와 동일하다. 하지만 사실상의 주인공은 허무적 공산주의자 하기훈과 공산주의자였던 옛 애인이 자신의 부친과 오빠를 빼앗아간 것에 충격을 받아 거리를 방황하는 이가화라고 할 수 있다.

『시장과 전장』은 작가 박경리가 초기 소설의 개인적인 취향에서 벗어나 가족과 사회적 제도 및 역사에 대한 탐구로 관심의 영역을 확대해나가는 것에 발맞춘 작품이라는 점에 의미를 둘 수 있다.

우선 이 작품의 성격에 대한 많은 논란이 있어왔지만 좌·우익의 이데올로기 문제를 다루면서 6·25전쟁의 의미를 되새겨보는 이념소설이라는 점은 분명한 것으로 보인다. 하지만 다른 여러 작품에서 보아왔듯이 이 작품도 작가 박경리가 정치나 종교의 어느 한쪽에 치우치지 않고 오히려 예술적 감수성으로 등장인물의 성격을 설정하고 세계관도 주입하고 있다는 데 그 특징[10]이 있다.

『김약국의 딸들』은 크게 세 가지 점에서 가치를 지닌다. 첫째, 작가가 신문이나 잡지에 연재한 것을 묶은 것이 아니라 최초로 전작 장편소설을 을유문화사에서 단행본으로 간행한 작품이라는 점이다. 물론 작가의 증언에 의하면, 출판사의 사정으로 인해 양을 애초보다 약간 줄여서 간행했다고 한다. 하지만 연재했던 작품과 달리 작품의 총체성을 살리는 데는 다듬어서 직접 내는 것이 의미가 있었을 것이다. 또 전작 장편이 흔하지 않은 것은 성공 여부에 대한 불안감, 즉 출판사의 경영상의 문제와 연계가 되며, 생존을 위한 고정적인 작가의 원고료 수입과도 관련이 있을 것이다. 어찌되었든 『김약국의 딸들』은 『토지』 다음으로 엄청난 성공을 하여 작가에게 부와 명예를 한꺼번에 안겨다주었다. 둘째, 이 작품은 한의 정서와 운명론적인 사고에 바탕을 두고 있는 작품이다. 작가 박경리의 모든 작품에서 공통적으로 등장하는 근원적인 정서이기도 하다. 특히 『토지』도 이러한 양상의 발전적인 모습이라고 평가할 수 있다. 이러한 정서는 작가 초기의 '생명력에의 지향'이라는 초보적인 세계관의 틀을 벗어나기 시작했다는 데서 그 의미를 찾을 수 있다. 셋째, 작가가 데뷔 무렵 이후 주로 단편소설을 발표하는 것에서 벗어나서 『연가』·『표류도』 등을 선보이는 등 본격적으로 장편소설의 시대를 열어가면서 내놓은 작품이라는 데에 가치를 둘 수 있다. 그것은 개인적 체험담인 자서전적인 성격을 비로소 벗어나 가족의 문제, 사회의 제도적 문제 등에 눈을 뜨기 시작한 것을 의미한다. 즉 '운명'에서 '역사'로 나아가는 과도기적인 작품이 바로 『김약국의 딸들』[11]인 것이다.

2. 유현목 영화의 특성

1) 유현목 감독의 삶과 영화연출의 계기

감독 유현목은 1924년, 황해도 사리원 봉산리에서 태어났다. 그의 고향은 산천 평야가 수려하고 봉산탈춤으로도 유명한 곳이다. 부친 유희준은 고무신과 도자기를 매매하는 상업을 업으로 삼아 모친 이희선 사이에 9남매를 두고 풍족한 살림을 꾸리고 있었다. 생활은 여유가 있는 편이었지만 어릴 때 유현목은 행복을 느끼지 못했다. 평소에는 샌님처럼 얌전한 부친이 주벽이 심해 술만 취하면 아내에게 폭력을 휘두르고 싸움을 일삼았기 때문이었다. 독실한 크리스천이었던 모친은 많은 자녀들을 돌보며 이러한 폭력에 대해 인고의 삶을 살고 있었다. 이러한 부모의 갈등은 어린 현목에게 상처로 남았다.

병약하고 울기 잘하고 내성적인 현목은 왜 아버지와 어머니는 늘 저렇게 싸울까 하는 의문을 되풀이하며 자랐다. 몸이 빈약해서 학교에서 신체검사를 할 때면 옷을 벗는 것이 가장 싫었다는 현목은 변소에 앉아 있으면 자기도 모르게 생각에 잠기고 귓가에 휑해지는 공포와 함께 땅끝에 혼자 버려진 듯한 환각을 느끼곤 했다는 것을 고백하곤 했다. 그의 애주벽은 성인이 되고 나서 가지게 되었으므로 그의 성장기는 크리스천이었던 모친의 영향이 지배적이었다. 따라서 기독교적인 윤리감은 평생 그의 정신의 지렛대였고, 문제의식의 한 핵심이 되

〈오발탄〉과 〈김약국의 딸들〉의 유현목 감독

었다.

유현목이 상경해서 유학하던 휘문중학교 초급학교까지만 해도 그의 마음속 우상은 발명왕 에디슨이었다. 그의 하숙방은 고물상이나 길바닥에서 주어온 쇠붙이나 못쓰는 기계가 가득 널려 있었다. 그것이 내성적이고 고독한 소년의 낙원이었다. 그러나 상급학년에 올라가고 고향에 돌아가서 봉산의 산과 들을 방황하면서 그는 타고난 예술적인 본능에 눈뜨게 되었다. 휘문 선배인 조택원의 무용발표를 본 뒤에 그는 한때 무용가가 되기를 꿈꾸었다. 그러다가 계정식의 바이올린 독주회를 보고는 '스즈키 7호' 바이올린을 사서 하숙집을 시끄럽게 하다가 쫓겨나기도 한다. 현목이 소설을 써서 그의 유일한 독자인 누님에게 보여주곤 한 것도 이 무렵이었다. 예술이면 무엇이든 좋아하고 해보고 싶은 유현목이었다.

해방이 가까워지면서 20대 청년시대를 맞이한 그는 일제의 탄압과 강제징용을 두려워해 고향에 내려가 세무서의 임시고용직원이 되었다. 그의 어머니는 현목에게 대학진학을 강력히 권했지만 조선인 징용을 기피하기 위해 대학진학을 포기해야 했다. 마침내 8·15해방의 날를 맞이한 유현목은 해방의 기쁨을 맛보았다. 해방과 함께 사리원의 청년들은 흰 완장을 두르고 치안에 나섰다. 그러나 뒤이어 소련군이 진주하자 흰 완장은 붉은 완장으로 변하고 공산당 활동이 시작되면서 교회에 대한 탄압이 강화되었다. 교회에서 청년회 일을 보고 주간신문의 편집을 맡았던 유현목은 1946년 3월에 청년회 3총사인 세 친구와 함께 자유를 찾아 월남하였다. 그는 목사가 되기를 바라는 어머니의 간절한 소원과 함께 성경책을 숨겨 가지고 38선을 넘었다. 그러나 월남해서 두 번이나 입학시험을 치른 신학교에의 진학은 좌절되고 말았다. 아무튼 여러 가지 사연으로 인해 유현목은 동국대학교 국문학과에 입학했다. 관북기숙사에서 지내게 된 그는 이 무렵 국문학보다 영화예술에 심취[12]하게 된다.

유현목에게 결정적인 영향과 계기를 준 것은 프랑스영화 〈죄와 벌〉이었다. 피에르 셰널이 감독하고 명배우 피에르 블랑카, 아리 보르, 마들렌 오제레이가 주연한 도스토옙스키 원작의 이 흑백영화는 유현목의 심혼을 완전히 사로잡고 말았다. 같은 영화를 매일 본 그는 열세 번인가를 보고 나서 드디어 자기 운명의 길을 영화예술로 선택하였다. 특히 대학생 라스콜리코프가 전당포 노파를 살해하고 죄와 양심의 갈등으로 고민하는 내면적인 연기는 그에게 깊은 공명을 불러일으켰다. 그날부터 유현목은 국립도서관과 영화관에 파묻혔다. 영화이론을 공부하고 영화를 몇 번씩이나 보며 영화의 비밀을 터득하기 위해 주력했다. 그리고 한편으로 동국대학에 영화서클 '영화예술연구회'를 조직하고 〈해풍〉이라는 영화를 만들었다. 1947년 당시만 해도 학생이 영화를 만든다는 것은 생각할 수도 없는 일이었다. 그러나 특유의 끈질긴 설득 끝에 학교 당국을 설득한 그는 김기림 시인을 지도교수로 하여 그의 각본과 연출로 된 〈해풍〉을 완성[13]하였다.

6·25전쟁 직후의 폐허와 가난 속에서 한 가족의 파멸을 그린 〈오발탄〉처럼 인간의 숨김 없는 실존의 모습을 조명한 영화를 만들었고, 공산당에 의해 학살된 12명의 목사의 순교를 통해 하나님의 은총을 기다리는 믿음의 엄청난 시련을 증언한 〈순교자〉와 같은 심오한 영화를 만들었다. 또 민족의 분단과 대립을 놓고 이데올로기의 억압과 폭력을 거부하고 자유를 선택한 〈불꽃〉이나 그 인간적 화해를 제시한 〈장마〉와 같은 진지한 사상적인 영화도 연출했다. 그러면서 유현목은 "영화는 종교와 통한다"고 술회했다. 그것은 신 앞에 꿇어앉는 것과 같이 가장 순수하고 경건한 태도로 영화를 창조해야 한다는 뜻이다. 젊은 영화감독 시절 그는 도스

토엡스키를 좋아했고, 노경에 든 이후로는 스웨덴의 세계적인 영화작가 잉마르 베리만을 존경하는 인물[14]로 꼽았다.

2) 유현목 영화의 지향점

한국전쟁이 끝나고, 유현목 감독은 다시 현장에 나가 영화공부를 시작했다. 정창화 감독의 〈최후의 유혹〉(1953), 이규환 감독의 〈춘향전〉(1955) 등의 조감독으로 일하면서, 그는 시간이 날 때마다 극장에 가 영화들을 보며 꼼꼼히 기록하며 독학을 했다. 그는 점점 영화라는 예술에 빠져들었다. 그리고 1956년, 8년의 연출부 생활을 마치고 〈교차로〉(1956)라는 영화로 데뷔한다. 그가 영화계의 주목을 받은 것은 1957년 〈잃어버린 청춘〉(1957)에서부터였다. 가난한 전기수리공이 밤길에 쓰러져 있는 취객의 주머니를 털다가 깨어난 취객의 고함에 당황해서 자기도 모르게 찔러 죽이고 경찰에 쫓기는 과정을 그린 작품이다. 이 작품은 몇 가지 점에서 주목을 받았다. 첫째, 추적받는 전기공(최무룡)의 행동을 매우 객관적인 눈으로 묘사했고, 두 번째는 영화의 화면에 영상적인 미학이 뚜렷했고, 셋째는 주인공인 전기공과 그의 애인(이경희)의 관계, 즉 범죄와 구제라는 대립과 화해의 테마가 종교적인 깊이를 가지고 있었기 때문이다. 당시만 해도 '홍도야 우지마라'식의 신파미학이 판치던 한국영화계에서 별로 대사가 없는 행동을 치밀한 화면의 구도와 몽타주기법으로 추적한 영화는 거의 볼 수가 없었다.

유현목 감독의 명작을 꼽으라면 역시 이범선의 소설을 영상으로 옮긴 〈오발탄〉(1961)이다. 하지만 〈오발탄〉도 많은 우여곡절을 겪으며 세상에 소개되었다. 한국영화사의 걸작을 꼽은 각종 설문조사에서 언제나 1위의 자리에 오르는 〈오발탄〉은 아무런 희망도 없는 시대의 심장을 겨눈

직격탄이었다. 이 영화는 박정희의 군사 쿠데타 세력에 의해 상영이 정지되었고, 샌프란시스코영화제에 출품되면서 1963년에 재상영이 이루어진, '시대와의 불화'를 겪은 작품이었다. 재상영 때는 "이승만 정권하의 암울한 상황을 그렸다"는 자막을 넣어야만 했다. 군사정권이 이 영화를 극장에서 내린 이유는 세상을 부정적으로 그렸으며, 영화가 너무 '어둡다'는 이유 때문이었다.

영화 〈오발탄〉

유현목은 40여 년간의 영화감독생활을 통해 1996년까지 총 43편의 영화를 발표했다. 이러한 공로로 정부로부터 금관문화훈장을 받았다. 그의 영상세계는 몇 가지 흐름이 있다. 첫째, 인간의 생존과 존재의 문제를 다룬 작품경향이다. 이러한 경향의 작품으로 〈잃어버린 청춘〉·〈오발탄〉·〈잉여인간〉(1964) 등을 들 수 있다.

둘째, 신에 대한 믿음과 양심의 본질문제를 다룬 종교적 테마의 경향을 들 수 있다. 〈순교자〉(1965)·〈사람의 아들〉(1980)이 여기에 속한다. 김은국의 소설을 영화화한 〈순교자〉는 "신은 없다"는 대사가 문제가 되어 교회로부터 상영 저지를 당했고, 어느 목사는 "유현목은 사탄"이라며 비난을 퍼붓기도 했다.

셋째, 이데올로기와 진정한 자유의 문제를 다룬 경향의 작품으로 〈카인의 후예〉(1968)·〈나도 인간이 되련다〉(1969)·〈장마〉(1979) 등을 들 수가 있다. 1960년대는 유현목 감독에게 다산성의 시대였다. 26편의 영화

영화 〈카인의 후예〉

를 연출했고, 창작 시나리오가 아닌 유명한 소설을 영화화한 이른바 '문예영화' 중심이라는 비판도 있었지만, 일반적인 문예영화와는 달리 그의 작품엔 철학적 깊이가 있었다. 그는 인간의 실존에 대해 끊임없이 고민했고, 인간의 심리를 파고들었다. 초기작에선 사회적 이슈에 대해 다루었던 그의 영화는 이 시기에 점점 인간의 내면으로 들어갔다. 정신 없이 '발전'과 '개발'을 위해 달리던 시절, 그의 영화는 '영혼의 빈곤'을 이야기하고 있었으며, 현대사회에서 개인이 겪는 고독과 상실감을 이야기하고 있었던 것이다.

물론 이 밖에도 유현목의 작품으로는 남녀 간의 애정의 문제를 서정적으로 그린 〈아름다운 여인〉(1958), 〈아낌 없이 주련다〉(1963)가 있고, 젊은 세대의 시대적 고민을 그린 〈푸른별 아래 잠들게 하라〉(1965), 한국가정의 인습과 모순을 그린 〈김약국의 딸들〉(1963), 〈분례기〉(1971) 등도 연출했다.

또 동심의 세계의 아름다움과 슬픔을 그린 〈구름은 흘러도〉(1959)·〈수학여행〉(1969)·〈말미잘〉(1995), 그리고 탐미적인 영상미를 추구한 〈춘몽〉(1965)·〈한〉(1967)·〈속 恨〉(1968)과 민족사극 〈성웅 이순신〉(1962)·〈임꺽정〉(1961)과 풍자희극 〈인생차압〉(1968)·〈공처가3대〉(1967) 등도 만들었다.

한국현대사의 분수령인 1970년대도 유현목 감독에겐 꽤 왕성한 시기였다. 〈분례기〉·〈불꽃〉(1975), 〈문〉(1977), 〈장마〉(1979), 〈사람의 아들〉

(1980) 등이 대종상 시상식에서 작품상과 감독상을 수상했다. 신과 이데올로기와 인간에 대한 그의 문제의식은 끊임없이 지속되었고, 한국영화사의 암흑기로 일컬어지는 1970년대에도 그는 자신이 만들어야 할 영화를 꾸준하게 이어나갔다. 이후 유현목 감독은 〈상한 갈대〉(1984)와, 이젠 유작이 된 〈말미잘〉(1995)만을 내놓았고 40년 가까이 되는 감독 인생을 마감했다. 신상옥·김기영·김수용·이만희 등과 함께 한국영화의 황금기를 달렸던 그의 영화는, 흥행이나 예술보다는 '감독 스스로'에게 충실한 영화들이었다.

영화 〈김약국의 딸들〉

유현목은 자신의 영화에 대해 아쉬움을 토로하며 어느 인터뷰에서 다음과 같은 어록을 남겼다.

> 개인적으로 가장 힘들었던 건, 생계를 위해 영화를 만들어야 했던 것이다. 당시의 영화적 환경은 나에게 영화를 준비하고 촬영을 할 충분한 시간을 허락하지 않았다. 영화 작가로서의 자존심을 지키기 힘들었던 시대였다. 나는 〈오발탄〉·〈잉여인간〉·〈잃어버린 청춘〉(1957) 같은 어두운 영화를 만들고 싶었고, 매너리즘을 피하고 싶었다. 생계를 위해 싸구려 영화를 찍어야 했을 때, 나는 부끄러웠다. 나는 고집쟁이가 되고 싶었다. 나는 인간과 신에 대해 파고들고 싶었

고, 최인훈의 『광장』 같은 소설을 영화로 만들고 싶었지만 제작자들은 귀를 기울이지 않았다. 나는 잉마르 베리만을 존경했고 로베르 브레송의 영화 같은 작품을 만들고 싶었다. 피에르 파올로 파졸리니처럼 기이하고 색다른 아름다움을 표현하고 싶었다. 하지만 내가 원했던 건 상업적으로 어필하지 못했다. 한국에서 그런 영화에 누가 돈을 댔겠나. 나는 야심을 접고, 항상 제작자와 관객과 타협해야 했다. 내가 가장 한탄스러운 것은, 결국은 모든 것을 포기하고 절망과 단념에 빠졌다는 것이다.

3. 소설 『김약국의 딸들』과 영화 〈김약국의 딸들〉의 변별성

박경리의 원작을 시나리오로 변형시켜 영상으로 담은 시나리오 작가는 유한철이다. 영화는 여러 가지 점에서 원작 소설과 차이를 보인다. 이러한 점에는 아무래도 감독의 의중과 세계관이 담겨 있을 것이다. 원작에는 작가 박경리의 문학관과 세계관이 담겨 있다. 박경리는 소설의 본질에 대해 인간과 삶의 존재 가치, 즉 삶의 탐구에 있다고 생각했다. 박경리는 "문학은 삶 자체, 알 수 없는 생명이 삶이라는 현장에 나타났다가 알 수 없는 삶을 겪으며 사라지는 바로 그 과정의 탐구가 아닐까요? 삶 자체에 깊이 칼질하여 뭔가를 도려내려는 행위인 것입니다"[15]라고 말했다. 즉 삶을 떠난 문학은 존재할 수가 없다고 설명하고 있다. 그래서 그는 상품의 기능을 중시하는 자본주의 시장경제의 토대인 오락성에 대해 비판적인 태도를 견지했다. 그는 줄거리 중심의 소설에 대해 비판을 했다. 줄거리 중심 소설에서는 이야기 줄거리 자체에 대한 흥미 때문에 줄거리를 형성하는 사물에 대한 인식이나 근본적 인간 탐구에 대한 관심이 소홀해진다는 것이다.

문제는 삶의 본질이 불확실하다는 데에 있다. 아무도 삶의 본질에 대해 명확한 답을 줄 수가 없는 것이다.

> 확실한 것은 없습니다. 근원적으로 확실한 것은 없습니다. 확실한 것을 향해서 그 확실한 것에 도달하였다면 종교와 철학, 사상과 문학도 종지부를 찍어야 할 것입니다.[16]

삶은 변화하는 것이며, 세계도 변화한다. 소설은 그렇게 변화하는 세계 속에서 변화하는 삶을 그리는 문학양식이라는 것이다. 작가는 말한다. "어떠한 경우에도 이론이란 만들어진 그 순간부터 정체상태로 들어가는 것이며 진행은 그 반대의 개념입니다."[17] 세계와 삶이 변화하는데, 세계와 삶을 그리는 소설이 변화하지 않을 수 없다는 입장을 취한다. 결국 소설이란 변화하는 세계 속에서 불확실한 삶을 불특정한 방식으로 반영하는 문학양식이라는 것이다.

박경리의 또 하나의 문학관은 고통의 글쓰기를 부단 없이 추구하는 것이다. 작가 박경리에게 글쓰기는 참으로 고통스러운 작업이다. 그는 자신의 육신과 현실과의 싸움의 결판장이 작품이 아닐까 자문하며, 분노와 불안 그리고 고통이 자신의 창작 활력소였음을 털어놓는다. 그것은 인간적으로 지극히 불행한 것인 동시에 자신의 생존을 가능하게 하는 모순적인 힘이기도 하다. 그는 작품이 한 작가의 정신적 소산이라는 것을 받아들인다. 하지만 그것이 완성된 인격의 소산이라고는 생각하지 않는다. 어딘지 모자라는 면이 있고, 그로 인하여 끊임없이 고통받고, 모순에 사로잡히며, 어떤 규율에서 벗어나고자 몸부림치는 불완전 상태 속에서 작품이 탄생한다는 것이다.

작가는 끝없는 시간과 공간의 벌판에서 도저히 알 수 없는 삶의 모순을 이야기하는 사람이며, 그것을 안다고 이야기하는 것이 아니라 모른다고 이야기하는 사람이다. 우리가 알고 있는 것은 다만 현재의 삶의 방식이며 상황이며 형상일 뿐이다. 따라서 삶의 본질에 대해서 알지 못하며 그것에 대해 끝없는 물음을 던지는 것이 작가[18]라고 본다. 문학이 고통의 산물임을 반복적으로 강조하는 박경리의 논의는 이론이나 수사이기보다는 체험이며 현실이다. "훌륭한 작가가 되느니보다 차라리 인간으로서 행복하고 싶다"는 표현은 고통의 글쓰기의 한 단면을 드러낸다. 작가가 겪는 고통은 곧 외로움과도 통한다. 그 고통은 오직 작품으로 환원될 뿐 누구와 함께 나눌 수 있는 것이 아니기 때문이다. 작가가 감당해야 할 고통과 외로움은 인간과 인간의 관계로만 끝나지 않는다. 정작 작가가 느끼는 가장 큰 고통과 외로움은 인간과 언어와의 관계에 있다. 언어란 사물에서만 유리되어 있는 것이 아니라 작가 자신으로부터도 유리되어 있다. 사물도 자신도 표현할 수 없는 언어를 가지고 고통과 외로움을 벗어나기란 쉽지 않다. 언어와 사물과의 거리, 언어와 인간과의 거리는 곧 언어와 진실과의 거리[19]이기도 하다.

> 외로움이란 이쪽에서 저쪽으로 걸쳐주는 언어 그 자체가 지닌 불확실성 때문이 아닐까요? 그 불확실성을 극복하기 위해 우리는 오늘도 글을 쓰고 있는 것입니다.[20]

언어가 지닌 불확실성은 인간에게 더욱더 외로움을 느끼게 한다. 하지만 그런 한계에도 불구하고 언어는 인간이 지닌 가장 유용한 의사전달 수단이다. 말이 아무리 어눌해도 그것은 삶의 형태로 나타나기 때문이다. 다른 매체에 의한 전달은 평면적 전달이라는 더욱 큰 한계를 지닌다. 화면이 아무리 사실 전달에 효과적이라 할지라도, 그것은 보이는 것만 전달한다. 언어는 그래도 탑과 같이 쌓아올릴 수 있는 전달 수단이다. 언어는 대상의 숨어 있는 생명력을 전달[21]할 수도 있다.

고통과 외로움의 삶의 총체성을 언어로 절묘하게 설파한 작품이 박경리[22]의 장편소설『김약국의 딸들』이다. 원작 소설과 영화는 몇 가지 점에서 커다란 차이를 보인다. 첫째, 인물설정에서 큰 변별성을 보인다. 용란이 원작에서는 미치광이로 남고 죽지는 않지만, 영화에서는 바다에 빠져 죽는 것으로 설정된다. 그의 동생 용옥은 어머니 한실댁의 성격과 마찬가지로 가부장제에 순종하고 한 남편의 아내로서의 기본 절제력을 존중하는 것으로 그려지지만, 시아버지의 성추행을 뿌리치고 남편 서기두를 찾아 부산까지 갔다가 통영으로 돌아오는 길에 배가 침몰하여 죽는 것으로 처리된다. 그러나 영화에서는 시아버지의 강간 시도를 뿌리치지만 결말에서 남편 서기두 옆에 서 있는 것으로 설정함으로써 전통적 가부장제를 내면화하는 것으로 묘사된다.

소설에서 용란에 대한 금단의 사랑에 집착하는 것으로 형상화된 서기두는 김약국과 마찬가지로 성격적으로 운명론적 세계와 관련을 맺는 것으로 파악되었다. 영화에서는 서기두의 용란에 대한 금단의 사랑 또한 부각되어 드러나지 않는다. 영화의 서두에서 서기두는 자신과 용란을 맺어주려 하는 김약국의 혼담을 기쁘게 받아들이지만, 용란이 연학과 결혼한 이후 그가 용란과 접촉하는 장면은 전혀 나타나지 않는다. 한실댁의 죽음에 대한 직접적인 원인을 제공하는 용란은 소설과 영화 모두에서 운명론적 샤머니즘의 지배를 받는 인물로 분류해볼 수 있다. 용란과의 결혼에 좌절한 서기두는 남해환의 실종과 어장의 실패로 김약국이 경제적으로 파산하자, 용옥과 결혼할 결심을 굳힌다. 소설에서는 서기두가 용옥과 결혼할 결심을 한 이면에 용란에 대한 미련이 잠재되어 있음을 암시하고 있는데, 영화에서 서기두가 용옥과 결혼할 결심을 굳히는 장면은 이와 차별되어 주목된다. 그는 김약국의 경제적 파산을 목도한 이후, 김약국 집안의 기둥이 되어야겠다는 생각으로 용옥과의 결혼을 결심한 것이다. 여기에서 경제적 파산을 극복하고자 하는 서기두의 결심을 읽을 수 있다.[23]

둘째, 흔히 비평계에서 많이 거론되듯이 원작의 표제와 달리 소설이나 영화에서나 김약국의 존재가치는 미미하다. 오히려 다섯 딸들의 몰락과정을 방조하는 역할만 묵묵히 수행할 뿐이다. 고루하고 전통적인 가부장제의 유습을 이어받은 김약국 김성수는 일제 치하의 암울한 현실 속이기는 하지만 민중 속에서 변화하는 근대적 가치에 대한 흐름을 간과하고 애써 외면한다. 여전히 조선조처럼 딸들의 혼사를 아내 한실댁하고도 상의하지 않고 독단적으로 결정한다. 항상 시대의 흐름과는 역주행을 하는 인물이 김약국이라는 이름의 아버지의 존재이다. 김성수의 역주행의 행동을 몇 가지만 나열한다면, 부친 김봉룡과 어머니 숙정의 아픔과 상처가 고스란히 남아 있는 괴기스러운 고가를 개보수하여 이사를 가는 점이 "비상 묵은 자손은 지리지(번식하지) 않는다"는 속설을 계승하는 계기가 된다. 즉 운명론적 세계관을 그대로 이어받게 됨으로써 샤먼적인 속성을 벗어나지 못한다. 또 김약국은 생모의 죽음이라는 비극을 낳은 금기의 사랑을 그 스스로 재현한다. 물론 작가가 이러한 점을 부각시킨 것은 아버지 김봉룡에 대한 그리움을 묘사하기 위한 장치일 것이다.

원작 『김약국의 딸들』에서 김성수는 사촌누이 연순을 향한 근친상간적 사랑을 구체화한다. 봉룡을 닮은 연순의 노랑머리카락에 대한 김성수의 집착은 막내딸 용혜에게로 옮겨간다. 뇌점병으로 요절한 연순을 향한 근친적 사랑은 '노오란 머리칼'을 가진 용혜를 향한 김약국의 지극한 사랑으로 전이[24]된다. 이러한 연순과 용혜 에피소드를 통해 김성수는 부친대의 비극적 상황을 후대에까지 연결되도록 하는 복선으로 작용한다. 김성수가 일제가 들고 들어온 근대적 가치지향이라는 위선적 장치와 부화뇌동하기 위해 한약방을 정리하고 어장을 운영하는 것 자체가 겉으로는 근대적 가치 표방이고 미래로의 진보로 해석될 수도 있는 부분이지만, 다르게 보면 반민족적 행태로 읽힐 수도 있다. 따라서 선대와 마찬가지로 가족과 더불어 몰락할 수밖에 없는 것이다. 김성수는 딸들의 미래와 운명을 결정지을 수 있는 혼인에 대해 역주행을 거듭한다. 용빈을 고리대금업자이며 친일파인 정국주의 아들 정홍섭과 내심 결혼하도록 용빈에게 무언의 압력을 가한다. 머슴 한돌과 정을 통하는 용란을 자신의 어장 운영을 사실상 주도적으로 이끄는 서기두에게 맡기려는 언질도 역주행적인 행태이다. 용란을 어릴 때부터 속으로 짝사랑했던 서기두의 마음과 상관없이 결국 넷째딸 용옥과 혼인을 하라고 결정하는 것도 시대 흐름을 거스르는 대표적인 역주행적인 행동이다. 시대의 흐름을 거스르는 전통적 가치의 상징인 김약국은 딸들의 몰락으로 인한 집안의 파산과 더불어 고기가 잡히지 않는 현실에서 무리하게 정국주에게 집안 땅문서를 담보로 고리대 돈을 차입하여 남해환 등 2척의 기관선을 구입하는 데에 이른다. 남해환이 제주도 인근으로 출어를 나갔다가 태풍으로 파선, 실종하자 경제적 파산까지 겸하게 되어 돌이킬 수 없는 대파멸을 한다. 원작이나 영화나 경영인으로서의 김약국에 대한 묘사는 청중 입장에서 이해가 되지 않는다. 김약국은 중차대한 어장일은 서기두에게 맡겨놓고 자신은 고리대금업자 정국주가 천거한 기생 소청이나 만나고 있으며, 오히려 가정일에 있어서는 부인 한실댁에게 맡겨놓지 않고 딸들의 혼사문제까지 모두 자신이 독단적으로 결정한다. 김약국은 우유부단한 전형적인 인물인 동시에 가치혼란의 대명사적인 인물로 성격이 묘사되고 있다.

영화에서도 김약국의 성격은 크게 변화하지 않는 것으로 묘사된다. 다만 변별성은 원작소설에서는 김약국이 위암으로 사망하는 것으로 그려지는 데 반해 영화에서는 라스트신에 등장하여 롱쇼트로 상당한 시간 동안 조명된다는 점이다. 그 장면은 용빈과 강극에 의해 비극적인 상황이 어느 정도 종결되고 새로운 희망적 조망을 내놓기 위한 장치라고 볼 수 있다.

셋째, 원작소설과 영화는 용빈의 성격묘사를 하는 가운데 상당한 차이점을 보여준다. 박경리 소설의 한 특징을 보여주는 인물이 둘째 딸 용빈이다. 박경리의 장편에는 자연적인 속성을 보여주는 본능과 욕망에 충실한 인물이 반드시 등장하는 반면, 그 반대편에 지식인 계층의 엘리트 인물이 자리잡고 있어 균형을 이룬다. 물론 일제 강점기를 배경으로 하는 관계로 후자는 전자에 비해 성격이 미약하게 그려지는 것이 상투적인 특성이다. 민족적인 성격을 내세우되 작품의 표면에서 잠복되어버리게 묘사하는 것이다. 또 한 요인은 지식인은 이데올로기를 앞세우게 되므로 그렇게 되면 당연히 작품의 전반적 분위기가 무거워질 수밖에 없다. 그에 비례해 작품의 흥미도와 대중성은 취약해지기 마련이다. 이러한 요인으로 인해 원작『김약국의 딸들』에서도 작가 박경리는 서울에 유학을 가 있는 비중 있는 둘째 딸 용빈의 역할을 중간적인 균형 유지의 차원에서만 자리 잡게 한다. 오히려 자연적이고 충동적인 보조인물 셋째 딸 용란을 서사구조의 중심인물로 묘사하고 있다. 전통과 근대가 충돌하는 윤리, 도덕의 경계 선상을 넘나드는 인물인 용란에게 작가는 많은 애정을 두고 있다. 이러한 점은 작가의 생전의 인터뷰에서도 용란의 비중에 대해 언급한 적이 있다. 용빈은 지식인의 전반적인 성격을 그대로 간직하고 있다. 어떤 행동에 대해 너무 많은 생각과 번민을 하고 실제 행동을 하지 못하는 경향을 보여준다. 결국 우유부단으로 인해 중요한 것을 선택하는 데 실기를 하고 결국은 그것을 잃어버리게 된다. 용빈이 정국주의 아들 정홍섭과 여자친구를 넘어서서 연인의 단계에 접어들지만 결국 많은 생각을 하다가 다른 여자에게 남자친구를 빼앗겨버린다.

"아까 길에서 태윤일 만났지."
"뭐라구 했어?"
"아무말 안하더군. 그 사람 언제나 내게 적의를 품고 있으니까."
홍섭은 적의라 하지만 실상 태윤은 홍섭을 멸시하고 있었다. 그것을 용빈은 알고 있다. 태윤의 말로는 홍섭이 소심한 사나이요, 의지가 박약한 사나이요, 거기 반비례로 야심이 강한 사나이라는 것이다. 그래서 배신형을 면치 못할 위인이라는 것이다.
"오빠는 괜히 그러셔. 그분 아버지에 대한 선입감이어요. 그인 나이브한 사람입니다."
용빈이 항의했을 때 "나이브한 것만은 사실이다. 나쁜 뜻에서 말야. 게다가 품행이 방정한 예수쟁이의 전형을 갖다 붙였으니 안바란스지 뭐야. 충분히 교활하거든."
그 말에 대하여 용빈은 공명도 반발도 하지 않았다. 그는 누가 뭐라건 홍섭을 사랑했던 것이다.
"서울서 오니까 혼인 말을 아버지가 하시더군."
홍섭은 전지를 만지작거리며 말하였다.
"나도 아버지한테 그런 말 들었어."[25]

사촌오빠인 김태윤을 통해서 바라본 정홍섭의 성격에 대한 품평이다. 물론 홍섭에 대한 이러한 인물평은 작가 박경리의 시각이 담겨 있다. 홍섭은 결국 용빈을 배신할 것이라는 복선의 설정이다.

작가는 당사자인 용빈과 홍섭의 대화를 통해서도 홍섭의 배신에 대해 구체적으로 언급하고 있다. 이러한 갈등과 엇갈리는 운명의 묘사는 작품의 통속성을 강화시키면서 독자들의 충성도를 높이는 계기가 된다. 이러한 갈등은 애초부터 작가가 기획단계부터 염두에 두고 있던 스토리텔링이다. 왜냐하면 작가가 중점을 두고 있는 것은 가부장제의 존속 아래서는 김약국의 딸들의 몰락은 필연적으로 보고 있기 때문이다. 작가 박경리가 묘사하고 싶은 것은 전통적 가치 속에서 궤도 이탈을 하는 인물의 줄타기를 그리려는 것이다. 따라서 용빈이 같은 지식인 계층인 홍섭과 쉽게 맺어지는 것은 큰 의미가 없다. 유학까지 간 지식인 계층의 여성도 전통적인 인습과 제도에 어느 정도 타협할 수밖에 없는 당대의 시대 현실을 묘사하고 싶은 것이 작가 박경리다. 통영에서 가장 앞서나가는 지식인 계층인 용빈마저도 능동적이고 주체적인 선택을 망설일 수밖에 없는 현실이 1930년대 식민지 치하의 여성들에게 가로놓여 있었기 때문이다. 개성 있는 인물인 용빈도 망가뜨리려는 것이 작가의 의도이다.

"우리는 형제 같은, 말하자면 깨끗한 이 상태를 그냥 아주 영원히 지속시킬 수는 없을까? 그게 피차간에 현명한…"

"호호호…"

홍섭은 움찔한다.

"호호호, 홍섭이 참! 당신은 나이브한 사나이군."

용빈은 연방 웃는다.

"그런 정도로 자신을 합리화시킬 수 있을 것 같아요? 그런 어수룩한 거짓말!"

"…"

무서운 침묵이 오래 계속되었다.

(…)

"왜 좀 더 솔직할 수 없을까? 뻔히 알고 있는 일을. 하기는 뻔히 알아버린 일을 다시 확인하려고 나온 내 자신도 우습지만 말이야."

"…"

"낮에 만난 그 마리아 양하고 결혼하니? 그리고 미국 가게 되나? 그의 아버지가 도와준다는 거지?"
"누, 누가 미국 간다고 그랬어?"
"너의 아버지가."
"…"
"축복해주는 것이 이별을 아름답게 하는 것, 나도 그건 알아. 그렇지만 난 널 미워하겠다. 오래가지는 않을 거야. 미움이 말이야."
용빈은 일어섰다. 긴 두 팔이 축 늘어져 있었다.[26]

영화에서도 용빈의 성격은 크게 변하지 않는다. 그러나 원작소설에서 용빈은 홍섭과의 혼인이 무산되고 기관선 남해환의 파선, 실종으로 집안이 경제적으로 몰락하자 고향인 통영을 떠나는 것으로 묘사된다. 그러나 영화에서 용빈은 태윤과 함께 귀국하는 강극을 만나고 함께 통영으로 귀환하는 것으로 그려진다. 즉 원작소설에서는 용빈을 통해 비극적인 결말 처리를 하고 있지만 영화에서는 용빈과 강극의 결혼설정으로 희망적인 해피엔딩으로 막을 내리는 것이 큰 차이점이다. 어머니와 자매들의 비극을 가슴에 새긴 용빈이 어린 막냇동생 용혜를 데리고 아버지의 땅인 통영을 떠나는 결말은 원작 『김약국의 딸들』에서 낭만과 혁명의 아이러니에도 불구하고 낭만과 혁명을 포기하지 않음을 시사한다. 반면 영화 〈김약국의 딸들〉에서 용빈은 강극과 결혼하여 아버지의 곁에, 아버지의 땅 통영에 남기로 함으로써 원작에서 구축한 낭만과 혁명의 정신을 지우고 봉건적 근대로 회귀한다. '봉건적 근대'란 모순어법이 될 수도 있겠으나 1960년대의 시대적·사회적 상황을 생각해본다면 이해가 가능하다. 이는 '가부장을 중심으로 뭉쳐서 잘 살아보자는 개발독재의 당위성'과도 연결된다. 의도적으로 원작을 변형한 영화의 결말에서 고기가 다시 잡히기 시작했다고 외치는 어부의 들뜬 목소리와 안도하는 용빈의 표정을 한 화면에 담은 신을 '해피엔딩'으로 명명할 수 있다면 숙명론적인 봉건성과 가부장적 근대성이 얼기설기 만들어 낸 억지 해피엔딩[27]이라고 할 수 있다.

영화에서 유현목 감독은 클라이맥스와 대단원의 결말에서 '가마귀'의 음향효과를 적극적으로 활용한다. 가마귀의 울음소리는 3~4차례 등장한다. 가마귀가 등장할 때 남해환 사건으로 아버지를 잃은 소년과 할머니 노파가 함께 등장한다. 소년은 하늘을 향해 고개를 들고, "가마구야, 가마구야, 우리 집에 오이라, 가마구야, 가마구야, 우리 집에 돈 좀 갖다 주라"라고 외치다 '부시'에 빠지고, 용옥은 부시에 빠진 소년을 위해 돈을 남겨두고 친정으로 행한다. 영화 결말에서 이 소년의 할머니가 배에 물이 드는 것을 바가지로 푸는 장면이 등장하고 그 시퀀스를 바라보는 강극이 상징적 표현을 통해 통영을 떠나려는 용빈에게 다음과 같이 말을 건넨다.

> 아버지가 돌아가시면, 전, 멀리 떠나버리겠어요.
>
> 비극이군요. 보세요. 저기. 저 물 푸는 노파를 보세요. 저 노파가 물 푸는 고역이 싫다고 바가지를 내던져버릴 수 있을까요? 물을 퍼야죠. 안 푸면 배는 가라앉고 생명은 죽은 것입니다. 인간이 사는 곳에, 어디 비극이 없는 곳이 있을까요? 미칠 것만 같은 슬픔과 괴로움을 삼키며 극복을 했을 때, 비로소 인간은 비극을 짓밟고 살 수가 있는 거죠.
>
> – 영화 〈김약국의 딸들〉, 에필로그

태윤과 헤어진 후 용빈과 통영으로 돌아오는 강극이 배에서 물을 푸는 노파를 보고 용빈과 주고받는 대사이다. 김은경은 이채원과 달리 여기에는 극복의 의지가 선연히 드러난다고 보았다. 이는 소설에서 용빈으로부터 김약국가의 이야기를 들은 강극이 비극을 인간의 보편적 삶의 양태로서 냉정하게 이야기한 것과 크게 차별화된다. 이 장면에서 강극과 용빈이 바라보는 노파와 소년은 앞의 시퀀스에서 용옥이 만난 인물들로서, 이들이 배에서 물을 푸는 장면은 영화의 에필로그를 이룬다. 노파가 배에서 물을 푸는 장면은 죽은 사람은 어쩔 수 없고 그래도 살아 있는 사람은 슬픔을 딛고 일어나 일상적 삶으로 돌아가야 하는 것이 자연적 순리라는 메시지를 전해준다.

영화는 한실댁과 용란의 죽음으로 운명론적 세계와 소멸을 드러내는 한편, 김약국 가문이 경제적으로 회복될 것임을 예견토록 함으로써 사실주의적 세계의 플롯을 해피엔딩으로 마감하고 있는 것이다. 이러한 영화의 결말은 '리얼리즘 영화 작가'로 평가되는 유현목 감독의 작품세계와 관련을 맺으며, 영화가 제작된 1960년의 현실을 반영한 것으로 보인다.[28]

제2장

추악하고 모순된 사회에 던진 순정미학

── 소설 『우리들의 행복한 시간』과 영화의 소통방법

1. 1990년대 시대상황과 공지영의 『우리들의 행복한 시간』

1990년대는 문민정부의 등장과 함께 새로운 문을 열었다. 1993년의 문민정부인 김영삼 정부의 등장은 많은 변화를 가져왔다. 특히 취임 초기 개혁의 강력한 추진으로 과거 제6공화국과의 차별화와 문민정부의 새로운 이미지를 구축하기 위해 매진하였으므로 신선한 흐름이 정·재계에 흘러넘치고 있었다.

제6공화국의 군사정부와의 차별화는 대학운동권에는 많은 충격을 안겨주었다. 운동권은 안밖으로 정체성의 위기에 빠졌다. 밖으로는 80년대 말의 구소련의 붕괴와 동구권의 몰락으로 이데올로기의 메카를 잃어버리고 말았다. 또 안으로는 문민정부 등장 후의 개혁의 실천으로 비판의 대상을 잠시나마 찾을 수 없게 됨에 따라 일시적인 위축을 가져왔다. 80년대의 군사독재를 무너뜨리는 데 혁혁한 공로를 세운 운동권이 어떻

영화 〈우리들의 행복한 시간〉

게 보면 자기 정체성의 위기에 빠져들었다고 할 수 있다. 또 하나 이러한 시대분위기에 편승하여 미국에서 유입된 포스트모더니즘의 예술사조도 변화에 많은 일조를 하게 되었다.

자기 정체성에 대한 위기에 빠진 운동권은 그 대안으로 우리 사회를 논쟁에 빠뜨린 주체사상을 추종하는 양상을 보이게 된다. 한총련에 속해 있는 전국대학의 총학생회의 60%가 주사파라는 것이 당시 검찰의 판단이었다. 주체사상의 핵심은 인간이 모든 것의 주인이라는 세계관, 인류 역사는 인간의 자주성을 실현하는 역사라는 인식, 인민대중의 자주성은 위대한 수령의 영도하에 이루어져야 한다는 수령관으로 되어 있다. 이는 많은 자체 모순을 안고 있지만 널리 대중적으로 퍼져나가게 된 이유는 민족주체성을 표면적으로 내세우는 까닭 때문이다. 다른 각도에서 보면 대학운동권이 많은 해독을 끼치는 주체사상에 빠져들게 된 것은 구소련을 비롯한 동구권의 변혁 후에 갈 길을 잃고 자기 정체성의 위기에 접어들었기 때문이기도 하다.

이러한 90년대 초의 사회현상은 문학 속에 그대로 수용되어 나타난다. 그중에서도 사회현상을 객관적으로 다루기 좋은 소설문학에 생동감 있게 반영되어 나타나고 있다. 특히 리얼리즘계의 작품에 이러한 80년대 말의 혁명적 낭만주의 기운과 낙관적 사고들이 지배했었으나 그들이 비판하는 군사독재와 야합한 문민정부의 등장으로 그들이 방향타를 잃어버리게 되는 과정이 비교적 상세하게 다루어지고 있다. 또 상실의 분위기 속에서 사회현상과 역사를 정확히 기록해놓아야 한다는 사명감에서 소설작품으로의 형상화가 활발하게 이루어지기도 했다.

한편 문단의 또 한 주류는 미국 등을 통해 유입된 포스트모더니즘의 기법과 방법을 실천적으로 도입하는 데 몰두하고 있었다. 대중문화를 어느 정도 예찬하고 탈이데올로기와 탈모럴을 주장하는 입장에 서 있는 포스트모더니즘의 추종자들은 이데올로기와 사회변혁에 관심이 많으며 인간의 진지한 삶에 무게를 두는 앞서의 리얼리스트들과 이즘에서 충돌할 수밖에 없게 된다. 90년대의 문화계는 이러한 양집단의 대결장이었다 해도 과언이 아니다. 초기에는 포스트모더니즘의 새로운 도입에 따른 신사조에 기우는 독자층의 움직임에 따라 이쪽 유파가 대세를 이루는 듯한 양상을 보였으나 활발한 이론 소개에 비해 실제 창작활동이 뒤따라 주지 못한 관계로 90년대 중반에 들어서면서 주춤한 양상을 보이고 오히려 70~80년대를 주도한 리얼리즘계열의 작품들이 위기의식 속에 활발하게 재등장함으로써 균형을 유지하는 가운데 약간 밀리는 양상을 보여주었다. 또 하나 풍요롭고 다양한 삶을 반영하는 양상으로 실존적 사고를 보여주는 작품과 여성해방의 페미니즘을 추구하는 작품들도 상당히 많이 창작되었다.

이러한 사회현실은 1990년대 문학에 소롯하게 스며들었다. 특히 서사 구조를 취하고 있는 소설문학에서는 다양한 시대정신이 진실되게 반영될 수밖에 없었다. 「경마장 가는 길」·「내가 누구인지 말할 수 있는 자는 누구인가」 등의 자아상실의 표상, 「완전한 만남」·「풋사랑」·「고등어」 등의 현실체험에 바탕을 둔 서사구조, 「화두」·「풍금이 있던 자리」 등의 실존적 성찰의 형상화, 「나는 소망한다, 내게 금지된 것을」·「오지리에 두고 온 서른 살」 등의 여성의식에 대한 새로운 인식 등이 실험적으로 시도되었다.

공지영은 단편 「동트는 새벽」을 창비에 내놓으며 문단에 데뷔한 이후 장편 『무소의 뿔처럼 혼자서 가라』·「고등어」와 창작집 『인간에 대한 예의』를 펴냈다. 소위 '후일담 문학'을 들고 나오면서 신선한 충격을 던져주었던 공지영은 21세기 밀레니엄시대까지 가장 핫한 작가로 평가받고 있다. 중단편집 『인간에 대한 예의』에는 80년대의 상실과 배신의 시대에 희생된 계층의 아픔과 자기 정체성을 찾기 위해 몰두하는 치열한 삶에의 자세 등이 잘 드러나고 있다. 중편 「꿈」은 영화감독 김 감독과 작곡가 박과 소설가 '나'가 낚시를 하면서 주고받은 대화를 중심으로 세 사람의 공통점인 예술을 향한 신념과 치열한 정신에 관한 상상력을 기술해놓은 작품이다. 제작자 때문에 영화를 찍지 못하는 감독도 아니고, 인기가수 때문에 녹음이 밀리는 작곡자도 아닌 80년대의 긴 터널을 지나 길을 찾지 못하고 있는 '나'의 방황을 묘사함을 통해 90년대의 문학이 나아갈 방향에 대한 시사를 던져주고 있다. 「인간에 대한 예의」는 여성잡지 기자인 '나'가 데스크의 요청으로 출세한 화가이면서 인도를 맨발로 방랑하고 아프리카 스케치여행을 하고 돌아온 독특한 체험의 이민자와 70년대 유신정권을 군사독재정권이라고 규정하여 노동자·농민을 정부를 전복할 주요세력으로 보고 폭력혁명을 꾀한 공산세력의 찬동세력이라는 죄목으로 무기징역을 받고 20대에 시작한 감옥생활을 50대에 마치고 출옥한 권오규라는 인물을 취재하는 내용이다. 주인공이 이달호에 누구를 넣을 것인가를 생각하면서 80년대의 운동권의 투쟁상을 사실적으로 묘사한 작품이다. 시대와 역사와 인간에 대한 예의를 지켰던 인물이 누구인가를 떠올리는 화자의 입장표명을 통해 작가 공지영의 리얼리즘적 사고를 분명하게 드러낸 작품이다. 「무엇을 할 것인가」는 3인칭 관찰자시점의 '그 여자'인 정화가 80년대 운동권의 학습모임과 투쟁활동에 참여하면서 조직원으로서 겪었던 체험을 서술해놓은 작품이다. 대학원을 중퇴하고 노동운동에 뛰어들었던 그녀지만 교육 중에 김정석이라는 가명의 운동권선배에게 조직의 후배로서의 감정이 아닌 진실된 인간으로서의 감정인 연민의 정을 느꼈다가 조직으로부터 격리되는 동시에 재교육을 받게 되고 결국 조직을 이탈하는 과정을 밟는다. 물론 김정석은 같은 조직원으로서 1983년의 사복경찰의 여학생 강간사건에 항의하여 도서관 유리창에 매달려 유인물을 뿌리다 사복경찰에 쫓겨 건물 아래로 떨어져 반신불수가 된 선배와 이미 연인관계에 있었다. 1986년의 현실에서 자신에게 삶의 빛이었던 김선배가 폐결핵으로 고향으로 내려가 골프 용구점의 점원이 되어 있고 휠체어에 앉아 뜨게질을 하던 여선배와 결혼하게 된다는 소식과 13년이나 감옥에 있다 출옥한 노선배가 후배에게 저녁을 사줄 돈이 없어 자리에서 먼저 일어나는 현실을 보고 작중화자인 '나'는 자괴감에 빠지게 된다는 스토리로 80년대의 반독재투쟁의 영웅들이 설 자리가 없게 된 현실에 대한 안타까움의 표현과 그러한 현실 속에서도 역사에 대한 기록만은 분명하게 남겨두겠다는 작가의 신념이 드러나고 있다.

공지영의 장편 『고등어』는 80년대를 치열하게 살아간 불꽃들의 이야기이다. 하지만 세상이 바뀌고 모든 이들의 마음이 새로운 환경과 풍요 속에 묻혀버릴 때 보상받을 수 없는 과거의 상처로 인해, 다시 말하면, 상실감과 그리움으로 인해 제대로 미래지향적인 삶을 살아갈 수 없는 이들의 인생기록이기도 하다. 이 소설의 첫 장의 제목이 '희미한 옛사랑의 그림자'로 되어 있고, 마지막 장이 '절망이라는 이름의 희망'이라고 잡혀 있는 데에서 독자들은 90년대가 주는 30세가 조금 넘은 사람들의 회한과 추억의 의미, 즉 피의 냄새가 사라져버린 센티멘털리즘의 쓰디쓰면서도 달짝지근한 맛을 맛보게 되는 것이다. 이 소설의 기본 줄거리는 개화기 때나 있을 법한 신파조의 3류 멜로물의 소재로 이어가고 있다. 하지만 우리가 이 작품을 가볍게 읽어갈 수 없는 이유는 우리 역사의 공간에서 잊힐 수 없는 80년대의 군부독재와의 힘겨운 싸움에서 놀랍게도 버티어왔던 영웅들의 이야기이기 때문이다. 소설의 주인공인 김명우는 20대에 운동권에서 활동하던 중 노은림을 만난다. 그녀는 모두 버거운 상대로 꺼리는 정봉출 사장의 봉림전자에 자원하여 취업할 정도로 강하고 용기 있는 조직원이다. 그녀는 명우가 아끼는 후배 건섭과 명우와의 상처 때문에 사랑하지도 않으면서 결혼한다. 명우는 운동 때문에 은림과의 사랑을 냉정하게 버렸던 경험이 있다. 27세 명우는 26세의 유부녀 은림이 건섭과 이혼하고 자신과 새출발하겠다는 제안을, 마음속으로 그녀를 사랑하면서도, 거절한다. 세월이 흘러 자신이 가르쳤던 해고 노동자인 연숙과 결혼했다가 사랑이 바탕되지 않았다고 생각하여 이혼한 명우를 노은림이 7년 만에 다시 우연히 방문하여 옛사랑의 아픔을 되살아나게 한다. 그가 연숙과 결혼한 이유는 직업적인 혁명가로 최소한의 가정을 꾸미면 좋겠다는 생각에서였다. 현재 동생 명희의 소개로 명우에게는 여경이 바로 앞에 다가서고 있었다. 하지만 명우는 여경에게 80년대에 자유를 찾아

정신없이 헤매던 자신들이 바다를 떠돌아다니다 이제는 좌판 위에 놓여 있는 고등어와 같다고 고백한다. 명우는 기관에 끌려갔다 온 후 정신질환의 발작을 일으킨 옛친구이자 은림의 오빠인 은철을 보러 용인에 위치한 정신병원을 방문하고 돌아오는 길에 은림의 자취방을 찾았다가 경주교도소로 건섭을 만나러 다녀온 은림을 향해 자학의 말을 내뱉는다. 노은림과 낚시를 다녀온 명주는 고열로 쓰러진 노은림을 병원에 입원시킨 후 그녀의 병이 치유 불가능한 전격선 간염이라는 말을 듣고 풍요로운 90년대에도 죽음이 있다는 데 좌절을 느낀다. 죽어가는 노은림의 다음과 같은 독백 속에 작가 공지영의 창작의도와 90년대 소설의 상투적인 모티프인 '소설쓰기'가 등장하고 있다. 그리고 은림의 말 속에는 90년대의 새로운 가치관의 혼돈시대에 살고 있는 80년대 세대의 자기 정체성을 향한 몸부림이 스며들어 있기도 하다.

"우리들의 이야기를 써 줘. 형이 지금 쓰고 있는 이긴 사람들 이야기말구, 잃어 버린 사람들… 하지만 빼앗기지는 않았던 사람들. 그래서 스스로 잃어 버렸던 세대들, 잃어 버리고도 기뻤던 우리들… 그때."

은림은 잠시 말을 멈추고 조용히 미소를 지었다. 명우는 시간이 흐르는 것을 생각하고 있었다. 시간은 흐르는 것이다.

하지만 공지영의 소설에도 많은 한계점이 드러나고 있다. 명우의 옛애인인 은림과 전처 연숙, 현재 애인인 여경이 오피스텔의 소파에 나란히 앉아 있는 장면에서 사용되는 우연성의 남발과 '희미한 옛사랑의 그림자'·'황량한 추억의 시간들'·'또 다른 이별의 시작'·'모두들 절망의 포즈들이에요' 등의 감상적인 어휘의 빈번한 사용, 김수현류의 멜로드라마에서나 볼 수 있는 불륜과 이혼 경쟁의 사랑타령이 스토리의 핵심을 이

끌어가는 등 대중소설의 극치를 이루고 있는 점 등은 이 소설의 총체성을 파악하는 데 치명적인 요인이 되고 있음을 부인할 수 없다.

2. 원작과 달라진 시나리오 각색

1990년대의 공지영의 위상을 설정하기 위해서는 당대의 출판문화의 특성을 이해하는 것도 중요하다. 언론에서는 1993년이 신경숙의 시대라면, 1994년은 공지영의 시대였다고 평가한다. 무엇이 90년대의 상징일까? 삐삐·시티폰·피시(PC)·유선방송 같은 새로운 미디어테크놀로지와 대중문화 외에도 세계화·자유화가 한국 땅을 온통 휘감는 듯했다. 이는 독서문화에서도 큰 변화를 야기했다.

첫째, 독서시장은 90년대 중반까지 지속적으로 확장됐고 자본의 장악력이 커졌다. 생산·유통의 모든 면에서 출판 자본의 '집적·집중화'가 가속되었다.[1] 이를테면 서울 광화문 통에 영풍문고가 새로 개점해서 성업할 정도로 독자층이 늘고 구매력이 커졌으나, 중소 서점들은 고전을 면치 못했다. 이전엔 거의 없던 밀리언셀러가 80년대 말부터 자주 나타났으나 광고와 마케팅의 힘이 베스트셀러를 '만들어'냈다. 물가 상승에 따라 책값도 상대적으로 많이 오르고, 저작권조약 가입 뒤 외국책을 번역출판하는 데에도 꽤 높은 자본의 진입장벽이 생겼다.

출판계의 판도도 많이 바뀌었다. 80년대의 '사회과학' 출판사들은 망하거나 변신했다. 아무래도 창비의 변화가 그중 가장 극적인 것이었다. '운동'의 구심이던 창비는 90년대부터 '자본'으로 비약했다. 『소설 동의보감』(1990)·『나의 문화유산답사기』(1993)·『서른, 잔치는 끝났다』 같은 '메가셀러'가 잇따라 나왔다. 이는 창비 변화의 '유물론적' 맥락일 것이다.

90년대의 심화된 '자본주의화'는 독서 풍토에도 반영되어 재테크 책을 위시한 '실용서'가 새로 독서 시장에 중요한 자리를 차지했다. '재테크'란 말 자체가 당시의 신조어였다.

둘째, 거센 '세계화'와 '정보화'의 파도가 밀려왔다. 외국 라이선스 잡지가 몰려들고 피시통신 공간이 새로 베스트셀러를 산출하는 새 매개체가 되었다. '전자출판'과 세계 표준의 아이에스비엔(ISBN)도 이때 처음으로 도입되었다. 중산층 가정에 피시가 보급되자 컴퓨터 서적도 많이 읽혔다.

셋째, '운동으로서의 출판'과 저항의 독서문화는 함께 사멸해갔다. 〈응답하라 1994〉에서도 외면한 1990년대의 비극은 바로 학생운동에 대한 이야기가 아닌가 싶다. 마치 아닌 듯 없는 듯 이야기하지만 90년대에도 '운동'의 위력은 결코 작지 않았다. 학생운동·노동운동과 그 문화는 각각 적어도 연세대 사태(1996)와 1997~98년의 아이엠에프(IMF) 경제위기가 오기까지 융성했다. 그러나 먼저 대학부터 깨져나갔다. 이를테면 1993년 5월 한국대학총학생회연합(한총련) 출범식에는 무려 8만여 명의 학생이 모였으나, 바로 이해부터 '신세대' 담론이 본격화했고 대학가의 분위기도 바뀌기 시작했다. 교수와 학교당국의 힘은 날로 커졌고 학생 자치·정치조직의 힘은 점점 약해졌다. 민중적이고 저항적이었던 대학문화는 독자성을 잃고 상업적 대중문화에 종속되기 시작했다. 여전히 '세미나'들이 있었지만 대학생들의 독서문화는 '연성화'되기 시작했다.

넷째, 여성문학의 흥기. 한국 현대문학사에서 여성주의와 여성문학의 전통은 얕지 않다. 그것은 시발점에서부터 한국 문학의 주축이었다. 여성 의식의 개화와 여성의 앎-주체로의 형성은 현대문학의 형성 자체와 동궤에 놓인 것이기 때문이다. 그러나 여성문학과 여성 독자들은 곁다리 취급을 당했으며, 여성 문인은 남성 중심적인 문학판의 비주류이거나 성차별의 대상이었다. 지식인 공론장에서도 여성 지식인은 자리가 없었다. 『사상계』나 『창비』, 『문지』 등에서도 소수의 시인·소설가를 제외하고 여성 필자는 거의 없었다. 그러나 1990년대가 되자 달라졌다. 여성 작가·지식인·비평가들이 대거 등장해서 문학장과 담론장을 바꿔놓았다. 여성 독자도 물론 더 중요해졌다.[2]

특히 1993년은 신경숙의 해였다. 소설집 『풍금이 있던 자리』는 순식간에 10만 부가 넘게 팔리면서 '신경숙 현상'을 불러왔다. 어떻게 신경숙은 90년대를 대표하는 작가가 될 수 있었을까? 처음 신경숙을 상찬하고 나선 것은 백낙청이 아니었다. 『문예중앙』 1993년 봄호는 갑년에 가까운 '대가' 비평가 김윤식과 근 한 세대가 차이 나는 '여성 신예' 신경숙의 대담을 마련했다. 이 대담은 큰 화제가 되었고, 이후 김치수·김원일·최원식 등으로 구성된 심사위원단은 한국일보 문학상을 주었다. 염무웅·서영채 등은 신경숙을 김승옥과 비교하며 띄웠고, 『한겨레』와 『조선일보』가 동시에 '신경숙 현상'을 특필했다. 왜 그리 거의 모든 남자–중년–비평가들이 신경숙을 그토록 반가워하고 좋아했을까? 더 풀어야 할 의문이지만 '80년대식' 노동·민중문학을 재빨리 극복 또는 청산하려 했던 그들에게 신경숙 소설의 문체와 내면성은 어떤 새로움의 진앙지처럼 보였던 모양이다.

1994년은 공지영의 해였다. 그해 문학·출판계에서 "특이하고도 놀라운 현상"은 그녀의 소설 세 편이 동시에 소설 부문 베스트셀러 10위 안에 진입한 것이었다. 『무소의 뿔처럼 혼자서 가라』·『고등어』·『인간에 대한 예의』가 1994년 12월 현재 각각 36만, 20만, 10만의 판매고를 올리고 있었다. 이러한 '공지영 현상'은 80년대적인 것의 썰물과 90년대적인 것의 밀물의 교차지점에서 발생한 것이다. 즉 당시 제도문학계에서는 80년대

(민중·민족문학)의 추방 또는 애도(이른바 후일담 문학)와 여성문학의 새 시대가 교차하고 있었다. 특히 『무소의 뿔처럼 혼자서 가라』는 새로운 여성문학·여성주의의 시대가 개막되는 신호탄처럼 간주되었다.

이렇게 '여성'은 새삼 문화의 중심으로 들어왔다. 페미니즘이라는 용어 자체가 구미의 문화적 조류나 서적 따위를 지칭하는 문맥 속에서만 사용되다가, 1992~93년께 본격적으로 우리 현실을 지시하며 '여성주의'라는 단어와 함께 언론에 자주 등장하기 시작했다. 잇따라 나타난 공선옥·은희경·김형경 들도 문학판의 핵심[3]이 될 터였다.

또 하나 공지영의 한국문학사에서의 위상을 설정하는 데 중요한 데이터로 베스트셀러 제조기라는 언론의 평가를 무시할 수 없다. 교보문고의 책 판매고 10년간의 데이터를 조사했더니, 공지영은 무라카미 하루키(村上春樹)와 베르나르 베르베르에 이어 세 번째로 많은 책을 판매한 작가로 자리매김되었다. 2015년 3월 2일 『문화일보』는 교보문고에 의뢰해 2005년부터 2015년 2월까지 작가별 도서 판매량을 집계했다. 고전·현대, 국내·해외, 시·소설(추리 등 장르 포함)·산문집을 가리지 않고 모든 문학 분야를 대상으로 삼았다. 하루키는 단연 돋보였다. 교보문고에서 89만 4,000여 권이 팔려 1위를 기록했다. 이 서점의 점유율이 전체 도서시장의 20~25%라는 점을 감안하면 지난 10년간 국내에서 350만~450만 권이 나갔다는 계산이 나온다. 2009년 출간돼 현재까지 총 200만 권이 팔린 『1Q84』(전 3권)의 힘이 컸다. 베르나르 베르베르는 87만 3,400여 권으로 하루키의 뒤를 바

공지영(소설가)

짝 좇았다. 2015년 상반기 5, 6권 출간으로 완간되는 『제3인류』(전 6권)가 이제까지 80만 권이 나갔고, 앞서 나온 『신』(전 6권) · 『뇌』(전 2권) · 『나무』 등은 모두 누적 판매 부수 100만 권을 넘겼다. 3위는 69만 6,300권을 판 공지영이 차지했다. 총 84만 권이 나간 『도가니』를 비롯해 『우리들의 행복한 시간』·『즐거운 나의 집』 등 2005년 이후 발표된 작품들이 사랑받았다. 『봉순이 언니』·『고등어』 같은 스테디셀러도 뒤를 받쳤다. 4위는 일본 추리소설계의 스타 히가시노 게이고(東野圭吾 · 64만 600권), 이어 파울로 코엘료 · 기욤 뮈소 · 김진명 · 신경숙 · 조앤 K. 롤링 · 조정래가 지난 10년간 가장 많이 팔린 작가 톱 10에 올랐다.[4]

공지영의 『우리들의 행복한 시간』

공지영을 베스트셀러작가로 만드는 데 기여한 3대작의 하나로 언론은 장편소설 『우리들의 행복한 시간』을 거론했다. 그만큼 이 작품은 대중성과 흡인력이 강했다. 영화 〈우리들의 행복한 시간〉은 2005년 4월에 출간되어 총 70~80만 권이 팔린 작가 공지영의 동명소설을 원작으로 장민석과 박은영이 각색을 한 시나리오를 토대로 만든 영화다. 2006년 9월에 개봉되어 원작의 인기에 힘입어 멜로드라마 장르로서는 이례적으로 300만 명 이상(3,132,320명)의 관객을 모았다. 영화 〈우리들의 행복한 시간〉은 비교적 원작에 충실한 것으로 평가된다. 흔히 각색은 원작에 대한 충실성에 따라 세 가지로 구분된다. 루이스 자네티는 대략적(느슨한) 각색, 충실한 각색, 축자적(원작 그대로의) 각색으로 삼분하고 지프리 와그너는 『소설과 시네마』에서 전환·논평·유사로 삼분[5]했다. 관객들이 원텍스트와 각색 텍스트의 상동성, 원작에 대한 충실성을 인식하게 되는 계기는 우선적으로 대사, 인물의 말의 차용빈도이다. 그다음, 원텍스트가 제시하고 있는 서사의 배경인 제시된 상황과 그 안에서 행위를 통해 전달되는 인물의 성격 그리고 주제의식에 근거하여 둘 사이의 유사성을 판단한다. 마지막에 파악되는 것이 서사의 추동력과 서사구조가 될 것이다.

소설 〈우리들의 행복한 시간〉은 유정의 기억에 의해 16개 장으로 분절되어 서술된다. 이와 함께 윤수의 짧은 자서전이라 할 수 있는 '블루노트'가 동일하게 분절되어 병치된다. 작가 공지영은 원작소설의 창작계기가 1997년 12월 말에 있었던 23명의 사형집행 뉴스에서 비롯되었다고 술회한 바 있다. 전혀 무관했던 두 서사가 사형당한 윤수가 남기는 유품으로 하나로 연결된다. 123개 장면으로 각색된 시나리오 〈우리들의 행복한 시간〉에서는 윤수의 블루노트에 나오는 사건들이 윤수의 회상으로 처리되어 유정의 이야기 속에 삽입된다. 두 〈우리들의 행복한 시간〉

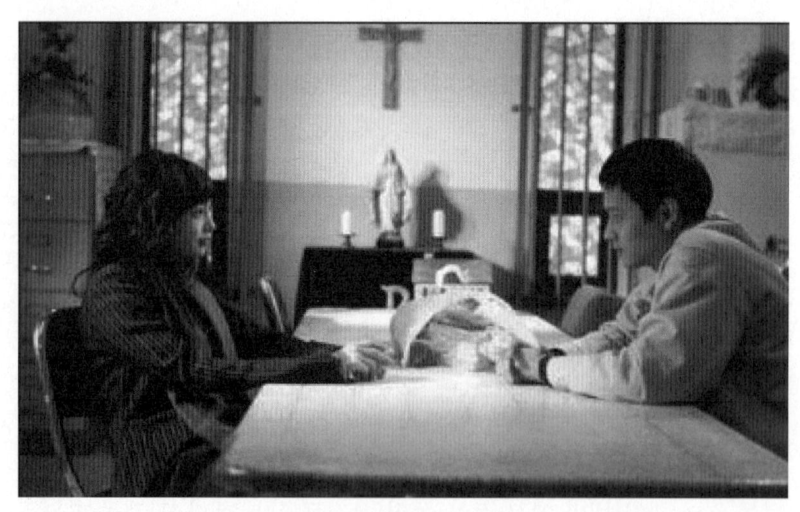

영화 〈우리들의 행복한 시간〉

의 서사적 상동성을 관객들은 사형수를 찾아가 서로의 상처를 발견하고 공감을 느끼며 이야기를 나누는 젊은 지식인 여인의 이야기로 파악하게 된다.

두 가지 이야기 텍스트가 공유하고 있는 사건들을 나열하면 다음과 같다.

① 이사장의 집안인 미술대학 교수인 서른 살의 민유정은 세 번째의 자살을 시도하지만, 외삼촌의 병원에서 깨어난다.
② 민유정은 고모인 모니카 수녀의 위로를 받다가 한 달간의 정신과 치료를 받거나 매주 목요일 사형수 정현수를 만날 것인가의 선택 중에 후자를 택한다.
③ 고아원에서 자란 스물일곱 살의 정윤수는 세 명의 여성을 살인한 혐의로 복역 중이다.
④ 정윤수는 미용사인 동거녀의 병원 수술비를 마련하기 위해 조직에 일시적으로 가담하여 우발적인 살인을 저지른다.
⑤ 민유정이 어머니를 그토록 증오하는 것은 열다섯 살에 사촌오빠에게 강간당한 것을 대수롭지 않게 응대한 어머니의 행동 때문이다.
⑥ 수차례 교도소 면회장소에서 만난 유정과 윤수는 고백을 통해 공통의 상처를 확인하고 사랑과 용서의 방법을 모색한다.
⑦ 윤수의 감형을 위한 민유정의 노력에도 불구하고 정윤수는 형장의 이슬로 사라진다.

두 텍스트에 담긴 핵심모티프 중에서 ④~⑥을 통해 두 사람은 이전의 삶의 방식과는 전혀 다른 인생행로를 보인다. 강간당한 상처와 타자를 살인했다는 자괴감으로 인해 세상과 등지거나 불화를 일으키며 부정적인 삶의 태도를 보이던 두 사람은 서로의 상처가 공통성을 지닌다는 것을 깨닫고 서로를 보듬어 안으면서 치유의 방법을 모색한다. 소설을 시나리오로 전환함에 있어 일차적으로 고려해야 할 사항은 원작소설의 '사실들, 사건, 삶의 조건' 등 주어진 상황의 정신적 요소를 재창조의 과정에서 어떻게 처리할 것인가를 판단해야 한다. 이를 위해 원작의 정신적인 주어진 상황에 대한 정확한 이해가 수반되어야 한다. 그것은 "사건을 만들어내거나 사건 안에 숨어 있는 본질의 인식"[6]을 의미한다.

주인공 두 사람은 특수성을 보편성으로 창조해낸다. 또 우연을 필연으로 엮어내기도 한다. 각자의 삶의 영역에서 전혀 만날 수 없었던 민유정과 정윤수가 특별한 내적인 관계를 형성하게 된 계기는 〈우리들의 행복한 시간〉의 핵심적인 상황인 '사형제도' 때문이다. 만일 한국에서 사형제도가 없었다면 두 사람은 만날 수 있는 인연이 없었고 원작도 성립될 수 없었을 것이다. 원작과 시나리오는 공히 사형제도의 제도적 모순을 매개로 사랑과 용서에 대한 발견-깨달음(anagnorisis)의 과정을 형상화하고 있다. 다만 그 형상화 방식에 있어 원작소설이 1인칭 화자의 서술에 의해 사색적인 반성적 사고가 중심이 되는 것과 달리 시나리오는 인물들의 과잉 감정에서 비롯되는 행위들의 시각화가 영상이라는 매체를 통해 구현[7]되고 있다.

시나리오는 원작에 나오는 대부분의 사건들을 사건의 순서에 큰 변화를 일으키지 않은 채 활용하고 있지만 1인칭 주인공 시점의 서술을 인물 사이의 갈등을 통해 가시화하는 데 주력한다. 이때 인물들의 관계에 근본적인 변경이 발생하지는 않았다는 사실에서도 원작에 대한 충실성을 확인할 수 있다.

하지만 시나리오 작가와 감독은 관객을 통한 대중성 확보를 위해 새로운 인물이나 사건 등 내용 삽입을 통해 보완을 시도한다.

생략된 인물: 외삼촌 병원을 찾은 모자, 셋째 올케, 전직 교도소 소장, 강검사, 동거녀, 공원의 장학생

추가된 인물: 꼬마, 과일장수, 최사장, 김씨, 서교도관, 시간강사 A & B, 미술과 학생들

비중이 달라진 인물: 모니카수녀(−), 이주임(+)

생략된 인물과 추가된 인물들은 서사가 유정과 윤수의 이야기로 집중하는 과정에서 발생한 것이다. 추가된 인물들로 인해 원작에 없던 새로운 에피소드가 발생되지는 않았다. 그들은 서사적 채워넣기를 통해 두 사람의, 일상의 모습을 복원하는 역할[8]을 할 뿐이다.

시나리오는 원작소설과 크게 세 가지 점에서 변별성을 보인다. 첫째, 유정과 갈등을 빚는 어머니의 병명이 유방암에서 뇌졸중의 혈압으로 변경된다. 소설에서 지속적으로 여주인공 민유정과의 갈등을 유발하기 위해서는 독자들을 설득할 수 있는 장치가 필요하다. 민유정이 자살을 세 차례나 시도할 때 엄마가 멀쩡하면, 관객들은 의아하게 생각할 수밖에 없다. 따라서 작가 공지영에게는 나름대로 모녀 간의 갈등을 극단적으로 몰고 갈 필요성이 제기된 것이다.

그 며칠 전 암 수술을 받은 지 한 달이 지난 어머니가 찾아왔을 때 내가 링거병을 부수며 난동을 부린 이후 나를 찾아올 식구는 없었다. 가족들은 언제나처럼 나를 어머니의, 유방에서 일 센티미터쯤 자랐었다는 암 덩어리보다 더 골치아프게 여기는 기색이 역력했다. 엄마가 그토록 살고 싶어하는 이 생이, 내게는 지루했었다. 그러니 엄마가, 엄마라는 사람의 생이 얼마나 살 가치가 있는지 그녀도 나도 생각해본 일은 없지만, 엄마가 죽기 싫으니 나라도 죽고 싶었던 것이라고 엄마에게 고래고래 소리를 질러댔다. 굳이 변명을 하자면, 엄마가 내가 죽었다 살아난 병원에 와서, 널 왜 낳은지 모르겠다는, 평생 내 귀에 웅웅거리는

소리를 하지만 않았더라도 내가 그렇게까지 소동을 피우지는 않았을 거라는 말도 할 수 있겠다.[9]

위의 엄마의 행동에서 두 가지 갈등요인이 언급된다. 하나는 엄마가 죽기 싫어하면서 아등바등 살려고 애를 쓰는 것에 대해 불만을 표시하고 민유정은 대신 자기가 자살을 시도해 죽으려고 한다는 소회를 피력한다. 다른 하나는 엄마가 왜 유정을 낳았는지 모른다고 말하는 순간 유정은 난동을 부린다. 시나리오에서는 이러한 두 가지 모티프를 중시하여 극적인 장면을 창출해낸다. 여기서 엄마의 '유방암'은 '고혈압'으로 변경되고 나중에 엄마의 생일모임에서 혈압이 올라가 쓰러지는 상황으로 연결되어 긴장을 고조시킨다. 엄마의 병을 변경한 결정적인 이유는 유방암의 정적인 요소 대신에 고혈압의 동적인 요소를 서사를 추동하는 한 요소로 만들기 위함이다. 즉 후반부에서 유정으로 하여금 엄마에 대한 분노에서 연원하는 자신의 거친 언행 때문에 엄마가 죽을 수도 있었다는 장치를 설정하여 대응시킴으로써 엄마에 대한 용서를 유도하려는 의도로 보인다.

시나리오는 이러한 디테일의 조정을 통해 원작소설을 드라마양식에 맞게 전환시킨다. 그런 가운데 자연스럽게 두 번째 달라진 점을 노출시킨다. 원작에서 민유정이 윤수의 시신을 수습하고 남겨진 교도소의 짐을 정리하는 것으로 처리되는 장면이 영화에서는 사형집행 장면을 유리창 밖에서 지켜보며 오열하는 민유정의 일그러진 표정으로 바꾼 것이다.

변경된 내용

① 유정이 산 정상에 올라 약을 먹고 자살을 시도한다(S#2).

② 유정이 혼자서 윤수와의 두 번째 만남을 갖는다(S#34).

③ 유정과 윤수가 세 번째 만남에서 자신들이 '꼴통'이라는 공감대, 최초의 동

질감을 느낀다(S#36, 62).

④ 유정이 성형외과 의사와의 맞선을 거부한다.

⑤ 유정이 당한 강간에 대해 가족들이 과거에 보여주었던 반응을 오빠 유찬에게 비난한다(S#52).

⑥ 유정과 이주임은 윤수의 고백을 통해 공범의 살인까지 자신의 범행으로 진술했음을 알게 된다(S#93).

⑦ 유정은 엄마가 죽지 않기를 바란다.

⑧ 이주임이 전화로 다음 날 윤수의 사형집행을 유정에게 알린다.

⑨ 유정이 윤수의 사형장면을 지켜보며 집행 직전의 윤수에게 '사랑해'라고 혼잣말을 한다. 또한 윤수도 신부로부터 밖에 유정이 있다는 귓속말을 듣고 '사랑한다'고 소리친다(S#121).[10]

이러한 변경은 장면과 장면의 유기적 연결, 사건의 심리적 인과관계 구축과 관객의 긴장을 고조시키는 것을 목적으로 한다. 시나리오는 지난 일들을 회상하는 원작의 화자가 유지하고 있는 반성적인 거리두기를 전복시켜 유정이 '지금-여기' 무대공간에서 직접 상황을 대면하게 만든다. 특히 ⑥과 ⑨는 그 효과가 분명하다. 구치소 담 밑에서 윤수의 시신을 수습하기 위해 기다리던 원작의 유정이 사형장면을 지켜보며 '사랑해'라고 말하는 것은 관객의 안타까움을 한껏 끌어올린다.

반면 원작에서는 주인공 민유정이 직접 사랑한다고 말하지 못한 것에 대해 다음과 같이 후회한다.

왜 그때 웃으면서 그의 손을 마주 잡지 못했을까…. 왜 사랑한다고 말하지 못했을까…. 윤수의 말대로 너무나 간단했는데, 그냥 사랑했으면 됐는데… 이제 온기가 사라져버렸다.[11]

세 번째 시나리오에서 변경된 내용은 정윤수가 공범의 살인범죄까지 혼자 뒤집어쓴 억울한 장면이다. 원작에서 윤수가 공범의 살인까지 자신의 범행으로 진술했다는 것은 이미 재소자들 사이에서 알려진 사실이다. 따라서 그 사실 자체는 별다른 기대감을 유발하지 않는다. 그런 시나리오는 ⑥에서 윤수가 유정에게 처음으로 발설하는 것으로 변경함으로써 감형될 수 있을지도 모른다는 기대감과 이를 실현하기 위한 노력을 전개하는 새로운 서사적 추동력을 얻게 된다. 이처럼 원작의 시공간을 일부 변경하거나 새로운 상황과 사건을 서사적 채워넣기를 통해 삽입하는 것은 각색의 필수과정이다. 각색자와 일반 독자와의 차이점은 각색자는 일반 독자가 무의식 중에 행하는 서사적 채워넣기의 과정을 의식적으로 수행하는 것에 있다. 각색자는 텍스트 상의 필요와 극적 효과를 위해 적극적이고 창조적인 상상력을 발휘하여 구체적인 장면화가 이루어지도록 해야 한다.

각색과정에서 추가된 파불라의 내용은 다음과 같다.

추가내용

① 민유정은 교도소 접견실에서 처음 만난 윤수의 무례한 행동에 분노를 표출한다(S#14).

② 과거 회상장면에서 윤수와 은수가 네 잎 클로버를 찾으며 아버지가 죽기를 바라는 소원을 빈다(S#19).

③ 유정이 사촌오빠 민석의 벤츠를 들이받는다(S#30).

④ 유정이 강간당하던 기억을 떠올리게 되면 딸꾹질을 한다(S#32).

⑤ 유정이 오피스텔 앞에서 교통사고가 날 뻔한 꼬마를 일으켜세운다(S#42).

⑥ 구치소에서 다른 죄수들과 달리 앉아 있는 윤수의 일상을 보여준다(S#16,76).

⑦ 유정이 공범 태선을 만나 탄원서를 부탁하고 태선은 탄원서를 제출한다

(S#95, 108).

⑧ 윤수가 잠도 자지 않고 유정에게 푸른색 아크릴 목걸이를 만들어 선물한다 (S#111).

⑨ 윤수는 아침을 먹던 중 사형집행을 통보받는다(S#119).

원작에서 제시하지 않은 파불라 사건을 서사적 채워넣기를 통해 각본의 수제로 제시하는 것은 분명한 목적이 있다. 관객들에게 특정한 효과를 유도해내기 위함[12]이다. ②는 연민, ③은 궁금증, ⑦은 기대감, ⑨는 놀라움 등을 각색자가 의도했을 것이다. ⑥에서 볼 수 있듯이 새롭게 추가된 인물들을 통해 윤수의 구치소 생활을 보여줌으로써 사실감을 높이는 역할을 한다. ⑦처럼 민유정이 공범 태선을 찾아가 탄원서를 부탁하고 처음에는 거절한 공범이 나중에 제출한 상황을 새로운 장면으로 삽입한 것은 관객들로 하여금 해피엔딩을 기대하게 만들어 비극적 결말에 대한 연민의 감정을 극대화시켜 효과를 노리는 것이다. 또한 각색자는 행위를 통한 시각화를 모색한다. ③처럼 통상적인 시각화와 달리 인물의 내면의식 속에서 벌어지고 있는 내적 갈등을 가시화하는 것은 보다 많은 상상력을 요구한다. ④의 경우는 원작이 제시하지 않은 신체적 징후, 딸꾹질로 인물의 내적 상태의 신체적 반응을 효과적으로 관객에게 전달[13]하고 있다.

3. 상처에 대한 치유방법으로서의 고백과 사랑

원작소설보다도 행위의 시각화를 절묘하게 보여주는 영화가 관객들에게 좀 더 깊은 인상을 심어줄 수 있다. 인간은 신과 동물의 중간자적인

영화 <우리들의 행복한 시간>

존재이다. 따라서 이성적 존재이기도 한 동시에 감성적 존재이기도 하다. 철학자 포이에르바하는 칸트로부터 독일관념론에 이르는 철학의 과제를 기독교적인 무한한 신을 인간 영혼 안에 내재화시키는 것으로 이해한다. 무한은 유한의 본질이 되고, 유한은 무한의 자기 전개로 이해된다. 따라서 신학은 무한한 신적 특징을 개별 존재자에 내재화하고 개별화하며, 또한 그것을 유한한 존재의 본질로 간주해온 과정이 사변철학의 길이 된다. 하지만 포이에르바하에 의하면, 인간은 단순한 이성적인 사유적 존재가 아니라 감성적 존재이다. 인간 또는 자아의 본질은 이성이 아니며, 사유를 넘어서서 존재 자체에로 나아갈 수 있게 하는 것은 감성이다. 그리고 우리는 이 감성 안에서만 존재와 마주할 수 있고 참된 의미의 자아를 발견할 수 있다.

포이에르바하의 모든 능력은 정신의 절대적 철학을 인간의 인간적 철학으로 변화시키는 일이었다. 현재(1843년) 당시 해야 할 일은 아직 인간을 적극적으로 표현하는 일이 아니라 인간을 관념론적인 테두리에서 끌어내는 일이다. 주어진 과제는 절대자의 철학, 즉 (철학적) 신학에서 인간의 철학, 즉 인간학의 필연성을 도출하여 신적 철학의 비판을 통하여 인간적 철학의 비판을 건립하는 일이다. 인간을 철학의 문제로, 철학을 인간의 문제로 삼는 것이 지금 요긴한 일이다. 무한자를 원리로 삼은 철학적 신학과는 반대로 포이에르바하는 미래의 철학 때문에 유한성의 '참된 정립'을 요구한다. 그러기에 그에 의하면 참된 철학의 근본은 이미 신이나 절대자가 아니라, 유한하며 죽어갈 인간이다. 권리·의지·자유·인격에 관한 명상은 인간 없이, 인간 밖에서 혹은 인간을 초월하여 행해질 때는 모두가 통일도 필연성도 실체도 실재성도 없는 명상이다. 인간은 자유의 존재·인격의 존재·권리의 존재다. 인간만이 피히테의 자아의 근저·라이프니츠의 단자의 근저·절대자의 근저다. 통상 인간이란 명칭은 물론 욕구나 감정이나 의향을 가진 인간, 그 정신과는 달리 사인으로서의 인간만을 의미[14]한다.

존재는 감성의 대상이다. 존재는 사고 속에서 일반적으로 규정할 수 있는 것이 아니다. 대상은 오직 감관에 의해서만 진정한 의미에서 주어진다. 오직 감관 안에서만 즉 인간의 소용성 안에만 존재가 주어진다. 객체, 현실적 객체는 나의 자기 활동성이 다른 존재의 활동성을 통해 자신의 한계 즉 저항을 발견하는 곳에서만 나에게 주어진다. 그러므로 우리는 실제적인 것, 감성적인 것을 그 자체의 주어로 만들 때 비로소 참된 존재를 만나게 된다. 사유가 감성적인 것의 진리의 기준이 되는 것이 아니라 오히려 사유는 감성을 통해서 자신을 증명한다. 즉 감성이 사유의 진리이다. 참되고 신적인 것은 어떠한 증명도 필요로 하지 않으며, 자기 자신에 의해 직접적으로 확실한 것이고 그렇게 명백한 것은 오직 감성적인 것뿐이다. 사변 철학적 동일성의 논리에 반대하는 포이에르바하는 현실적 존재를 우리의 주관적 사유와는 본질적으로 구분되는 것, 즉 우리가 수동적으로 감수해야 할 것으로 간주하며, 이것의 접근으로서 수용적 감성을 강조한다. 따라서 인간적 존재는 그 자체로 동일적이며 자기 충족적인 존재가 아니다. 자아는 비아와 본질적으로 결합되어 있으며, 그 자체 다른 것을 필요로 하는 유한한 존재이다. 포이에르바하에게 있어서 감성은 1차적이고 근원적인 의미에서 '사랑'을 뜻한다. 오직 '사랑'이 존재의 기준, 즉 진리와 현실성의 기준인 것이다.

1) 고통에서 증오로

영화 〈우리들의 행복한 시간〉의 주인공 문유정과 정윤수는 자신을 둘러싸고 있는 주변환경이나 사회와 담을 쌓고 살려고 하는 '소외적 존재'이다. 두 사람의 소외의 성격은 '왕따'와 다르다. '왕따'가 타자에 의한 자아의 훼손이나 배제를 의미한다면, 두 사람의 소외의 성격은 '저항'에 가깝다. 타자에 의해 치명적인 인격적 손상을 당한 사람은 그러한 대상에 대해 분노를 표시한다. 분노 조절 기능이 마비될 정도에 이르면, 증오심의 극단화로 자살이나 범죄로 이어지게 된다. 즉 소극적 일탈이 아니라 적극적 일탈로 인해 사회적인 일상생활 자체가 불가능한 상태에 이르게 된다.

영화 〈우리들의 행복한 시간〉의 주인공인 문유정과 정윤수가 가진 상처는 성격이 다르다. 문유정은 15세 때 근친상간에 가까운, 사촌오빠로부터 성폭행을 당한 상처를 씻지 못하고 서른 살에 이르러서도 정상적인 상태로 복원이 되지 못한 존재로 남는다. 민유정의 고통이 육체적인 아픔을 넘어서서 정신적인 트라우마로 남게 된 것은 그 치유과정에서 기대고 싶었던 어머니가 오히려 성폭행을 용인하고 오히려 "다 큰 계집애가 어떻게 꼬리를 쳤으면"이라고 책임을 전가하는 태도에 심한 분노를 느낀 것에서 비롯된다. 유정은 그게 아니라고 항변을 하지만, 어머니는 오히려 입을 틀어막고 유정의 빰을 치는 등 폭력까지 행사하면서 "오빠들 있는 데서 떠들지 말고 입 다물어 너! 챙피한 줄 알란 말이야"라고 윽박지른다. 이러한 어머니의 무책임성으로 인해 강간을 한 사촌오빠에 대한 분노가 엄마에 대한 증오심으로 확산된다.

S#116 어린 유정의 집, 오디오 룸 –낮

유정: 엄마, 민석이 오빠가… 잠깐 할 얘기가 있다고, 자기 방으로 오라 그랬었는데…

상처 입은 15살 유정이 엄마 앞에서 자신의 몸을 보여주는데…

유정: 엄마… 너무 아파… 무서워… 엄마…

잠시 보는 듯 하더니 유정의 팬티를 휙 추겨올리는 유정 모.

유정 모: 됐어! 뚝 그쳐! 쓸데없는 소리 하지마 너.

그러고는 손에 들고 있던 연고를 유정의 손에 탁 쥐어 준다.

유정 모: 바르고 자. 입 다물고. 다 큰 계집애가 어떻게 꼬리를 쳤으면…
유정: 그게 아냐! 아니야! 그게 아냐!

죽을 힘을 다해 비명을 지르는 유정. 그러자 유정 모가 입을 틀어막는데…

유정: (발버둥치며) 아냐! 아니란 말이야!

순간 유정 모가 유정의 따귀를 때린다. 서너 대를 연거푸…

유정 모: 오빠들 있는 데서 떠들지 말고 입 다물어 너! 챙피한 줄 알란 말야!

엄마의 얼굴을 멍하게 보는 유정. 모든 것이 무너져 내리는 듯하다. 점점 커지는 음악 소리...

중학생 문유정은 커다란 정신적인 충격을 받고 심리적인 트라우마가 생긴다. 이러한 트라우마는 유정이 학교를 졸업하고 사회인이 되어서도 사회적 적응을 못하게 막는다. 그녀의 분노는 점차 증오의 그림자를 드리운다. 증오의 개념은 여전히 모호하다. 증오는 편견·완고함·선입견·분노·타인에 대한 혐오감 등을 모두 합한 개념인가. 아니면 아주 구체적인 대상이 있는 생각이나 신념을 의미하는가. 증오는 어디에나 있다. 인간은 항상 모든 사람과 모든 것을 일반화해버린다. 물론 증오는 편견보다 더 심각하고 어둡다. 그러나 자세히 들여다보면 볼수록 증오와 편견을 구분하기가 어려워진다.

오늘날에는 증오의 종류가 사람의 종류만큼이나 다양하다. 공포 때문에 생긴 증오가 있는가 하면 단순히 경멸 때문에 생긴 증오가 있고, 권력을 과시하기 위한 증오가 있는가 하면 권력이 없기 때문에 생긴 증오가 있다. 또 복수심에서 생겨난 증오가 있는가 하면 부러움이 변해서 증오가 된 것도 있다. 심리 치료사인 엘리자베스 영브륄은 자신의 책『편견의 해부학』에서 증오를 세 가지로 구분할 것을 제안[15]하고 있다. 첫째 강박적인 증오는 나치의 경우처럼 소수가 자신들을 위협하고 있다는 환상 때문에 소수를 제거하려고 강박적으로 노력하는 경우를 말한다. 이들에게는 자신들이 증오하는 집단의 존재 자체가 위협적이다. 이들은 자신들이 증오하는 대상을 더러운 것 혹은 병든 것으로 보고 그들을 정화하거나 치료해야 한다고 말한다.

두 번째로 히스테리컬한 증오를 품고 있는 사람들은 자신이 증오하는 대상과 좀 더 복잡한 관계를 맺고 있다. 영브륄은 히스테리컬한 편견을 가리켜 "어떤 사람이 자신이 억압하고 있는 금지된 성적 욕망과 성적으로 공격적인 욕망을 실현해줄 사람으로 한 집단을 지명할 때 무의식적으로 사용하는" 편견이라고 설명한다. 인종 차별주의자들 중 일부가 이 설명에 들어맞는다.

세 번째로 자기애적인 증오는 성 차별주의이다. 영브륄의 설명에 의하면 성 차별주의는 많은 남성들이 여성으로 사는 것이 어떤 것인지 도저히 상상할 수 없다는 데에 뿌리를 두고 있다. 여성들은 많은 남성들에게 증오의 대상이 되기보다는 그냥 무시당하거나 아예 평등한 존재로 간주되지 않는 경우가 더 많다. 은근히 친절한 척하는 남성들의 행동에는 대부분 억압되고 승화된 성적인 욕망이 섞여 있다.[16]

영브륄의 증오의 종류에 따르면, 문유정의 증오는 '히스테리컬한 증오'에 해당한다. 민유정은 자신이 증오하는 대상과 좀 더 복잡한 관계를 맺고 있다. 사촌오빠와 그 가족에서 점차 자신의 어머니에게로 옮겨져 있다. 1차 피해보다 2차 피해가 더 심각한 증상으로 나타나게 된 것이다. 결국 유정은 세 차례에 걸친 자살시도를 한다.

이에 비해 정윤수의 증오는 사회적·계급적 양상을 띠고 있다. 윤수는 앞을 보지 못하는 동생과 함께 어머니로부터 버려져서 고아원에서 생활한다. 하지만 엄마가 보고 싶어 고아원을 빠져나와 엄마를 찾아갔으나 폭력적인 아버지 핑계를 대면서 형제를 품어주지 않는다. 결국 윤수는 동생 은수를 돌보면서 길거리에서 거지생활과 노숙자생활을 시작한다. 동생 은수가 병으로 죽은 트라우마는 사회에 대한 증오심으로 표출된다. 하지만 미용사와의 따뜻한 사랑이 일시적으로 상처를 치유해주지만, 그마저도 동거 중 임신과 출산비용 마련을 위해 범죄조직의 유혹에 빠져

우발적 살인을 저지른다. 윤수의 증오는 영브뤨의 분류에 따르면, '강박적 증오'에 해당한다. 부자들과 권력을 가진 자들이 자신을 업신여기고 자신들을 억압한다고 피해망상증에 젖어 있는 것이다. 은수를 죽게 만든 계급이나 집단이 자신을 내리누르고 있다고 생각하고 있는 것이다. 영화 〈우리들의 행복한 시간〉에서 윤수는 전도하러 교도소를 찾은 모니카 수녀가 품에 넣어주려는 간식을 뿌리치며. "아줌마, 그런 건 딴 데 가서 하세요. 난 다른 사형수 새끼들하고 달라. 빨리 죽고 싶은 놈이라구요"(S#67)라고 화를 낸다. 또 교도소 안에서 다른 죄수인 조폭이 자신을 구타하자, 곤봉으로 내려치면서 "죽어, 개새끼야. 너 같은 새끼 하나 더 죽여도 난 똑같거든, 난 어차피 죽을 거거든. 개새끼야. 죽어. 죽어"(S#17)라고 소리친다. 이러한 윤수의 증오심은 반생명적이고 반인간적인 행동에 해당되며 강박적 증오심의 표출로 보인다.

2) 상처에 대한 진솔한 고백과 공감

영화 〈우리들의 행복한 시간〉에서 주인공 민유정과 정윤수는 전혀 예상치도 못한 만남을 통해 서로의 상처를 이해하고 공감하면서 내면의 아픔을 치유해간다. 처음 만났을 때는 윤수의 빈정거림과 무례한 행동에 분노를 표출했던 유정이 몇 차례의 만남을 통해 상대편의 내면의 아픔이 무엇인가를 파악하고 이해하는 단계에 이른다. 종국에는 믿음을 근거로 한 고백을 통해 정서적 공감을 형성한다. 두 사람이 상호신뢰를 하게 되는 계기가 바로 '진솔한 고백'이었다는 사실은 중요한 의미를 던져준다.

세계적으로 유명한 고백론으로는 아우구스티누스의 『고백록』, 루소의 『고백록』, 그리고 톨스토이의 『고백록』이 있다. 물론 우리나라에서 감동을 주는 것은 윤동주의 「참회록」이라는 시가 아닐까 생각해본다. 또 타고

르의 송가 시집『기탄잘리』에 담겨진 시들도 모두 고통을 극복하는 고백과 희망의 시들이다. 스물아홉 살 되던 383년, 명예와 가치를 얻기 위해 로마로 향했던 아우구스티누스는 5년 후 그리스도인이 되어 북아프리카로 돌아왔다. 총 13권 273장으로 구성된『고백록』의 구성을 대개 두 부분으로 나누는데, 학자들은 1권에서 10권까지를 아우구스티누스 개인의 회고로, 11권에서 13권까지 시간과 영원에 대한 통찰 및 창세기 주해로 구분한다. 10권에서는 회심의 주체인 자아와 기억에 대한 성찰을 통해 시간과 영원에 대한 철학적이고 신학적인 통찰을 제공한다. 아우구스티누스가 일생 동안 붙잡았던 문제, 즉 '악이란 무엇이며, 어디에서 오는가? 인간은 어떻게 해야 악을 극복하고 행복에 이를 수 있는가?' 하는 질문은 결국 인간에 대한 내면적 이해를 통해 해소된다. 그에 따르면, 악이란 인간의 자유의지를 남용한 것이며 사랑의 왜곡이다. 그를 '탕자에서 성자로' 변한 사람이라 부르는 대부분이 악에 대한 실존적 질문과 연계된 것이었다. 밖으로 나가 물질적 실체에 놀아나는 동안 그는 답을 얻지 못했다. 안으로 들어가 영혼의 참모습을 발견했을 때, 그는 악에 대한 그 자신의 지독한 오해와 왜곡을 벗어던질 수 있었다. 시간의 문제는 또한 인간의 실존 해명에 중요한 단초가 된다. 가변적인 것과 불변하는 것, 그리고 창조된 존재와 '스스로 있는 자', 시간적 존재와 영원의 존재를 대비시키면서, 아우구스티누스는 인간을 불완전한 결핍의 존재라고 제안한다. 인간의 결핍은 영원불변의 존재를 통해 해소될 수 있으며, 비로소 진정한 안식에 이를 수 있다는 것이다. 루소는 유명한 성선론자로 인간이 타고난 선한 성품이 사회에 의해 타락한다고 주장하였다. 그러나『고백록』을 통해 자신 역시 한때 소름끼치는 행동을 했음을 시인했다. 그중에서도 특히 눈에 띄는 것은 그가 부유한 제네바 귀족의 집에서 하인으로 일하던 시절의 사건이다. 루소는 자신이 어떻게 값비싼 리본을 훔친 뒤 마리온이라는 이름의 하녀에게 뒤집어 씌웠는지를 설명한 뒤, "악의에 찬 음모의 희생자가 자신을 평생 괴롭혔다"고 씀으로써 자신의 죄를 시인함과 동시에 부정하였다.

영화 〈우리들의 행복한 시간〉은 유정과 윤수의 진솔한 소통을 위해 '꼴통론'을 전개한다. '꼴통론' 이전에 시나리오 작가와 감독은 새해를 맞이하며 교도소에서 신부와 수형자들을 모아놓고 물로 발을 씻어주는 의식을 복선으로 깐다. 그때 신부는 윤수의 발을 씻어주며 "물고기가 사람이 되는 건 기적이 아니라 마술이고, 사람이 변하는 게 기적이지. 많이 힘들지?"라고 하여 윤수의 내면적인 변화에 대한 복선을 깔아놓는다.

유정은 윤수와의 네 번째 접견에서 죽을 사가지고 가서 소통을 시도한다. 입원한 엄마가 요청한 전복죽을 사서 병원으로 향하던 중 차를 돌려 윤수에게로 온 것이다.

> 윤수: 저기 … 묻었는데.
>
> 유정: 어디요?(유정은 티슈로 윤수의 입부분을 닦아준다.)
>
> 윤수: 되게 맛있네. 비싼 것 같은데…
>
> 유정: 그거 우리 엄마한테 가야 할 건데… 입원했대요. 오늘 엄마 보기 싫어서 여기 왔어요. 왜요? 너무 하는 것 같아요?
>
> 윤수: 말하는 게 교수님 안 같아요. 전혀. 사실 교수님을 만난 본 적은 없어요.
>
> 유정: 나, 학교에서 '꼴통'으로 유명해요.
>
> 윤수: 나두 여기에서 완전 꼴통으로 소문났는데…
>
> 이주임: 나 어디 내놔도 꼴통입니다.

소위 꼴통 3종 세트가 나오는 장면이다. 유정과 윤수에 이어 이주임까지 가세해서 꼴통론을 제기하고 있다. 꼴통론을 통해 윤수는 문유정에 대한 계급론적 장벽을 무너뜨린다. 부자와 가난한 자라는 극복할 수 없는 거리가 무너지는 순간이다. 물론 꼴통론은 공지영의 원작소설에서는 묘사되지 않는 부분이다. 영화는 행위의 시각화를 통해 단숨에 정서적인 극복이 가능하게 장치할 수 있다.

그때 마침 창밖에 눈이 온다. 눈은 정화의 상징이고 순수의 회복을 내포한다. 유정은 윤수에게 "이제 진짜 얘기를 할 차례가 아닌가요?"라고 화두를 던진다. 영화에서는 윤수 형제의 과거 일상적 생활이 제시된다. 윤수는 은수와 구걸하면서 생계를 유지하지만, 번 돈을 양아치들에게 구역침범이라는 핑계로 모두 털린다. 우연히 서울역에서 애국가를 부르는 민유정의 목소리를 듣고 은수는 "우리나라에서 애국가 부르는 사람 중에 최고다"라고 중얼거린다.

서울역에서 노숙자 옆에 끼여서 잠을 청하면서 윤수는 은수에게 "형아가 돈 많이 모아서 니 병원도 데려가고 니 갖고 싶은 거 다 사줄끼다." 라고 다독인다. 은수는 형에게 "나 병원 말고 나이키 신발 사줘"라고 애원한다. 윤수는 "자슥아, 니 나이키 신발이 뭔 줄 아나?"라고 힐난한다. 하지만 아침에 윤수가 눈을 뜨고 은수에게 일어나라고 몸을 흔들지만 은수는 이미 숨을 거둔 다음이었다. 출근길의 회사원들은 이 장면을 목격하고도 구급차를 부르는 등 도와주는 사람은 없었다.

현실로 돌아와 유정은 "울어요?"라고 묻는다. 윤수는 "그래 운다… 그때 못 죽은게 억울해 운다"라고 절규한다. 유정은 "나도 그 심정 이해해요"라고 작은 소리로 말한다. 이러한 유정의 말에 윤수는 분노를 자아내며 증오심을 표출한다.

S#68 다시 만남의 방–낮

윤수: (의자를 박차고 일어나며) 이해? 당신이 뭘 알아? 내가 어떻게 살았는지, 내 인생이 얼마나 좆같았는지 니가 뭘 알아? 내 앞에 앉아 있는 것도 무섭다구 그랬지? (수갑 찬 손을 들이밀며) 난 이런데! 내가 뭘 어쩌겠다구!!! 난 당신 같은 사람들이 무서워. 좆같이 착한 척하는 얼굴로 찾아와서 얘기 몇 번 했다고, 다 아는 것처럼! 나 죽으면 그 역겨운 눈물이나 흘리겠지! 씨발!

멍해지는 유정.

영화의 이 장면에서 윤수가 고백하는 것은 고백이라기보다는 분노의 표출이라고 할 수 있다. 윤수의 고백은 자신의 죄악을 참회하는 고백이 아니라 비인간적인 것에 대한 고발이며, 그 고발을 통해서 부조리한 사회구조를 폭로하는 것으로 해석[17]된다.

윤수는 유정과 갈등을 빚은 후 식사를 거부해서 빈사직전에 이르지만, 의사가 치료해서 겨우 목숨을 건진다. 유정도 엄마의 생일날 찾아가서 말싸움을 벌이고 엄마는 뇌출혈로 쓰러진다.

목요일도 아닌데, 유정은 윤수를 찾아가 다섯 번째의 만남을 갖는다. 유정은 자신의 내면의 상처를 이야기 하면서 최초로 고백을 한다고 말한다.

S#78

유정: (대뜸) 비밀을 죽음까지 가져간다 그랬죠?

긴장하는 윤수.

유정: 얘기를 들어줄 사람이 필요해서… (고개를 저으며) 모르겠어요. 아마 무슨 얘길, 하려고 온 거겠죠. 나?

갑자기 유정의 뺨 위로 자신도 모르게 눈물이 흘러내린다.
눈을 부비며 눈물을 닦는 유정.

유정: 아, 쪽팔려.

아무렇지도 않다는 듯 눈을 부비는 유정.

유정: (눈을 부비며) 진짜 진부하고 유치한 얘기를 내 식으로 하면,
(고개를 들어 윤수를 본다) 나 문유정은, 세 번 자살을 하려고 했다.
열 다섯 살 때, 사촌오빠한테… 강간을 당했다… 부인도 있었고, 아이도 있었다. 개새끼, 나. 사촌오빠한테 강간. 당했다. 이게 끝.

잠시 고개를 숙였다가 드는 유정.

유정: 시시하죠? 그래두, 이 시시한 얘기 누구한테 한 거 처음이에요. 휴… 다 얘기하면 비참해서 기절이라도 할 줄 알았는데, 멀쩡하네… 할 말 없어도 뭐라도 한 말 해줘요.
윤수: 미안합니다.
유정: 윤수 씨가 왜요?
윤수: 저 같은 놈 때문에. 제가 다 잘못했습니다.
유정: 웃긴다. 어렵게 얘기한 건 난데. 왜 자기가 멋있는 척해요? 잘생긴 사람도 울면 별 수 없구나. 못봐주겠어.

유정, 창 사이로 눈물을 닦아주는 시늉을 한다.

두 사람은 고백을 통해 공감대를 형성한다. 그리고 상처를 서로 보듬어 안으며 계급의 장벽도 허물어버리고 하나가 된다. 윤수가 공감을 하고 하나가 된 것을 확인해주는 것은 교도소 내의 윤수의 일상을 보여주

는 그 다음 장면을 통해서 이루어진다. 다른 수형자들과 눈을 쓰는 윤수가 모처럼 앉아서 웃는 장면이 나오고 다른 사형수가 "어젯밤에 넥타이 공장 청소했다고 하더군. 누가 먼저 가든 좋은 데서 다시 만나자"라고 말하자 그의 머리에 눈을 뿌려주면서 장난을 친다.

3) 사랑과 행복

사랑은 '긍정(affirmation)'이다. 모든 것을 향해 모든 것에 맞서 사랑하는 사람은 사랑을 가치로 긍정한다. 불안·의혹·절망·빠져나오고 싶은 욕구에도 불구하고 사랑을 느낀 사람은 사랑을 하나의 가치로 긍정하기를 멈추지 않는다. 진실과 거짓, 성공과 실패를 떠나 사랑하는 사람은 그것을 그냥 그 상태로 받아들이며 긍정한다.[18] 즉 모든 것을 긍정적인 마인드로 해석하고 받아들이는 것이다.

영화 〈우리들의 행복한 시간〉에서 윤수는 유정이 방문하는 목요일을 마음속으로 기다린다. 또 이틀 후면 목요일이라고 편지를 보내면서 못 가본 곳이 많다고 심경의 일단을 밝힌다. 그에 화답하여 유정은 폴라로이드 사진기로 풍광이 아름다운 곳을 방문하여 화면에 담아 직접 뽑은 사진을 전달한다. 윤수는 사진 하나하나에 나름대로 본 소감을 적는다. 이러한 소감 표현 중 하나가 영화와 원작소설의 표제명이 된 '우리들의 행복한 시간'이다. 그날 유정은 처음으로 직접 만든 도시락을 싸가지고 간다.

여섯 번째 만남은 윤수가 요청해서 접견이 이루어진다. 여섯 번째 만남과 일곱 번째 만남은 영화에서 가장 중요한 윤수의 살인사건을 다룬다. 과거 회상을 통한 살인사건에 관한 이야기를 듣고 유정은 공범 태선을 찾아가 탄원서 얘기를 꺼낸다. 일곱 번째 만남에서 윤수는 처음으로 "살고 싶어졌다"고 고백한다. 윤수는 모든 것을 향해 모든 것에 맞서 사랑을 가치로 긍정하게 된 것이다. 그전까지 윤수는 빨리 죽여달라고 모든 것을 거부하는 행동을 보여왔다. 사랑은 앉은뱅이도 서게 만드는 기적을 만드는 법이다. 더욱더 유정은 탄원서를 거부하는 태선을 다시 만나 탄원서를 부탁하고 검사인 오빠를 만나 "오빠 말대로 사람 죽이는 건 잘못했다고 해, 국가가 사람 죽이는 건 옳은 거야?"라고 항변하면서 사형집행만은 막아달라고 부탁한다.

이러한 유정의 노력을 알고 있기나 한 듯이 이주임에게 "저 같은 놈도 받아주실까요?"라고 하면서 성당의 영세를 받겠다고 제안하고 밤에 잠도 자지 않고 아크릴판을 갈아서 십자가 목걸이를 만들어 목요일에 직접 목에 걸어준다. 물론 이 장면을 목격한 이주임이 잠시 수갑을 풀어준다.

드디어 윤수는 여덟 번째 만남에서 좁은 감옥에서의 행복감을 표현하고 아홉 번째의 만남에서 십자가 목걸이 선물을 걸어주면서 친밀감과 열정으로 이어지는 사랑의 훈훈함을 표출한다.

S#101 구치소 대강당 – 낮

윤수: 유정 씨 오는 날. 목요일만 생각하면, 그냥 좋아요. 행복하게 웃을 수 있는 건, 좋은 거잖아요. 좋은 거는, 안 없어진대요. 저는 죽겠지만, 저는, 그러니까, 아주 망한 거는 아니죠?

S#111 만남의 방 – 낮

윤수: 내가 만들었어요.

아크릴판을 갈아 만든 푸른색 목걸이가, 붉은 고무줄에 연결되어 멋진 작품으로 변해 있다. 그때… 윤수에게 다가오는 이 주임. 아무 말없이 윤수의 수갑을 풀어주고 간다. 미소 짓는 윤수와 유정. 윤수가 목걸이를 직접 유정의 목에 걸어준다. 긴장되는지 손이 떨려, 자꾸 실수를 한다. 도구도 없이 바닥에 갈아서 만드느라 엉망이 된 윤수의 손. 살며시 윤수의 손을 잡는 유정.

유정: 진짜 미술할 사람, 따로 있네. 유학 갔다와서 그림 하나 안 그렸는데…

윤수: 유정 씨, 다음 주 내 생일입니다. 뭐 해줄 거예요?

유정: 고민 좀 해볼게요.

윤수: 그냥 나이키 신발 사주면 안 됩니까?

유정: 정윤수, 너 자꾸 누나한테 유정 씨, 유정 씨 할래? 그것 사주면 누나라고 불러!

윤수: 봐서요.

예일대학교 의과대학의 스턴버그 교수는 그의 제자 그레이젝과 함께 「사랑의 본질」(1984)이라는 논문을 발표했다. 또 1986년 드디어 그 유명한 「사랑의 삼각이론」을 발표했다. 그는 낭만적 사랑·우정, 그리고 단순히 좋아하는 마음 등 여러 애정관계들을 분석한 결과 사랑은 친밀감 요인, 열정요인 그리고 결정·책임감 요인 등으로 구성된다고 결론지었다. '친밀감'이란 사랑하는 관계에서 느끼는 가깝고, 서로 연관되어 있고, 서로 맺어져 있다고 느끼는 정서적 상태나 속성을 말하며 사랑할 때 느끼는 따뜻한 감정의 체험을 의미한다. '열정'요인이란 로맨스 감정을 일어나게 하거나, 신체적 매력을 느끼게 하거나, 성적 결합을 하게 만드는 등 사랑하는 관계에서 있을 수 있는 일들을 생기게 하는 욕망요인을 말한다. 세 번째 '결정·책임감' 요인은 단기적 측면에서는 누구를 사랑하겠다는 결정이며, 장기적 측면에서는 그 사랑을 계속 지키겠다는 책임감을 말해주는 것이다. 영화 〈우리들의 행복한 시간〉의 주인공 유정과 윤수는 교도소의 안과 밖의 장벽을 의식하지 않고 서로의 상처를 확인하면서 정서적 공감대를 형성하고 처음으로 직접 도시락을 만들고 목걸이·나이키 신발을 선물하는 등을 통해 로맨스 감정을 불러일으키기도 한다. 물론 신파극이 되고 만 결말인 사형집행 장면에서 윤수는 "사랑해"라는 직접적인 언술을 내뱉기도 한다. 따라서 행복감의 표현인 사랑의 단계에까지 이르게 된 것이다.

제 IV 부

북한영화의 진화과정

제1장

북한 최초의 극영화, <내 고향>

우리 민족에게 해방은 매우 뜻깊은 의미를 지닌다. 단순하게 억압적 상황과 질곡에서 벗어난다는 뜻도 지니지만, 전 세계적인 차원에서 중세의 어둠을 떨쳐내고 문명사적 근대를 지향한다는 가치지향적인 의미도 지닌다. 또 독립을 찾기 위함이거나, 일제의 징용을 피하기 위해 또는 삶을 찾아 나라를 떠났던 수많은 동포들이 귀국을 하거나 마음의 고향을 되찾게 되었다는 상징성도 확보하게 된다. 가장 중요한 것은 민족 자체의 힘으로 민족의 미래를 창조적으로 설계할 수 있게 되었다는 것이다.

하지만 우리 민족의 이러한 꿈과 희망은 순식간에 사라져버렸다. 해방 직후 북한에는 소련군이 해방군이라는 명분으로 들어왔고, 남한에는 미군이 들어와서 진주하게 된 것이다. 분단의 아픔과 시련은 광복 70주년이 된 현재까지도 해결의 기미가 보이지 않는다는 안타까움이 있다. 우리가 북한영화사를 통해 북한의 현실과 북한인민들의 삶의 현상을 살펴보아야 하는 이유도 여기에 있다.

북한의 김일성은 소련군과 함께 들어와 국내에 존재했던 민족주의자들을 구금상태에 두거나 손을 잡는 정치적 형태를 통해 정리한 후 집권을 하게 된다. 그에 따라 해방 직후부터 한국전쟁 시기까지 북한인민들은 혁명적 변화기를 맛보았다. 이 시기부터 김일성의 한마디는 다른 어떤 법률이나 관습적 규범보다 앞서는 것이 된다.

소위 항일빨치산 투쟁시기부터 김일성은 문화예술에 대해 몇 가지 중요한 어록을 남겼다.

김일성은 항일혁명투쟁시기에 "사람이란 일생을 살면서 사람의 구실을 하여야 합니다. 그렇지 않고서는 죽은 사람이나 같은 것입니다"고 하시였으며 혁명가요 〈자유가〉를 지도하시면서 "사람은 사람이라 이름 가질 때 자유권을 똑같이 가지고 났다"고 명기하게 하시였다.[1]

김일성은 항일무장투쟁시기에 다음과 같이 교시하시였다.

"우리는 언제나 인민을 위하여, 혁명을 위하여 말을 하고 글을 써야 한다는 것을 잊어서는 안 됩니다."[2]

사람들에 대한 교양에서 예술활동과 같은 힘있는 방법을 배합하는 것이 아주 중요합니다. 혁명적인 내용을 담은 연극과 노래, 춤과 같은 것을 잘 준비하여 사람들에게 보이면 말로 백번 강조하는것보다 훨씬 낫습니다. 잘된 예술공연은 관중들에게 큰 감동을 줄 뿐 아니라 자기도 한번 그처럼 혁명적으로 살며 싸워보겠다는 강한 의욕을 갖게 합니다.[3]

김일성은 1928년 1월초 무송에서 연예선전대원들에게 다음과 같이 교시하시였다.

"연예선전대활동은 인민대중을 깨우쳐주고 혁명적으로 교양하자는 데 목적이 있는 것만큼 공연종목은 어디까지나 인민들을 각성시키고 투쟁에로 불러일

1945년 10월 4일 김일성의 평양시 군중대회 연설

으키는 혁명적이며 전투적인 것을 선택하여야 합니다"[4]

이러한 김일성의 교시나 어록에는 두 가지의 중요한 강조점이 드러나고 있다. 첫째, 김정일이 등장하여 주체사상을 공고히 하기 전까지 김일성은 '친인민지향적 태도'를 견지했다는 점이다. 즉 인민성-당성-계급투쟁성의 순서로 문화예술정책 방향을 잡아나갔던 것이다. 이것은 레닌의 혁명정책과도 일치한다. 하지만 김정일의 등장 이후에는 당성이 가장 앞서나가게 되고 그것보다도 혁명적 수령관이 더 우위에 서게 된다. 김일성이 중시한 작가들은 "언제나 인민을 위하여, 혁명을 위하여 말을 하고 글을 써야 한다"는 것은 적어도 1967년 유일체제가 자리를 잡기 전까지 김일성의 뇌리에 강하게 남아 있었던 것으로 보인다.

둘째, 모든 문화예술은 "인민들을 각성시키고 투쟁에로 불러일으키는 혁명적이며 전투적인 것을 선택하여야 한다"는 교시는 지금도 북한의 가장 중요한 정책방향으로 자리 잡고 있다. 즉 모든 북한의 문화예술은 인민대중을 각성시키고 혁명적으로 교양하는 것을 최우선 과업으로 삼고 있다는 의미이다.

김일성은 1946년 5월 24일 '문화인들은 문화전선의 투사로 되어야 한다'는 연설에서 문화인들이 입과 붓으로 반동세력을 치고 인민대중을 애국주의와 민주주의 정신으로 교양할 책임이 있다고 주장했다. "지금 조선에서의 싸움은 무장투쟁이 아니라 정치투쟁이며 선전전·문화전입니다"라고 하면서 "동무들이 대중 속으로 들어가 대중이 요구하는 글을 쓰며 대중을 가르칠 뿐만 아니라 대중에게서 배울 줄 아는 사람이라야만 진정한 문화인·대중의 문화인·민주주의적 문화인이라 할 수 있습니다"[5]라고 하여 인민성에 근거한 예술창작원리를 요구했다. 또한 대중을 가르치고 교양한다는 것은 문화예술이 상업성을 벗어나 교육적 가치를 가질 것을 주문하는데, 이러한 지침은 자본주의 사회인 남한 예술과 다른 공산주의적 계몽성을 강조한 것이라 할 수 있다. 또 김일성은 문화예술 분야에서 식민주의 이론 잔재를 청산할 것을 요구한다. 그것은 북한 예술에서 내러티브를 가진 예술에서 주류를 이루던 신파성을 척결하라는 요구[6]였다.

북한에는 1947년 2월 6일 '국립영화촬영소'가 창립되었다. 국립영화촬영소는 평양시 형제산 구역에 건립되었는데, 실내촬영장과 야외촬영장을 갖추고 편집실·녹음실뿐 아니라 배우양성소를 두고 일주일에 한 번 배우들의 기량을 보여주는 발표회를 갖도록 했다. 이후 야외 세트로 조선거리·일본거리·중국거리·서양거리·농촌과 서울 등을 만들어놓아 편리하게 이용하도록 했는데, 이러한 종합촬영시설은 양수리 종합촬영소 건립 당시 참고[7]가 되기도 했다.

북한의 『조선중앙년감』에 따르면, 이 촬영소가 만들어진 후 1948년까지 〈자라나는 민주모습〉, 〈남북한련석회의〉, 〈38선〉, 〈영원한 친선〉, 〈민주건국〉 등의 기록영화와 시보영화 10편이 만들어졌다고 하는데, 초기에는 이와 같이 주로 기록영화를 중심으로 제작이 이루어졌다. 1949년에 이르러서 드디어 북한 최초의 극영화 〈내 고향〉이 나오며 황해 제철소 노동자들의 영웅적 생산투쟁을 그린 김영근의 〈용광로〉는 1949년 12월에 제작 완성단계에 이르렀다. 내무성수비대원들의 조국방위투쟁을 묘사한 〈전사의 수기〉는 1949년 12월 촬영 중에, 이기영 원작, 김승구 각색의 〈땅〉은 1950년 1월부터 촬영에 들어가기 위해 준비 중에 있다는 기록도 찾을 수 있다.

북한의 국립영화촬영소는 드디어 북한 최초의 극영화 〈내 고향〉을 제작해서 내놓았다. 김승구가 시나리오를, 배우 최민수의 외할아버지인 강홍식이 연출했으며, 유원준이 주인공 관필 역으로, 월북한 여배우 문예봉이 그의 애인 옥단 역으로 출연했다. 특히 배우 유원준은 〈내 고향〉으로 영화인생을 시작해 사망하던 해인 1998년까지 영화출연을 하며 북한의 대표적인 배우로 성장한다. 그의 젊은 시절은 보조개가 매력적인 최무룡을 닮았고, 나이가 들어서는 한국의 아버지상인 김승호나 최불암의 소박함과 후덕한 풍모를 연상시킨다. 〈내 고향〉은 주인공 관필의 성장 스토리를 담고 있다. 최주사는 관필 아버지가 죽자 그들의 소작을 떼지 않는 대신 관필 가족을 자기 집 머슴처럼 부려먹는다. 그리고 5년 후면 소작 주던 땅을 불하해주겠다고 약속했지만 정작 5년이 지나자 자기 집 선산의 나무를 관필이 몰래 베다 판다는 이유로 소작 주던 땅을 떼겠다고 억지까지 부린다. 관필은 걱정만 하면 안 된다, 싸워야 한다고 들려주던 어린 시절 야학선생의 말을 떠올리며 최주사의 집으로 찾아가 따지던 중 최주사의 아들 인달과 싸움이 붙고 그를 땅에 메다꽂은 죄로 감옥에 들어간다.

옥중 같은 방 동료였던 인민혁명군은 관필에게 해방을 위해 싸우고 있는 군대가 있음을 알려주고 그들은 함께 탈옥하여 인민군을 찾아간다. 그러던 중 혁명군은 그들의 뒤를 쫓던 일본군의 총에 맞아 죽고 관필만이 혁명군에 합류한다. 시간 축약과 역동적 전개를 위한 몽타주 시퀀스를 통해 그가 총을 배우고 학습하는 모습이 보여진 후 관필은 비로소 유격대 대원이 되어 전투에 참가하게 된다. 관필이 기차를 폭파하며 혁명임무를 성공적으로 마치고 있을 무렵 그의 고향에서는 징용으로 남자들이 끌려갈 뿐만 아니라 옥단과 같은 젊은 여자들마저 공출된다. 고향의 비극과 관필의 활동이 교차편집을 통해 보여진 후 해방과 함께 김일성이 오고 토지개혁으로 땅을 갖게 된 사람들이 첫 농사를 짓고 있을 때 관필은 공산당 간부가 되어 고향 마을로 돌아온다. 〈내 고향〉은 뒤에 북한 영화나 소설에서 상투적으로 등장하는 성장 에피소드로 3명의 멘토가 나온다. 야학선생·감옥의 혁명가·유격대 군대장에 의해 그의 여릿한 정신은 체념을 투쟁으로 바꿔나간다. 1인 주인공보다 대중적 주인공을 그리던 당시 상황에서 관필의 성장은 어머니와 마을사람들의 성장을 동반하는 것[8]으로 그려진 것이다. 와이프를 이용한 장면전환과 시간축약을 위한 몽타주 시퀀스의 적절한 사용, 인물로 트랙인/아웃하는 카메라의 유연한 움직임, 관필의 성장과 피폐해지는 고향마을을 대조시키기 위한 교차편집의 구사를 보면, 신상옥 감독의 "북한 영화 중 최고"라는 평가가 무색하지 않다.

이 영화에서 어머니역의 배우 유경애는 1948년 월북한 배우로 청춘좌·성군·고협 등의 극단에서 배우로 활동했으며 탁월한 목소리로 김일성에 의해 칭찬받았다고 한다. 인달 역의 배우 박학은 배우로 활동하다 후에 연출가로 전환해 〈분계선 마을에서〉(1961)·〈한 지대장의 이야기〉·〈꽃 파는 처녀〉 등의 작품을 연출[9]했다.

제2장

혁명영화의 북한식 '원 소스 멀티 유스' 전략

김일성이 유일체제를 구축하던 1967년, 북한영화사에도 변화가 닥쳐왔다. 1950~60년대까지 지속적으로 공존하던 카프와 항일혁명문예의 균형이 깨져버린 것이다. 이제 항일빨치산 투쟁만을 미화시키는 혁명가극시대가 도래한 것이다. 소위 3대 혁명가극만이 우뚝 솟아오른 시대가 나타난 것이다. 북한에서 3대 혁명영화는 〈피바다〉·〈꽃파는 처녀〉·〈한 자위단원의 운명〉이다. 〈피바다〉(최익규, 1969)는 '피바다식' 영화창작 방법을 만들어내었을 정도로 북한에서 영향력이 큰 작품이다. 원래의 제목은 1936년 8월 만주 무송현 만강부락에서 광솔불과 남포등을 켜놓고 연극으로 첫막을 올리며 김일성이 직접 만들었다는 '혈해'라고 알려져 있다. 영화로 제작된 후 가극으로 만들어져 1971년에 피바다가극단(1946년 창립)이 7장으로 구성해 무대에 올리기도 했으며 1972년에 4·15문학창작단에 의해 2부작 장편소설로 나왔다. 북간도 지방에서 일제 강점기 때 일제와 지주에 반대하여 투쟁하다가 결국 일본군에게 잔혹하게 학살당한 윤섭의 아내가 자식들을 항일혁명투사로 훌륭히 키우고 자신도 항일투사가 된다는 줄거리이다. 일자무식인 어머니의 정신적 성장에 초점이 맞춰진 점은 고리키의 소설 원작으로 푸도브킨이 연출한 영화 〈어머니〉를 떠올리게 한다.

영화는 어머니의 시선으로 그려져 있다. 1부에서는 어머니가 자신을 둘러싼 사회현실을 제대로 이해하지 못하고 일제에 갖는 공포심을 주로 그리면서 가정생활에 초점을 맞춘 반면, 2부는 특히 정치공작원의 영향을 받으면서 사회적 관계에 대한 인식을 하게 된 뒤 어머니가 주동적인 지위와 역할을 갖고 활동하는 것을 그리고 있다.[1] 〈피바다〉는 주인공 순녀가 남편 윤섭과 주인집에 당한 서러움과 결혼 과정을 묘사하고 첫 아이 원남이를 낳고 황희도네 천대를 못 이겨 천암령을 넘어 배나무골에 다다른 이야기부터 시작된다. 부모의 얼굴조차 모르고 철이 들기 전부터 황희도네 집 부엌데기로 일해야 했던 순녀의 기막힌 생활환경, 비록 아씨가 입다버린 꿰맨 저고리며 단이 너덜너덜했던 토스레 치마를 걸쳤지만, 부엌데기라고는 믿기 어려울 만치 복스럽고 예쁜 순녀의 용모, 그리고 황희도네 집에 머슴살이를 들어온 윤섭을 무서워하면서도 마음 끌리게 된 처녀시절 이야기 등이 전개되며, 윤섭과 순녀가 동네어른들 앞에서 냉수 한 사발을 떠놓고 성례를 올린 이야기가 묘사된다. 결국 두 사람은 이듬해 겨울에 첫 아기 원남이를 낳고 황희도네 천대를 더는 참을 수 없어 어느 날 밤 불쑥 봇짐을 지고 천암령을 넘어 배나무골로 이주한다.

일제의 만행이 저질러지면서 주인공 어머니의 성격은 진화되어가고 세계관도 형성되면서 깊은 주제의식이 드러난다. 남편 없이는 한시도 못 산다던 어질기 그지없는 주인공 순녀가 일제와 그 식민지 통치제도의 왜곡된 본질을 뼈에 사무치도록 깨닫고 혁명투쟁에 나서는 과정이 심도 있게 묘사된다. 원한에 찬 피바다 속에서 그처럼 믿었던 남편 윤섭마저 잔혹하게 잃고 의지 없이 시련의 가시덤불을 헤쳐 나가면서 세 자식을 거느리고 살아가야만 할 순박한 순녀의 기막힌 처지가 그려지며 불타는 증오심이 끓어오르는 가운데 그녀가 혁명투쟁에 나설 수밖에 없는 상황이 묘사되어 감동을 준다. 결국 공작원 조동춘의 적극적인 영향 밑에 혁명의 진리를 깨달은 순녀가 귀여운 막내자식인 을남을 일제에게 잃으면서까지도 혁명조직을 구원하며 총을 들고 폭동에 가담하는 높은 혁명적 세계관의 소유자가 되는 과정이 사실적으로 그려진다. 작품은 어머니의 성격 형성을 통해 피압박 대중에게 있어서 혁명만이 살길이라는 투쟁의 진리와 함께 항일무장 투쟁으로서의 정당성과 반제반혁명사상[2]을 깊이 있게 보여준다. 개성적 성격의 소유자인 명찬이가 일제의 토벌대가 들이닥친다는 것을 알리기 위해 총창에 찔리면서까지 종을 치는 희생적인 행동에 대한 묘사, 어머니가 감옥에서 나올 때 발구를 타고 오는 장면, 그리고 갑순이가 죽은 을남을 끌어안고 우는 장면 등은 관객들에게 큰 감동으로 다가온다. 분노와 증오심을 극대화시키기도 하지만 연출을 맡은 영화감독은 어머니가 감옥에서 나올 때 〈일편단심 붉은 마음 간직합니다〉라는 노래를 삽입하여 심금을 울리는[3] 동시에 미래의 희망에 대한 효과를 고조시킨다.

〈꽃파는 처녀〉는 김일성이 1930년 11월 항일혁명 유격대원들의 해방구였던 만주 오가자의 삼성학교에서 초연된 연극이 시원으로 알려져 있다. 이러한 연극작품이 1971년 3월을 전후로 발굴한 불후의 고전적 명작으로 각색되어 1972년 예술영화와 혁명가극으로 제작 발표된 뒤 1977년에는 장편소설로도 발표[4]되었다. 〈꽃파는 처녀〉는 제작과 동시에 1972년 7월에 제18회 카를로비바리국제영화제에서 특별상과 특별 메달을 수여

영화 〈꽃파는 처녀〉

받았다.[5] 〈꽃파는 처녀〉에 나오는 꽃분이 일가와 마을사람들은 착취 계급의 잔인성과 간악성을 전형적으로 체현하고 있는 배지주와 그의 처, 마름 덕만이와의 첨예한 극적 갈등 속에서 피눈물 나는 생활을 겪게 된다. 영화는 꽃분이 일가의 이러한 고통과 불행의 근원을 밝히면서 꽃분이가 계급적으로 각성되는 과정[6]을 보여준다.

영화 〈꽃파는 처녀〉는 쇼트의 집합인 100여 개의 신으로 구성된다. 영화는 일정한 극적 공간에서 사건을 재현하는 쇼트들의 집합인 신(scene)으로 짜여지는 것이다.

영화 〈꽃파는 처녀〉의 기본 서사구조를 중심으로 극적인 전개과정을 살펴보기로 한다.

① 꽃분이는 어머니의 약값을 대기 위해 거리에서 꽃을 판다.
② 배지주의 종살이를 하는 어머니는 빨래를 삶으며 힘들어한다. 꽃분이를 종으로 대신 보내라고 채근한다.
③ 배지주의 부인 장씨의 약탕기에 넣을 대추를 순희가 먹었다고 어린 순희를 때리고 약탕기에서 끓는 약을 순희의 얼굴에 들이붓는다.
④ 막내여동생 순희의 실명에 분노한 철용은 배지주의 집 창고에 방화를 한다.
⑤ 다음 날 아침 철용은 일본 순사에게 체포되어 끌려간다.
⑥ 배지주가 장리쌀을 내준다는 말을 듣고 꽃분이가 가지만, 장씨는 그녀를 구박한다.
⑦ 배지주네 부엌에서 꽃분이 어머니는 힘들게 맷돌질을 한다.
⑧ 고학생이 바이올린을 켜는 옆에서 꽃분이는 꽃을 판다.
⑨ 꽃분이는 배지주 집 부엌에서 어머니가 꽃분이를 종살이 시키지 않으려고 애쓴다는 말을 우연히 듣는다.
⑩ 어머니가 힘에 겨워 맷돌질한 쌀분을 엎지르자, 배지주가 어머니를 구타한다.
⑪ 어머니는 집 안방에 심하게 앓아눕는다.
⑫ 꽃분이는 어머니 약값을 벌기 위해 열심히 나물을 캔다.
⑬ 눈이 먼 순희는 친구 영란에게 꽃을 팔러 가자고 조른다.
⑭ 순희, 영란과 함께 꽃을 팔기 위해 노래를 부르자, 거리악사가 애처롭게 여겨 함께 꽃을 판다.
⑮ 꽃분이는 나물 바구니를 생선장수 아주머니에게 넘기고 약간의 돈을 받는다.
⑯ 꽃분이는 동생 순희를 나무라다가, 자매는 결국 서로 부둥켜안고 운다.
⑰ 배지주의 집사 백만은 어머니에게 빚을 갚지 않으면 꽃분이를 술집에 팔아넘기겠다고 협박하고, 어머니는 충격에 쓰러진다.
⑱ 동네사람이 어머니를 업고 오는 중 어머니는 죽는다.

〈꽃파는 처녀〉의 홍영희(북한 배우)

⑲ 꽃분이는 오빠 철용을 면회 가려고 순희를 간난네 집에 맡기고 고향을 떠난다.

⑳ 지정된 면회날까지 기다리던 꽃분이는 오빠 철용이 옥사했다는 소식에 절망한다.

⑳ 배지주 집 장씨가 정신병으로 드러눕자 배지주는 원인이 순희의 울음소리 때문이라고 여기고 백만을 시켜 순희를 산속에 버린다.

⑳ 고향에 돌아온 꽃분이는 순희가 없자 배지주 집으로 가 부부에게 약탕기와 화로를 엎어버리고 백만은 꽃분이를 몽둥이로 쓰러뜨리고 창고에 가둔다.

⑳ 감옥을 탈출한 철용은 혁명군이 되어 동지들과 함께 고향으로 돌아와 악덕지주인 배지주 부부와 일본순사, 백만에게 치죄를 한다.

⑳ 오빠 철용은 창고에 갇혀 있던 꽃분이를 구출하고 세 남매가 재회한다.

⑳ 철용이 동네사람들에게 혁명 교육하는 화면과 기쁨에 찬 얼굴로 거리에서 꽃을 파는 꽃분이의 모습, 그리고 붉은 꽃으로 가득 찬 화면이 연속으로 비쳐진다.

이처럼 영화 〈꽃파는 처녀〉는 1920년대 말에서 30년대 초까지의 일제 강점기의 억압적 시대를 배경으로 하여 인민대중들이 계급적 각성을 통해 혁명에 성공한다는 김일성의 항일빨치산 투쟁을 미화한 작품이다.

제3장

'숨은 영웅 찾기'의 대중화 작업

—— 〈도라지꽃〉

북한영화 〈도라지꽃〉은 탈북자들을 통해서도 확인된 것처럼 북한사회에서 큰 인기를 끈 예술영화작품이다. 〈도라지꽃〉은 숨은 영웅 형상화 영화의 대표 작품으로 진송림의 이야기이다. 하지만 결혼도 하지 않고 산간마을을 개간하던 진송림은 사고로 죽고, 그의 여동생 진송화는 벽계리의 지도자인 농장관리원장이 되어 농촌을 완전히 변모시켜 잘 사는 마을로 개척해나가는 과정에 옛 언니의 애인이었던 원봉이 아들 세룡을 데리고 불쑥 나타난다. 이 영화는 도농갈등의 해소를 위한 선전선동의 영화라고 볼 수 있는 측면도 많다.

북한의 예술영화는 주로 조선예술영화촬영소(1947년 국립영화촬영소로 창립됨, 대흥단창작단, 왕재산창작단, 보천보창작단, 심지연창작단, 모스필름제2창작단, 총련영화제작소 등 10여 개 있음, 연간 25편 내외 장편예술영화 제작)와 4·25예술영화촬영소 산하 창작단(조선인민군에서 1959년에 조선인민군 2·8영화촬영소로 창설했다가 1990년대에 명칭을 변경하였음, 주로 군사문제 관련 예술영화 제작)에서 창작된다. 따라서 북한의 예술영화는 전문 창작단그룹에서 창작되는 경우가 많다. 즉 집체창작이 많은 것이 북한영화의 특징이다. 남한의 경우 시나리오작가나 감독이 시나리오작업까지 하는 경우로 대별되지만, 북한의 경우 촬영소 소속 창작단에서 집체창작을 하는 경우가 많다.

북한영화의 주제는 장편소설과 마찬가지로 대개 대여섯 가지로 나뉜다. 첫째는 역시 김일성의 항일혁명 업적을 미화시키는 작업이다. 대표적인 작품으로 〈민족과 운명〉, 〈조선의 별〉(전 10부작), 〈민족의 태양〉(전 5부작) 등이 있다. 둘째, 사회주의 혁명과 건설의 과정을 사실적으로 형상화한 작품군이다. 작품 수로는 이 경우가 가장 많다. 대표작으로 〈도라지꽃〉, 〈심장에 남는 사람〉 등이 있다. 셋째, 계급투쟁을 미화시킨 작품군이다. 대표작으로 〈피바다〉, 〈꽃파는 처녀〉, 〈한 자위단원의 운명〉, 〈성황당〉 등이 있다. 넷째, 6·25조국해방전쟁을 다루면서 인민군의 위용을 과시하는 작품군이다. 다섯째, 주체사회주의 사회의 우수성과 행복한 인민생활을 형상화한 작품이다. 여섯째 공산주의 교양을 위한 역사물이 있다. 대표작으로는 〈춘향전〉, 〈안중근 이등박문을 쏘다〉 등이 있다.

북한의 김정일 국방위원장이 영화를 얼마나 사랑하고 있는가는 북한의 인민화폐에 영화장면이 삽입되고 있는 것에서도 확인이 된다. 북한의 1원권 지폐 뒷면에는 〈꽃파는 처녀〉의 홍영희가 꽃바구니를 들고 서 있는 모습이 나오고 그 오른쪽에 〈피바다〉의 주인공 양혜련이 빨치산에게 진입로를 터주는 장면이 나올 정도이다.

북한에서는 남한과 같이 개개인이 영화관을 찾는 것이 아니라 당의 지시에 따라 집단적으로 영화를 관람하고 '영화실효 투쟁'이라 하여 감상한 것을 서로 토론하고 보고하는 토론회가 열린다. 김정일은 영화실효투쟁에 대해 "영화보급사업에서 영화실효투쟁은 중요한 의의를 가집니다. 근로자들이 영화를 보고 배운 것을 자기 사업과 결부시켜 분석하면서 교훈을 찾고 새로운 투쟁의욕과 신심을 가지고 일에 달라붙게 하는 영화실효투쟁은 우리 당이 내놓은 독창적인 영화보급방침의 하나입니다. 실천적 경험은 영화실효투쟁이 당원들과 근로자들을 각성시키고 불러일으키는 데서 커다란 작용을 한다는 것을 보여주고 있습니다"라고 강조했다. 따라서 일반대중은 어떻게 하면 영화의 주인공과 같이 사회주의 혁명과 건설에 주체전형으로 될 수 있을까에 대해 의견을 나누는 것으로 탈북자들에 의해 알려지고 있다.[1]

〈도라지꽃〉은 계관인인 이춘구가 영화문학을 쓰고 조경순이 영화감독을 맡은 예술영화이다. 이 작품은 1987년에 제작되었는데 인민배우인 오미란이 여주인공으로 나와서 제1차 비동맹국평양영화제 그랑프리를 수상한 작품이다. 영화배우 오미란은 1954년생으로 1979년부터 배우생활을 시작하였다. 그녀는 원래 평양예술단의 무용배우였으나 1980년 〈축포가 오른다〉로 영화배우로 데뷔하였다. 그 후 오미란은 〈그들의 모습에서〉, 〈종군기자의 수기〉, 〈새 정권의 탄생〉, 〈민족과 운명〉(제8~9부), 〈도라지꽃〉, 〈요염한 악녀〉, 〈곡절 많은 운명〉, 〈생의 흔적〉 등에서 뛰어난 연기를 보여준다. 1990년 10월 뉴욕에서 열린 남북영화제에서 최우수 남북영화예술인으로 선정되기도 하였다. 오

1987년 제1차 평양(국제)영화제에 출품된 북한의 예술영화 〈도라지꽃〉

미란은 영화인 집안 출신으로 그의 부친 오향문도 인민배우이며 여동생 오금란과 시누이 최영희도 영화배우로 활동 중이다. 〈도라지꽃〉의 첫 장면은 고향을 등진 뒤 27년이나 되는 원봉이 자신의 아들 재령을 데리고 고향이 바라다보이는 언덕을 넘고 있는 장면이 나온다. 아들이 도라지꽃을 따오자 아버지 원봉은 "꽃은 우리를 위해 핀다"라고 말하면서 진성리에서의 첫사랑을 떠올린다. 원봉의 첫사랑은 진송림이고 그녀에게는 여동생 송화가 있다. 진송림 자매는 조국해방전쟁 시기에 아버지가 전사하고 어머니는 미군의 폭격으로 사망한 고아이다. 그래서 동생 송화는 언니보고 결혼하지 말고 평생 동안 같이 살자고 말한다.

한편 한밤중에 뻐꾸기 소리를 듣고 나가는 언니 송림의 뒤를 밟은 동생 송화는 원봉이 언니 송림에게 도라지꽃을 꺾어주면서 프로포즈하는 장면을 목격하고 배신감을 느낀다.

밤골 전망도가 만들어지고 고향마을의 청년들은 사회주의 혁명정신으로 고향농촌의 모습을 뒤바꾸겠다고 결의를 다지지만, 원봉은 가난한 고향을 떠나 평양으로 공부하러 떠날 생각을 굳힌다. 그리고 송림이 자신을 따라 같이 도시로 떠날 것을 권유하지만, 고향에 남아 혁명을 완수하려고 하는 송림의 반대에 부딪쳐서 혼자서 고향을 떠난다. 세월이 흘러 27년 만에 원봉이 아들 세룡을 데리고 돌아온 고향에는 송화가 농장관리원장이 되어 고향 벽계리를 완전히 변모시킨다. 그러나 원봉의 첫사랑 진송림은 어느 여름날 장맛비와 태풍이 몰아치는 가운데 우리 속에서 미처 빠져 나오지 못한 염소떼를 구하다가 그만 산사태를 맞아 죽게 된다. 언니의 한을 잊지 못하는 진송화는 언니의 뒤를 계승하여 벽계리의 지도자인 농장관리원장이 되어 농촌을 완전히 변모시켜 잘 사는 마을로 만들게 된다. 영화는 늙어서 고향에 돌아온 원봉과 송림의 여동생 송화의 기억으로 구성된다. 송림을 숨은 영웅으로 두기 위한 텍스트의 전략은 그녀의 말과 욕망을 빼앗는다. 그녀는 산간마을의 개간을 이끌 정도로 당찬 여성이었지만 스스로 말하는 것이 아니라 누군가에 의해 말해질 뿐이다. 그녀는 발언하지 않는다. 다만 송림을 아는 두 사람의 기억 속에서 그녀는 '도라지꽃'과 같이 '부끄러워 산 속에 핀' 그러나 무엇보다 '아름다운' 꽃일 뿐이다. 북한은 향토애·조국애를 인생관의 문제로 잘 그렸으며 송림과 원봉의 문제를 27년이 지나 송림의 조카인 달래와 원봉의 아들인 세룡의 문제로, 즉 세대에 걸친 문제로 다루었다는 점에서 이 영화를 높이 평가[2]해 주고 있다.

요약하면 〈도라지꽃〉은 1987년 작이지만 사실은 북한의 50~60년대의 천리마운동 시기의 사회주의 혁명과정을 사실적으로 그린 사회주의 건설 주제의 예술영화작품이다. 아울러 70년대 이후 북한사회의 문제점으로 부각되었던 도농 간의 갈등을 해소시키기 위해 농촌을 지키면서 잘 사는 마을로 변모시키는 시골의 청년전위들의 계급투쟁과정을 형상화시킨 작품[3]이기도 하다.

제4장

생산성 증대를 위한 관료주의의 타파

—— 〈심장에 남는 사람〉

북한영화 〈심장에 남는 사람〉은, 남한가수 조영남이 영화 OST를 남북 문화교류 시기에 북한 공연장에서 불러서 유명해졌다. 〈심장에 남는 사람〉이란 영화 주제가는 북한 노래라기보다 남한의 발라드라고 말해도 손색이 없는 리듬으로 되어 있어 당시는 남한의 노래방에서도 많이 불렸던 노래이다.

〈심장에 남는 사람〉은 북한이 상당히 심혈을 기울여 제작한 예술영화이다. 북한은 영화예술의 종류를 예술영화·기록영화·과학영화·아동영화의 네 가지로 구분하고 있다. 북한에서의 예술영화는 남한이나 미국이나 유럽 등의 다른 자본주의 국가에서의 대중영화와 성격을 달리하고 있다. 북한에서 예술영화의 앞에는 '혁명적'이라는 용어가 접두어처럼 따라다닌다. 즉 북한에서 혁명적 예술영화는 생활과 투쟁의 참다운 교과서로서 당원들과 근로자들을 주체형의 인간으로 키우며 그들을 계급적으로 각성시키는 데 적극 이바지하고 있으며 온 사회의 주체사상화에 힘있

영화 〈심장에 남는 사람〉

게 복무하고 있다고 대외적으로 선전한다. 한 편의 예술영화를 만들자면 그의 사상예술적 기초로 되는 영화문학이 있어야 하며 또한 연출·촬영·배우연기·음악과 미술형상 등이 뒷받침되지 않고서는 사상예술적으로 우수한 영화를 성과적으로 창조해낼 수 없다. 따라서 영화는 이 모든 예술형태들의 성과를 유기적으로 결합하고 있는 종합예술이라는 개념 정의를 내리고 있다. 이러한 예술영화에 비해 기록영화는 조선기록영화촬영소에서 제작되는 것으로 주로 기본사명은 김일성수령의 혁명역사와 노동당의 역사를 수록하는 것[1]이라고 설명되고 있다.

〈심장에 남는 사람〉은 북한에서 김일성훈장을 받은 조선예술영화촬영소가 1989년에 만든 작품이다. 이 영화는 북한 영화인으로서 김일성훈장을 탄 계관인인 리춘구가 영화문학을 썼고, 고학림이 연출한 작품이다. 리춘구는 유명한 〈민족과 운명〉의 시나리오의 상당 부분을 창작한 것으로 유명하다. 특히 〈심장에 남는 사람〉은 최삼숙이 부른 가요가

영화 〈심장에 남는 사람〉

북한인민들에게 크게 히트하였고, 여주인공 역을 맡은 배우가 인민배우인 홍영희라는 것도 화제이다. 홍영희는 오미란과 더불어 북한에서 가장 인기가 있는 영화배우인데, 1970년대에 예술영화 〈꽃파는 처녀〉(1972)로 명성을 날렸다. 홍영희는 1955년생으로 1976년 평양연극영화대학 배우과를 졸업하고 30여 년간 25편의 영화에서 주인공역을 맡아 열연을 해왔다. 그녀는 1974년에 공훈배우가 되었고 1980년에 인민배우 칭호 및 국기훈장 제1급을 수여받았다. 홍영희는 제18차 카를로비바리 국제영화제에서 특별상을 받은 경력이 있다. 그의 대표작으로는 〈꽃파는 처녀〉에서의 꽃분이 역을 비롯하여 〈열네 번째 겨울〉, 〈민족과 운명〉 제19~24부가 있다. 한동안 뜸하던 홍영희는 21세기 들어와서 예술영화 〈심장에 남는 사람〉에서 노동신문 기자 역을 잘 소화해냄으로써 다시금 북한인민들의 사랑을 한몸에 받았다.[2]

〈심장에 남는 사람〉은 『노동신문』 기자인 남혜가 영동 다이야공장에서 날아온 편지 한 장을 받고, 다이야 공장 당비서를 취재하러 가는 이야기로부터 시작된다. 시대배경은 1970년대 중반으로 설정되어 있다. 특히 첫 장면은 남혜의 애인인 이철(무역회사 근무)이 기차역에서 취재차 떠나는 남혜를 전송하며 "만난 지 3년이나 되었는데, 연애기간이 너무 길면 화가 된다"는 말도 있으니, 다녀와서 자신의 결혼에 대한 생각을 분명하게 밝혀달라고 호소하는 내용으로, 이 영화의 주제가가 인기가수 최삼숙의 낭랑한 목소리에 실려 애절하게 자막 사이를 흐른다. 정남혜 기자는 다이야공장 당비서를 만나러 가지만 원학범 당비서는 그녀의 취재에 응하지 않는다. 자신은 아직 경험이 그리 많지 않고 대외적으로 내세울 만한 실적이 없다고 취재를 거부한다. 이러한 원학범의 태도를 오만한 당비서의 관료주의로 잘못 해석한 남혜는 공장 주변인물과 당비서 주변인물들을 취재하면서 자신의 당비서를 보는 인물관에 문제가 있었음을 반성하게 된다. 그리고 점차적으로 가족까지도 돌보지 않고 당을 위해 헌신적인 원학범 당비서에 대해 애정어린 시선을 던지게 된다는 이야기이다.

북한 문학예술에서는 소설의 갈등을 '적대적 갈등'과 '비적대적 갈등'으로 구분한다. 북한의 문예이론서들에 의하면 착취사회현실을 반영한 작품들과 자주성을 실현하기 위한 인민들의 투쟁을 그린 문학예술작품들은 착취계급과 피착취계급, 지배계급과 피지배계급 사이의 모순과 대립, 투쟁을 반영한 '적대적 갈등'을 기본으로 하여 구성되었으며 적대적 갈등이 형상창조의 중요한 수단이 된다[3]는 것이다.

그러나 사회주의 사회에서는 근로자들 사이에 적대적 모순과 대립, 충돌과 투쟁이 있을 수 없다는 것이다. 이 사회에서는 근로자들 사이의 동지적 협조와 통일단결이 사회관계의 기본을 이루고 있으며 모든 사람들이 서로 돕고 이끄는 공산주의적 미풍이 지배하고 있다고 선전한다. 하지만 사회주의적 근로자들의 생활을 반영하는 문학예술작품에서도 갈등의 설정문제가 중요하게 제기된다. 그것은 이 사회에서 살며 일하는 근로자들 사이에도 새 것과 낡은 것, 진보적인 것과 보수적인 것, 혁명적인 것과 비혁명적인 것 사이의 대립과 투쟁이 진행되고 있기 때문[4]이라는 것이다. 이러한 갈등을 북한에서는 '비적대적 갈등'이라고 부른다. 그래서 사회주의적 근로자들 사이의 상호관계를 반영하는 갈등은 사상투쟁의 방법으로 부정이 극복되고 동지적 단결이 더욱 강화되는 것으로 해결되어야 한다[5]고 주장된다.

〈심장에 남는 사람〉에서 주인공은 원학범 당비서와 그가 생산성 증대라는 당의 결정을 실천하기 위해 힘껏 밀어주는, 무에서 유를 창조하려는 신념을 가진 기술자그룹의 임석준과 이영갑이다. 임석준은 몇 가지의 외국어를 구사하는 등 인텔리계층이다. 그리고 이영갑도 상당한 기술을 가진 인재이지만, 대낮에 술을 마시고 추태를 부리는 등 술도깨비라는 별명을 가지고 있는 등 행정관료들인 지배인과 기사장 그리고 기술과장으로부터 왕따를 당하고 있는 실정이다. 상급당간부인 구역당비서에서 자원하여 현장관리책임자인 당비서로 부임한 원학범은 이들 근로자 상호관계를 반영하는 갈등을 극복하기 위해 노동을 마다하지 않고 세포조직에 스스로 뛰어든다. 그리고 임석준과 이영갑과 진솔한 대화를 시도한다. 즉 당성과 노동계급성을 고취시키기 위해 인민성의 구현을 실천하는 것이다. 결국 그들 기술자그룹을 인간적으로 설득하여 조직을 장악한 원당비서는 당결정서에 합성고무(외국수입에 의존하는 생고무)보다는 재생고무만으로 다이야 생산을 증대할 방안을 모색하자는 실천방안을 집어넣고 당총회를 개최하여 추인받는다.

그러한 과정에서 원학범의 실천적인 헌신을 방해하고 괴롭히는 것은 오히려 문제그룹으로 알려졌던 기술자그룹보다는 행정그룹과 당관료들인 것을 확인하게 된다. 특히 기술과장의 관료성은 커다란 문제점으로 밝혀진다. 그는 원학범 당비서가 여동생 부부를 만나기 위해 황해도를 방문한 사이 이영갑을 대낮에 음주한 것으로 몰아 공장에서 축출시키는 결정을 유도한다. 원학범이 돌아오자 이미 상급기관에 보고하여 책벌위원회를 개최하여 축출시킬 만반의 준비를 한다. 하지만 기술과장은 원 당비서로부터 추궁을 당한다. 우선 책상에서 조사한 것인가 이영갑의 집을 방문하는 등 현장을 찾아서 조사를 했는가 등에 대해 질문을 받는다. 결국 이영갑이 먹은 것은 보건소에서 병이 모자라 인삼주병에 넣어준, 기관지염을 치료하는 약으로 밝혀져 기술과장은 허위보고로 오히려 위기에 빠진다. 또 기술과장은 정상근무시간에 낚시대를 수리하고 근무시간에 미끼인 지렁이를 잡으러 가는 등 근무지 이탈을 한 것이 드러난다. 북한당국이 낡은 것으로 지적하면서 혁명대상으로 삼고 있는 관료주의의 병폐인 주관주의·형식주의·관료주의·요령주의의 병폐가 백일하에 드러나게 된 것이다. 또 기사장이나 지배인 등의 행정관료들의 보신주의, 무사안일주의와 탁상행정의 문제점도 폭로된다. 상급기관에서 생고무를 공급해주지 않으면, 창발성의 발휘 등 자체적인 대안을 마련하지 못하는 책임회피와 극도의 보신주의가 판을 치고 있다. 원 당비서는 김정일 국방위원장이 직접 주재하는 회의에 참석하여 사회주의 건설의 책무를 다짐하고 돌아와 실제와 달리 장부나 공문서상에서만 일치하는 숫자중심의 행정, 상급기관 보고 중심의 행정의 틀을 깨려고 절치부심한다.

결국 『노동신문』 정남혜 기자의 취재담 형식의 서사구조를 통해 북한사회 내부에 자리잡고 있는 관료주의의 병폐와 해독을 폭로한 작품이 바로 예술영화 〈심장에 남는 사람〉이다. 이 작품에서 주인공 원 당비서를 통해 세포조직인 노동자와 함께 하는 인민성의 구현, 생산성의 증대를 과학기술혁명을 통해 실현하려는 자주정신과 창발성 그리고 소위 '비적대적 갈등'을 해소하기 위해 사회주의적 근로자들 사이의 상호관계를 반영하는 갈등을 사상투쟁의 방법을 통해 부정이 극복되고 동지적 단결이 더욱 강화되는 것으로 해결하는 대안이 제시[6]되고 있다.

특히 정남혜 기자가 자신의 애인과의 결혼을 포기하고 홀아비가 되어서도 아이들을 돌보는 등 가족과 함께 지내기보다 당과 노동자들을 위해 헌신하는 당비서의 실천적 행동을 보고 감동을 받아 그에게 마음이 기우는 것을 형상화함으로써 이 작품이 사회주의 생명체론의 핵심인 주체적 인간전형의 창조에 주력한 수작임을 보여주고 있다. 하지만 〈심장에 남는 사람〉은 이러한 관료주의의 병폐지적을 통해 최근의 북한사회의 경제난 등의 근원적이고 구조적인 문제점의 원인을 최고책임자인 김정일 국방위원장 등 당 일꾼으로부터 하부조직의 행정 관료주의의 문제점으로 돌리려는 고의적인 트릭을 쓴 것으로 판단되어 한계를 드러내고 있다.

제5장

세대 갈등 봉합과 '과학중시' 사상

——〈한 녀학생의 일기〉

〈한 녀학생의 일기〉(안준보 영화문학, 장인학 연출)는 북한영화로서는 독특한 서사구조를 지니고 있어 내부적으로도 2006년에만 800만 명의 관객을 동원했고, 2008년까지 무려 1,000만 명에 육박하는 관객 호응을 얻은 영화로 평가된다. 또 같은 시기에 〈평양 날파람〉이 600만 명의 관객을 동원한 것으로 보도되어 두 영화가 2006년 평양의 영화관을 뜨겁게 달구었다. 관객호응에 있어서 북한 내부적으로도 "입말체(구어체)를 구사하고 전개가 빠르며 일상생활을 사실적으로 잘 묘사했다"라는 평가를 받았다. 외부적으로는 2007년 제60회 칸 영화제에 초청을 받아 신비로움과 호기심을 유발했다.

〈평양 날파람〉은 2006년 8월 10일 인민문화궁전에서 시사회를 가졌다. 〈평양 날파람〉은 일제에 의하여 강요된 한일합병조약 체결을 전후한 시기를 배경으로 하고 있다. 영화는 조선의 국보급 무술도서인 '무예도보통지'를 강탈하려는 일본 사무라이들과 싸워 민족의 넋인 '무예도보통

영화 〈한 녀학생의 일기〉

지'를 지키려는 택과 견이라는 이름의 평양 택견꾼들의 모습을 그렸다. 〈평양 날파람〉은 영화의 마지막 장면에서 주인공 택과 견의 죽음을 그린다. 이를 통해 아무리 뛰어난 무예를 지닌 민족일지라도 군력이 약하면 식민지 노예의 멍에에서 벗어날 수 없다는 것을 관객들에게 보여줌으로써 김정일의 총대 중시, 군사 중시 사상을 반영하고 있는 점이 한계로 작용하고 있다. 즉 영화를 통해 당의 방침인 선군정치의 필요성을 선전선동하고 있는 것이다.

한편 영화 〈한 녀학생의 일기〉는 어떠한 점이 대내외적으로 뜨거운 반응을 촉발하였을까? 또 이 영화의 장르적 특성은 무엇인가? 첫째, 〈한 녀학생의 일기〉는 고등학생인 주인공 수련의 일기형식으로 구술된 성장영화라는 장르적 특성을 보여준 점이 큰 호응을 불러일으킨 것으로 보인다. 새 세대의 입을 빌려 세대 간의 갈등을 절묘하게 사실적으로 그려나간 점이 북한 관객들의 호응을 유발한 계기가 된 것이다. 여학생인 수련의 입을 빌려 구술함으로써 과거의 북한영화가 보여주었던 직접적인 프로파간다 영화의 성격을 탈피할 수 있었고, 그러한 점이 신선한 충격으로 다가설 수 있었던 것이다. 북한의 제3세대들도 남한의 청년들처럼 개인적인 행복추구와 물질적 욕망을 앞세움으로써 집단적인 공동체를 중시하는 제2세대로서의 부모세대와 갈등을 빚고 있는 것으로 보인다. 북한영화가 관객의 이성이나 지성을 자극하는 지적인 호소가 아니라 흡인력과 견인력을 갖춘 현실에 대한 사실적인 묘사를 우선시하였다는 점은 신선하게 느껴진다. 〈한 녀학생의 일기〉는 이러한 생활에 대한 사실적인 묘사를 바탕으로 오늘날 북한을 살아가고 있는 젊은 세대를 주인공으로 해서 동일화 효과를 더 높이고 있다. 영화에는 할머니·수련의 부모·수련과 수옥이가 등장해서 북한의 세 새대를 다 아우르고 있지만, 영화의 주인공은 고등학생인 수련과 과학자인 아버지이다. 이들은 모두 항일운동이나 전쟁을 겪지 않은 2세대와 3세대들이다. 특히 수련으로 대변되는 3세대 같은 경우 구소련의 몰락과 김일성의 사망 이후 고난의 행군 시기 및 부분적인 시장 개방을 겪은, 부침이 많은 세대라고 할 수 있다. 이들에게 사회주의 국가의 지속과 미래는 이전 세대처럼 무조건적인 낙관주의로만 흐를 수 없다. 〈한 녀학생의 일기〉는 그런 세대의 심리를 자신의 미래에 대한 고민과 갈등에 빠져 있는 수련의 심리로 대체했기 때문에 더욱 큰 호응을 얻을 수 있었다. 미래세대와의 갈등은 수련이 아버지와 같은 삶에 대해 회의적인 시선을 보내는 것에서 출발한다. 영화에서 이러한 시선은 수련의 내레이션과 일기, 그리고 관찰자적인 반응 쇼트 등으로 나타나 있다. 특히 〈한 녀학생의 일기〉에서는 슬로 모션 기법을 이용하여 영화의 갈등구조를 강화하고 주관적인 심리적 시간을 확장한다.

영화 〈한 녀학생의 일기〉

슬로 모션은 초반과 후반에 반복되는 종이비행기 장면, 할머니·어머니·수련과 동생 수옥이 등 여인 삼대만이 사는 집에 누전사고가 난 장면, 수련이 학교에서 자신의 아버지를 우습게 말했던 동급생의 기를 죽이기 위해 함께 달리기를 하는 장면 등에서 사용되고 있다. 실제 시간을 확장시킨 이러한 슬로 모션 장면들은 매 장면마다 극성이 살아 있어야 한다는 북한 영화예술론에서 크게 벗어나 있지 않다. 누전사고 장면은 아버지가 부재한 집을 극적으로 표현하기 위해 이전 북한영화에서처럼 기계적으로 사용된 경향이 있다. 그러나 종이비행기가 날리는 장면과 달리기에 사용된 슬로 모션은 극적 과장을 위해 관습적으로 사용되었던 이전의 슬로 모션과는 다르게 사용되었다. 하모니카 특유의 여운이 남는 음악이 나오면서 종이비행기가 천천히 땅에 떨어지고 수련의 내레이션이 시작된다. 영화인들로부터 시적인 처리라고 높이 평가받은 이 장면은 꽃이나 하늘 등 자연에서 시작되는 북한영화의 관습을 깨뜨린 장면[1]이기도 하다

둘째, 영화 〈한 녀학생의 일기〉는 과거의 북한영화처럼 계몽성이나 목적성을 앞세우기보다는 정서적인 호응을 중시하는 서사기법과 연출력을 구사한 것이 뜨거운 반응을 불러일으킨 것으로 판단된다. 북한의 문

학평론가 김성남은 북한 사회주의의 우월함을 도식적으로 제시하는 영화, 생활 및 감각과 조화되지 않은 채 국가에 대한 개인의 목적 지향만을 보여주고 끝나는 영화를 비판하였다. "우리는 때때로 제목이 다른 작품들에서 비슷비슷한 판박이 성격을 만나곤 했고, 따분하게 흐르는 생활을 보곤 했다. 왜 그렇게 되었는가. 이것은 창작가들이 사람들을 산 개성으로 보지 않고 일정한 틀에 맞추어 그린 데 있다"[2]고 진단했다.

〈한 녀학생의 일기〉는 이러한 목적성을 앞세운 판박이 성격을 벗어나서 대중의 미감, 즉 일상생활의 단면을 진솔하게 담았다는 점에서 북한 관객들에게 큰 감동을 안겨준 것으로 생각된다. 북한 평론가 김성남은 "사람들은 영화에 반영된 인간과 생활이 자기와 가까울 때 좋아한다. 영화에서 자기 곁에 있는 인간을 보았을 때 믿고 공감하면서 그 옆에 자신도 세워 보게 되는 것이 관중의 심리이며 자기 주위의 현실에서 생활의 진미를 느끼는 것이 인간이다"[3]라고 하여 관객들이 일차적으로 유사성에 근거한 동일화에 가장 영화적 쾌락을 느낀다는 입장을 보였다. "모두 그런 것은 아니지만 과거 영화는 당의 정책적 방향을 깊이 담은 작품이나 역사물이 많았다. 〈한 녀학생의 일기〉가 보여주는 가정에서 밥하고, 빨래하고, 굴뚝 청소하는 모습은 우리의 일상을 그대로 보여준다"(외국 유학 경험이 있는 30대 가정주부)[4]는 반응은 〈한 녀학생의 일기〉에서 장인학 감독이 인민들의 일상적 생활을 보여줌으로써 관객들의 정서적 호응을 이끌어낸 것이 성공의 비결임을 확인해준다. 그 외에도 "주인공인 녀학생 가정이 생활하는 모습이 내가 중학교 다닐 때와 똑같아 친근감이 느껴졌다"(평양의 호텔에 근무하는 20대 여성봉사원의 말)는 반응이나, "영화가 참 좋습니다. 한 과학자의 가정을 소박하게 담았는데 어쩌면 그렇게 진솔하게 그렸는지 영화를 봤다기보다, 실생활을 본 것 같습니다"

영화 〈한 녀학생의 일기〉

(청년동맹중앙위원회 부장 함광철), "정말이지 이 영화는 영화라기보다는 실제 산 현실을 우리 앞에 그대로 펼쳐 보이는 것만 같습니다"(학생 안정혜)[5] 등의 긍정적 호응은 모두 영화 〈한 녀학생의 일기〉가 당의 정책목표보다는 인민대중들의 눈높이에 맞춘 결과로 보인다.

셋째, 주인공인 수련이 자본주의 세계에서나 흔히 드러내 보이는 물질을 욕망하고 있다는 점이다. 아파트에서 떵떵거리고 살고 싶다는 수련의 물질에 대한 욕망은 진로 고민과 더불어 영화의 서사를 추동시키는 주된 욕망이다. 이러한 점은 〈한 녀학생의 일기〉가 다른 북한영화와 차별화되는 중요한 요인으로 작용한다. 이전의 북한영화는 자본주의보다 우월한 사회주의를 재현하기 위해 물질과 정신을 대립시켰다. 즉 자본주의는 물질적으로 풍요롭지만 이 경제적인 욕망은 근본적으로 부도덕하며 이기적인 것이다. 따라서 숭고함과 도덕이라는 인간의 정신적인 가치의 지배를 통해 경제적 욕망은 통제되고 조절되어야 한다. 〈한 녀학생의 일기〉가 〈민족과 운명〉과 다른 점은 수련이 자신이 원하는 아파트를 얻고도 참회나 반성 따위는 하지 않는다는 점이다. 아파트를 향한 수련의 물질적 욕망은 충족되고 동시에 아버지처럼 자신도 과학자가 되겠다는 결심을 한다. 이는 자본주의와 사회주의를 물질과 정신으로 나누어서 '보이지 않는' 정신의 우월함을 보여주는 이전 북한영화들과 분명히 구분되는 지점이다. 〈한 녀학생의 일기〉는 물질에 대한 욕망을 자본주의의 가치라고 부정하기보다 이 욕망을 사회주의 국가를 위해 사용하는 길을 찾고 있는 것이다. 영화는 2000년대 이후 강성대국을 만드는 데는 군사대국만이 아니라 경제대국을 이루어야 한다고 주장하는 북한사회에 대한 알레고리로도 충분히 읽힐 수 있다. 어찌됐든 〈한 녀학생의 일기〉는 서사의 욕망을 지금까지 자본주의적이라고 배격했던 물질을 향한 욕망으로 놓고 이 욕망을 부인하거나 지연하지 않고 충족되는 완결구조를 갖고 있는 것이 특징이다.[6]

넷째, '숨은 영웅 따라 배우기'로서의 선군시대 과학자 김산명을 딸 수련과의 갈등을 통해 미화시킨 것은 김정일이 직접 영화제작에 관여한 것을 북한 언론이 보도한 것과 같은 맥락에서 볼 때 이 영화가 강성국가 건설의 중요한 한 축인 과학 기술 발전을 위한 '과학 중시' 사상을 보여준 것으로 해석된다. 서구적 관점에서 볼 때 북한영화가 변하지 않는 사상성에의 몰입을 극단적으로 보여준 것이라고 할 수 있다. 영화 〈한 녀학생의 일기〉에서 표면적으로 주인공은 수련으로 비쳐진다. 하지만 사실상 심층적인 주인공은 아버지 김산명이다. 애초에 아버지를 오해하고 왜곡되게 바라보았지만, 이과대학 입학 추천을 거절하고자 동생 수옥과 함께 다시 공장을 찾아가서 과학자로서의 새로운 아버지의 모습을 보게 된 수련은 자신을 반성하고 아버지의 기숙사 책상 위에 '아버지 용서하세요'라는 짧은 편지를 남기고 집으로 돌아오면서 이과대학 입학결심을 다시 하게 된다.

영화 속 과학자인 아버지 김신명은 주인공 수련이 그토록 원하는 아파트를 이미 소년단 시절에 배정받았으나 아파트 입주권을 다른 과학원 사람에게 양보했다. 김산명의 아내 정란은 남편의 뜻을 언제나 말없이 따르며 남편의 연구를 위해 번역을 마다않고 돕는 인물이다. 김산명은 자신의 이익이 아닌 조국, 집단과 사회를 위한 의무감을 갖고 있는 인물이다. 가족과 떨어진 채 공장에 홀로 살면서 묵묵히 과학탐구의 길을 걸어가는 김산명의 모습은 선군시대 과학자의 전형이라고 『노동신문』(2006. 8.16)은 언급했다. 영화 〈한 녀학생의 일기〉는 주인공 수련의 눈을 통하여 북한이 바라는, 즉 노동당이 바라는 과학자 상이 무엇인지[7]를 함축적으로 보여주고 있기도 하다.

제 V 부
한류로서의
문화콘텐츠 —
도발적 여성상이
던져주는
신선함과
센티멘털리즘

1. 〈엽기적인 그녀〉가 준 문화충격

〈엽기적인 그녀〉는 중화권에서 한류가 확산되어가는 데 큰 기여를 한 영화작품이다. 영화 〈내 머리 속의 지우개〉와 〈외출〉이 일본에서 큰 반향을 일으켰다면, 〈엽기적인 그녀〉는 중국에서 엄청난 인기를 끌었다. 일본에서는 〈쉬리〉(1999)와 〈공동경비구역 JSA〉(2000)가 한류의 토대를 구축한 영화라고 할 수 있다. 한국에서 〈쉬리〉의 열풍은 2000년 일본에도 그대로 전해지면서 수입되어 〈서편제〉가 가지고 있던 일본 내 한국영화 흥행기록을 넘어서는 것은 물론, 한국영화로는 처음으로 일본 박스오피스 흥행 1위에 오르게 된다. 그 요인은 그동안 소수 집단에 의해 한국영화가 소개되었던 것에서 벗어나 '도큐 체인'을 통해 전국적으로 영화가 상영됨으로써 대중들에게 폭넓게 다가설 수 있게 되었기 때문이다. 〈쉬리〉로 인해 한국 대중문화 마니아들이 일본에 형성되기 시작하는

영화 〈엽기적인 그녀〉

데, 대표적인 연예인으로 쿠사나기 츠요시(초난강, 일본 인기 그룹 SMAP 멤버) 등을 들 수 있다. 〈겨울연가〉 드라마를 통해 일본에 갑자기 한류가 형성된 것이 아니고, 〈쉬리〉 등의 영화와 가수들의 활동을 통해 한국 대중문화에 대한 폭넓은 마니아층이 형성되었기 때문이다. 즉 〈쉬리〉는 일본 내에서 한국 대중문화를 알리는 첫 번째 콘텐츠였으며 한류를 이끄는 견인차 역할로 그 의미가 깊다. 〈쉬리〉에 이어 2001년에는 〈공동경비구역 JSA〉가 수입되어 〈쉬리〉의 기록을 뛰어넘는 인기몰이를 한다. 2003~2004년 이후 드라마 〈겨울연가〉의 인기가 광풍으로 확산되어갈 즈음에 동승하여 한국영화가 줄줄이 수입되어 큰 인기를 누린다.

2004년 12월에 일본에서 개봉된 〈내 여자친구를 소개합니다〉는 〈엽기적인 그녀〉를 만들었던 곽재용 감독이 연출하고 전지현이 출연하였기에 상영 전부터 많은 관심을 받은 영화였다. 국내에서는 〈엽기적인 그녀〉에 비해 이야기 구성이 엉성하고 PPL(product in placement)에 치우쳐 두 시간짜리 광고영화라는 혹평을 받았던 영화인 데 비해 홍콩·대만·중국에서 상당한 호응을 얻었고, 이는 일본에서도 이어진다. 〈외출〉은 한국에서 80만 명의 관객을 모아 흥행에서 참패했지만, 배용준이 주인공으로 출연하였다는 점만으로도 일본에서는 화제가 되어 안정적인 흥행몰이를 했다. 〈외출〉은 철저하게 일본 관객을 의식하고 만든 작품이다. 드라마 〈가을동화〉의 속초, 〈겨울연가〉의 남이섬·춘천에 이어서, 〈외출〉은 공간적 배경을 삼척으로 삼았다. 또 사랑을 모티프로 하여 멜로드라마적 요소를 강하게 설정한 것이 흥행의 비결로 나타났다. 한국 역대 흥행순위 234위로 256만 명의 관객동원에 성공한 〈내 머리 속의 지우개〉(정우성, 손예진 주연)는 2005년 10월에 일본에서 개봉하여 역대 한국영화 최고흥행기록을 세우면서 30억 엔의 수입을 올린다. 이 영화는 니혼TV 드라마 〈퓨어 소울〉(2001)을 리메이크한 작품으로 점점 기억을 잃어버리는 여자와 그 옆에서 끝까지 사랑을 지켜주는 남자의 애잔한 사랑이야기를 담고 있다. 일본에서 흥행에 성공한 한국영화를 보면 대체적으로 멜

영화 〈엽기적인 그녀〉

로드라마적 요소가 강한 작품들이다. 남녀 간의 사랑을 중심에 담은 이러한 영화들은 향수·회상·지고지순한 사랑 등 드라마 〈겨울연가〉에서 보인 미학적 서사구조를 고스란히 간직하고 있다.

일본에 비해 중국에서는 드라마 〈대장금〉과 영화 〈엽기적인 그녀〉·〈괴물〉·〈디워〉가 커다란 반향을 불러일으켰다. 1990년대 후반에서 2000년대 초반까지 대만·홍콩·중국 등 중화권에서 한국영화는 큰 호응을 얻지 못하였다. 홍콩에서는 1999년 홍콩아트센터에서 상연한 〈8월의 크리스마스〉와 이어서 개봉한 〈쉬리〉가 미미한 반응을 보였고, 1990년대 후반 한류드라마 열풍이 가장 먼저 일어난 대만에서는 〈친구〉·〈공동경비구역 JSA〉가, 중국에서는 〈비천무〉·〈찜〉·〈키스할까요〉·〈패자부활전〉 등이 관객들에게 다가서지만 그저 한국영화를 선보인 것에서 만족할 뿐이었다. 이러한 현상은 아직까지 한국 대중문화에 대한 이해가 폭넓지 못하였고, 할리우드 영화에 치우친 배급 구조에 따른 결과였다.

중국영화제(2009.9.18)에 참석한 마오위(毛羽, 중국 국가광파전영전시총국) 부국장은 "지난 2001년부터 지금까지 공식적으로 중국 극장에서 상영된 한국영화는 모두 17편이다. 또 48편의 영화가 중국 CCTV 영화 채널을 통해 방영됐다"며 "그중 영화 〈디워〉가 3,400만 위안(한화 약 60억원)을 벌어들여 최대 수익을 거뒀다. 현재 상영 중인 영화 〈해운대〉의 매출은 아직 1,000만 위안에 못 미친다"[1]는 말에서 드러나듯 구조적으로 한국영화가 자리 잡기에는 많은 어려움이 뒤따랐던 것으로 생각된다. 즉 중국이 외국영화에 대해 검열과 규제가 심한 공산주의 국가라는 점을 염두에 두어야 한다. 또 불법 해적판 DVD 복제물 때문에 골머리를 앓는다. 2008년 베이징올림픽 이후 저작권에 대해 많은 변화가 있을 것으로 추정했지만 크게 달라진 것이 없다는 데에 문제가 있다.

중화권에서 한국영화를 강렬하게 알린 영화는 〈엽기적인 그녀〉다. 중국은 2010년 초 3차원(3D) 스크린이 1,000개였는데 연말에 2,500개로 늘어났다. 전체 스크린은 8,000개인데 5년 뒤엔 3만 개로 미국을 넘어설 것으로 추정된다. 중국시장의 규모를 말해주는 것이다. 영화 〈엽기적인 그녀〉의 해적판이 중국에서 1억 내지 1억 5천만 장 팔렸다. 그 명성으로 장쯔이와 공리가 주연하는 200억 원짜리 영화 〈양귀비〉를 곽재용 감독이 맡았다. 중국은 돈과 인프라(극장), 관객은 있는데 소프트웨어가 부족하였다. '중국의 강제규'쯤 되는 펑샤오강(馮小剛) 감독도 컴퓨터그래픽(CG)이나 특수효과 스태프를 한국에서 데려와 작업한다. 하지만 스태프나 감독이 인건비를 받아오는 수준으로는 곤란하다. 중국 영화계에서 주목하는 한 감독의 표현을 빌리자면 '월급쟁이가 아닌 (지분이 있는) 주인으로 들어가야' 한다는 얘기다. 공동제작·투자를 해야 (한국영화의) 시장이 확대되고 고용도 창출된다. 중국에서 개봉하는 외국영화는 한해 평균 30편 정도인데 이 시장을 뚫어야 한다. 그렇지 않다면 중국·대만 등과 합작해 (외국영화) 쿼터를 피하는 방법도 가능하다[2]는 것이다.

지금까지 중국에서 개봉한 한국영화중 가장 성공한 흥행작은 2008년 개봉한 심형래 감독의 〈디워〉다. 〈디워〉는 개봉 뒤 2주간 2,000만 위안의 흥행 성적을 거뒀고 최종적으로는 3,000만 위안(약 49억 원)에 가까운 흥행 성적을 올렸다. 한국의 쇼박스가 투자에 참여한 〈적벽대전〉이 높은 성적을 거뒀지만 순수한 한국영화로는 〈디워〉가 최고 흥행작인 것이다. 앞서 개봉한 한국영화 최고 흥행작은 〈괴물〉이었다. 〈괴물〉은 2007년 3월 6일 개봉해 약 1,200만 위안(약 19억 원)이 넘는 수입을 기록했다. 특히 한국영화로는 최초로 베이징 박스오피스 1위에 올라 화제를 모으기도 했다. 사실 한국영화의 중국 내 흥행성적은 중국의 시장규모로 고려했을 때 예상보다 낮은 기록이다. 중국 내 영화 상영관 스크린 수는 4,723개, 약 2,000개인 국내와 비교했을 때 2배가 넘고 인구수는 비교할 수 없다는 점에서 의외라 생각이 된다. 이 같은 한국영화의 부진은 중국에서 한국영화가 마이너로 취급되기 때문이다. 영화진흥위원회 관계자는 "중국에서는 극장 관람료가 한화 1만 8,000원 정도로 한국에 비해 2배 정도 높은 편이다"며 "체감적으로 더 높을 수 있는 만큼 관객들이 스펙터클한 작품을 찾는다"고 설명했다. 관객들이 극장에 오는 것이 큰 결심인 만큼 할리우드 대작을 찾는다는 것이다. 이 같은 점에서 1,100만 관객을 넘어선 〈해운대〉의 경우도 중국에서 고전을 면치 못했다. 2014년 중국 박스오피스를 보면 〈2012〉, 〈트랜스포머: 패자의 역습〉이 나란히 1위와 2위를 기록했다. 〈2012〉의 경우 극중 배경이 중국인 점이 호재로 작용해 흥행수입만 5억 위안(약 810억 원)을 넘어섰다. 이 관계자는 "한국영화가 중국에서 흥행하기 위해서는 할리우드 영화와 경쟁해야 한다"며 "중국이 등급제가 없어 검열이 심하다는 점도 감안해야 한다"[3]고 말했다. 또 불법DVD의 엄청난 유통도 한국영화 진출의 걸림돌이 된다. 〈엽기적인 그녀〉의 경우 약 1억 장 이상이 불법DVD로 유통된 것으로 분석된다.

또 하나 눈여겨보아야 할 점은 중국 문화시장이 커지는 것은 사실이지만, 자국 제작 영화의 점유율이 점차 커지고 있다는 점도 간과할 수 없다. 2015년 3월 3일 중국 언론 보도에 따르면 중국 최대 명절 춘절(春節)에 힘입어 2월 영화 흥행수입 40억 5,000만 위안(약 7,001억 원)이라는 역대 신기록을 세우고 중국이 처음으로 미국을 제치고 세계 1위 시장으로 등극했다. 2015년 2월 18~24일의 춘절 연휴에만 17억 5,000만 위안의 극장 흥행수입을 올리며 2014년 춘절 기간의 14억 위안보다 25% 높은 신장세를 보였다. 특히 춘절 다음 날인 2월 20일 하루에만 3억 5,800만 위안의 흥행수입을 올려 단일 흥행수입으로는 역대 최고 기록을 경신했다. 2014년 중국 영화 흥행수입은 전년 대비 36.15%가 증가한 296억 3,900만 위안(약 5조 1,912억 7,100만 원)에 달했다. 이는 전년에 이어 30%대로 성장한 것으로 성장세는 더욱 강해지는 추세다. 2010년 중국영화 시장의 매출 규모는 100억 위안이었으나 3년 만에 200억 위안으로 성장했고 2014년에는 300억 위안에 가까운 매출을 올렸다. 2015년 극장을 찾은 관객의 수는 전년 대비 34.52% 증가한 8억 3,000만 명에 달했다. 2014년 극장 수도 빠르게 증가해 한 해 동안 새로 지

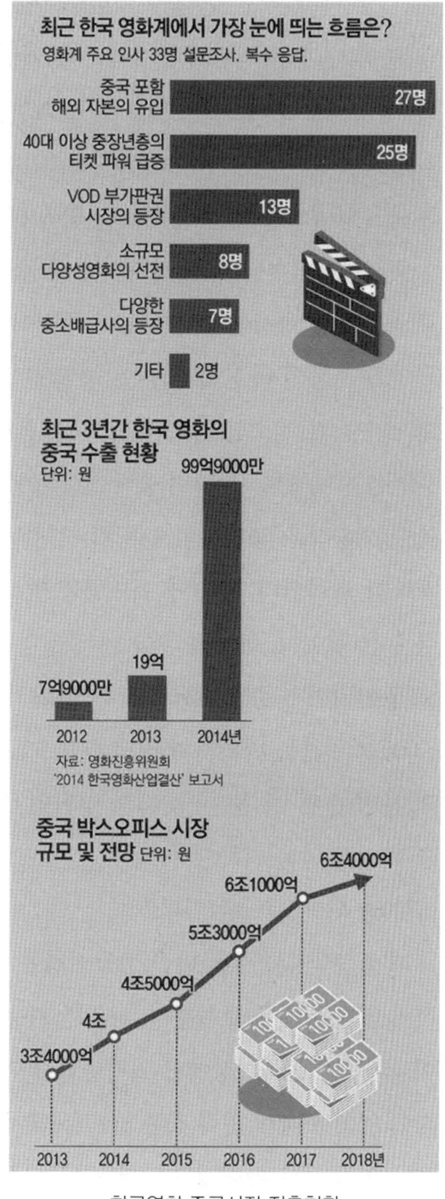

한국영화 중국시장 진출현황
(자료: 한국콘텐츠진흥원, 영화진흥위원회)

어진 상영관은 5,397개에 이르렀다. 이는 하루 평균 15개가 증가한 것이다. 중국 내 총 상영관 수는 2만 3,600개로 집계됐다. 그러나 실제 영화관에 가지 않고 스마트폰이나 태블릿 PC 등을 이용해 문화 콘텐츠를 감상하는 중국 소비자가 전체의 60%에 육박한다는 점을 감안하면 중국 영화 콘텐츠 산업의 실제 시장 규모는 훨씬 큰 것으로 업계는 추산하고 있다.

중국경제의 비약적 성장과 더불어 중국인들의 문화 수요가 폭발적으로 증가하면서 중국영화 시장이 급격히 팽창하고 있다. 특히 2014년 중국영화 시장의 특징 중 하나는 중국 콘텐츠의 약진이다. 2014년 중국영화사가 직접 제작한 영화가 중국 내 전체 매출의 54%인 161억 5,500만 위안을 차지했다. 2014년 중국에서 개봉한 영화 중 관객 수 1억 명을 돌파한 흥행작은 66편이었으며 이 중 절반 이상인 36편이 중국 제작사가 제작한 영화였다. 전년에 이어 2년 연속으로 자국 시장에서 해외 영화를 누른 것이다. 이처럼 중국 내에서 영화 제작이 활발해지고 흥행 성적도 좋아지면서 중국에서 제작한 영화의 해외 수출을 통한 매출도 18억 7,000만 위안을 기록하며 전년 대비 32.25% 증가했다. 2014년 중국에서의 흥행 순위 1위는 미국 제작 영화인 〈트랜스포머: 사라진 시대〉로 매출 19억 위안을 기록했다. 중국 제작 영화 중에서는 〈신화 루팡〉이 11억 6,700만 위안으로 1위였다.[4]

커진 중국 문화시장만큼 중국시장을 뚫는다는 것이 그렇게 호락호락하지 않다는 것을 보여준다. 하지만 가능성이 전혀 없는 것은 아니다. 차이나머니가 문화시장에도 밀려들고 있다. 중국 자본의 국내 진출은 완성작 구입이나 국내 인력 진출 단계를 넘어 공동제작, 제작사 지분 매입, 판권 구입 등으로 확대되고 있다. CJ E&M이 중국과 합작해 2015년 1월 개봉한 〈20세여 다시 한 번〉은 매출이 3억 5,000만 위안(약 610억 원)을 넘어서며 역대 중국 로맨틱 코미디 장르 최고 기록을 세웠다. 중국에서 춘절 대목을 앞두고 2015년 1월 30일 개봉한 〈달려라 형제〉는 SBS 예능프로그램 〈런닝맨〉을 극장판으로 만든 것이다. 개봉 이틀 만에 손익분기점을 넘겼고 이미 4억 위안(약 700억 원)을 벌어들였다. 한류 콘텐츠의 인기에 폭발적인 영화 수요가 맞물려 한국 예능프로그램까지 영화 포맷으로 살짝 바꿔 극장에 거는 기현상이 나타나고 있다.[5] 즉 중국 자본과의 합작을 시도하여 외화수입 쿼터를 우회하는 방법이 시도되어야 할 것이다.

가장 중요한 것은 좋은 영화를 만들어 수출해야 한다는 점이다. 특히 할리우드와 맞설 수 있는 탄탄한 세계적인 스토리를 갖추고 스케일이 큰 대작을 만드는 것이 중요하다. 그것만이 현재 마이너리그에 머물고 있는 중국 문화시장에서의 한국영화의 위상을 되찾는 방법이다. 아직도 가능성은 활짝 열려 있다. 한류의 기반이 탄탄하기 때문이다. 〈엽기적인 그녀〉의 후속작을 기대하는 관객층이 탄탄하다는 점이다. 또 드라마와 K팝을 통한 마니아층도 두텁기 때문이다. 중화권에서 다양한 한국영화들이 상영되는데, 예술성에 바탕을 둔 무거운 주제의 영화보다는 대부분 오락성이 강한 영화들이 사랑을 받고 있다. 이는 중화권에서 한국 드라마·대중가요의 선호도에서 보듯 한국문화의 이성적인 측면보다는 감성적이며 역동적인 모습에 주목한 것과 같은 모습이다. 한국과 중국의 정서적 유사성과 더불어 이미 대중문화의 형성의 탄탄한 토대를 가진 한국 현대문화의 역동적 이미지가 그들에게는 현대문화의 표상[6]처럼 받아들여졌던 것이다.

2. 인터넷소설의 영상화 패턴

인터넷소설은 인터넷이나 PC통신의 사이버공간에서 창작해서 글을 올린 창작소설을 말한다. 인터넷소설은 사이버소설·통신소설·하이퍼텍스트 소설·N소설·장르소설 등 다양한 이름으로 사용되고 있다. 21세기에는 생산자와 소비자가 구별되지 않는다. 인터넷의 블로그나 게시판 등에서 자신의 창작물이나 글을 올려 평가를 받거나 팔로워를 거느리는 파워 블로거가 등장함으로써 '프로슈머'라는 신종용어가 생겨나기도 했다. Producer와 Consumer의 합성어가 '프로슈머'이다. 현대사회의 적극적인 문화 수용자·소비자를 말한다. 소비자는 소비를 단순히 소비로만 그치지 않고 소비를 통한 생산으로 잇는 능동성을 보이며, 생산자가 전해주는 의미가 아닌 자신들의 의미를 만들어내는 작업을 하게 된다. 이를 가리켜 프로슈머라고 하며, 한국말로는 생비자(생산자와 소비자)라고 부른다. 원래 토플러(A. Toffler)가 『제3의 물결』에서 경제 현상의 발화를 설명하기 위해 사용했다. 이러한 프로슈머 현상이 인터넷공간에서 소설을 창작해서 독자들과 쌍방향 소통을 유도하는 형식으로 나타난 것이 '인터넷소설'이라고 할 수 있다. 인터넷소설은 정보통신 기술과 PC통신의 발달로 등장한 새로운 소통 방식의 글쓰기로, 소설이라는 전통적 문학 형식의 서사구조의 형식이나 진지함을 추구하는 형태를 벗어나 이야기를 쓰고 읽는 소통의 쾌감이나 즐거움에 주안점을 두는 장르다. 인터넷소설은 작품 창작을 원하는 사람들에게 정통적 문단 등단의 방식을 통하지 않고도 소설을 발표할 수 있는 기회를 제공한다는 점에서 누구나 소통의 공간에서 즐거움을 나눈다는 PC통신이나 사이버공간의 취지에 잘 맞는다고 할 수 있다.

인터넷소설은 인터넷에 연재되기는 하지만 문자텍스트 형태로 글쓰기 형식을 제한한다는 점에서는 하이퍼픽션이나 팬픽션과도 다르다. '하이퍼픽션(hyper fiction)'은 하나의 소설 속에 수많은 줄거리가 가능한 컴퓨터상의 소설형식을 말하는데, 인터넷의 출현으로 가능해진 디지털 시대의 새로운 형식의 소설을 말한다. 하이퍼픽션을 모아놓은 인터넷 홈페이지에 접속해 실시간으로 이야기를 즐길 수 있고 CD롬 형태로 담아 일반서적처럼 유통시킬 수도 있다. 읽는 사람의 취향에 따라 해피엔딩(happy ending), 또는 비극적 결말이 가능한 것이다. 하이퍼픽션은 주어진 상황마다 관객의 선택으로 줄거리가 변화하는 영화인 쌍방향 영화(interactive movie)와도 맥을 같이한다. 기존의 영화·소설 등과 결정적으로 다른 것은 이야기 구조가 하나의 선(線)으로 이어지는 것이 아니라 다중의 방향을 갖는다는 것이다. 또 일방적으로 독자가 정보를 제공받기만 하는 것이 아니라 독자와 텍스트가 상호작용한다는 것이다. 즉, 하이퍼링크(hyper link)와 쌍방향성이라는 컴퓨터의 특성을 결합한 것으로 독자가 텍스트를 조합해 제2의 창작이 가능하도록 한다. 이 분야의 선도적 작가인 스튜어트 말스롭의 하이퍼픽션 *Victory Garden*(1993)에는 1,000개에 가까운 텍스트 공간이 있으며 2,800개 이상의 연결부위가 있다. 컴퓨터게임에서 기원하는 하이퍼픽션은 인쇄와 영화의 영역을 대체할 가능성마저도 점쳐지고 있다. 이런 측면에서 인터넷소설과 하이퍼픽션은 다른 경향의 장르라고 할 수 있다. 하지만 평론가들 사이에 광의의 범주의 인터넷소설에 하이퍼픽션을 포함시키기기도 한다.

대중적인 소재를 바탕으로 쉽고 재미있게 읽을 수 있는 이야기가 주를 이루는 인터넷소설에서는 전통적 형식과 언어 파괴 현상이 특히 두드러지게 나타난다. 한글맞춤법 파괴와 외계어 사용, 단골 소재와 진부한 구성, 누구나 쉽게 생각할 수 있는 평범한 인물 설정 등이 문제점으로 지적된다. 1998년 개봉한 〈퇴마록〉과 2001년 개봉한 〈엽기적인 그녀〉나 2003년 초에 개봉한 〈동갑내기 과외하기〉처럼 영화로 제작되어 관객 동원 500만 명의 기록을 세운 연재소설들이 등장하면서 인터넷소설은 새로운 문화 콘텐츠로서의 가능성을 보여준 바 있다. 〈엽기적인 그녀〉는 원래 통신환경 속에서 게재된 김호식의 인터넷소설이었다. 또 월드와이드웹(world wide web) 환경에서 게재된 이햇님의 〈내 사랑 싸가지〉도 독자들의 호응을 얻어 영상화되었다.

사이버공간에서는 다양한 존재물들이 끊임없이 가공·복제·유포되면서 소통된다. 사이버공간은 컴퓨터의 성능향상과 인터넷 기술의 발전에 따라 급속한 환경변화를 이루어왔다. 인터넷의 초창기 형태를 보여주는 통신환경은 텍스트 위주라는 점에서 오프라인의 활자 기반 문화와 오늘날의 하이퍼텍스트 기반 문화를 이어주는 과도기적 성격을 지닌다. 그래서 통신환경에서는 그래픽이나 영상을 통한 자극이 없기에 활자 기반의 판타지물이 유효했다. 이우혁의 『퇴마록』의 인기는 이러한 기반 위에서 조성되었다. 『퇴마록』은 총 20권이 간행되었는데, 1994년 1월 20일부터 7년 6개월에 걸쳐 시리즈로 출간되어, 마지막 말세편이 출간된 2001년 7월까지 무려 760만 권이 팔렸다. 멀티미디어가 보다 자유롭게 취급되는 오늘날 인터넷환경에서는 판타지보다 일상의 소재를 다룬 로맨스물이 더 인기를 끈다. 인터넷 사용인구가 급속도로 늘고 월드와이드웹에 개인의 공간을 만드는 작업이 간편해지면서 네티즌들 사이에 자신의 주변 인물이 결합한 이야기를 표출하려는 욕구가 확대되었기 때문이다. 미니홈피를 제공하면서 2006년 1,700만 가입자를 가진 싸이월드나 1인 미디어 공간으로 기능하는 블로그도 사이버공간의 노출증과 관음증이 만나는 형태로 존재[7]한다.

사이버소설의 글쓰기 방식은 인터넷 게시판 글쓰기 방식과 흡사하다. 왜냐하면 사이버소설이 연재되고 유포되는 장소가 인터넷의 전자 게시판 시스템(bulletin board system)에 기초하기 때문이다.

사이버소설의 문장과 문체에서 드러나는 특징을 몇 가지 요약하기로 한다. 첫째, 이모티콘(emoticon)의 사용으로 주인공의 감정 상태를 시각적으로 전달한다. 특히 의성어와 함께 쓰인 이모티콘은 지금까지 소설에 등장한 문장 중에서 가장 영상적인 표현이 된다. 둘째, 욕설이나 비속어가 난무한다. 사이버소설의 작가는 주인공과 밀착되어 있기에 자신의 감정 상태를 주인공의 입을 통해 여과 없이 전달한다. 셋째, 말줄임표를 습관적으로 사용한다. 말줄임표가 대화 중에 쓰일 때는 발화의 휴지기를 표현하거나 독자로 하여금 발화자의 상황, 등장인물의 감정 상태 등을 음미하게 한다. 넷째, 한글 맞춤법이나 정서법을 무시하고 단어들을 소리 나는 대로 적는다. 또 컴퓨터자판을 이용하여 다양한 표현을 구사하며 단어를 축약하여 쓰려는 노력이 엿보인다. 이 같은 현상은 단순히 언어유희와 시간절약의 차원을 넘어서서 사이버공간에서의 소통방식으로 일반화되었다.

다섯째, 괄호 안에 보충설명을 적기도 하고 괄호를 희곡이나 시나리오의 지문(바탕글)과 같은 기능으로 사용하기도 한다. 희곡이나 시나리오는 해설보다는 대사 중심으로 이야기를 끌어나가고 지문으로 등장인물의 행동·표정·심리 등을 지시한다. 그래서 사이버소설 속에 등장하는 지문은 사이버 소설의 구술성을 증명하는 것이기도 하며 드라마나 영화로 제작되기 편한 방식으로 쓰였다는 것을 보여준다.

여섯째, 등장인물의 행동을 나타내는 과정진술이 상태진술보다 자주

사용되며 표현방식에 있어서 인용부호가 있는 대화체의 직접 제시가 많다. 사이버소설의 서술자는 설명(telling)보다 제시(showing)의 방법으로 사건의 현장감을 그대로 전달하는 데 주력[8]하는 것이다.

3. 전복과 멜로의 혼성적 서사구조

1) 인터넷소설 〈엽기적인 그녀〉의 서술방식의 특징

김호식의 인터넷소설 〈엽기적인 그녀〉는 1990년대 말 혼돈의 한국사회를 뒤흔들었다. 특히 로맨스소설의 여주인공은 청순하고 부드러워야 한다는 고정관념을 깨버린 설정은 큰 충격을 가져온 동시에 신선함에 대한 기대로 독자들의 눈과 마음을 즐겁게 했다. 요즈음 신조어로는 독자들을 '심쿵'하게 만들었다고 할 수 있다. 그동안의 유교적 사회분위기를 서구화·세계화로 바꾸려는 문민정부의 정책코드와 맞아떨어진 것인지, 아니면 페미니즘적인 사회 분위기에 편승한 것인지 몰라도, 신세대의 마음을 뒤흔들어 놓은 것만은 분명하다. 이처럼 개성적으로 성격화된 '엽기적인 그녀'는 기존 로맨스물의 도식적인 성역할을 해체하면서 소설에 흥미를 배가한다. 사이버소설에서 시대적 배경이나 인물을 둘러싼 외적 환경의 문제는 큰 비중을 차지하지 않는다. 등장인물의 시간을 포함하며 흘러가는 사회적인 시간 등도 서술의 대상에서 거의 생략된다. 결과적으로 사이버소설에서는 인물의 성격구축과 인물들 간의 갈등구조 자체가 가장 중요한 것이다.

『엽기적인 그녀』는 책으로 출간될 때 『엽기적인 그녀-전반전』과 『엽기적인 그녀-후반전』으로 나누어졌고, 두 권의 소제목을 중심으로 이야기를 분절하면 38개의 에피소드로 다시 나뉜다. 그런데 한 에피소드 속에서도 사건의 무대가 되는 주요 공간이 여러 번 바뀌는 경우가 있기에 『엽기적인 그녀』는 등장인물의 공간적 이동이 많다는 것과 아울러 공간을 묘사하고자 한다면 많은 지면이 할애될 것이라는 추측도 가능하다. 그런데 정작 『엽기적인 그녀』에서는 공간에 대한 묘사 부분이 축소되어 있다. 『엽기적인 그녀』의 공간 묘사는 영화의 신(scene)처럼 관념적 인식보다는 감각적 인식을 전달하는 기능에 국한된다. 그래서 『엽기적인 그녀』의 공간적 배경은 인물들의 위치를 독자에게 알려줄 목적에 한해 짧게 서술되는 특징이[9] 있다.

『엽기적인 그녀』의 이야기 진행은 기존의 소설들과 크게 변별된다. 큰 연관성이 없는 에피소드들이 나열되면서 이야기가 분절적으로 진행되기 때문이다. 이때 『엽기적인 그녀』에서 논리적인 독서를 가능하게 하는 것은 시종 변함이 없는 '그녀'와 견우의 역할구도이며, 두 인물의 캐릭터이다. 에피소드가 개연성이 약화된 상태에서 흥미 위주의 상황구축에 충실할 때, 이야기에 일관성을 붙여놓는 것은 평면적인 인물로 그려진 주인공의 언행인 것이다. 비슷한 시기에 나온 통신소설들과 후대에 나온 다른 인터넷소설과 비교했을 때, 『엽기적인 그녀』의 결말은 특징적이다. 『엽기적인 그녀』가 '열린 결말'이라는 점에서 여타의 사이버소설과는 대별되는

소설 『엽기적인 그녀』

것이다. 이 같은 결과가 나온 이유는 모든 에피소드들이 예측 가능한 대단원을 지향해 나가는 여타의 사이버소설들과 달리 『엽기적인 그녀』가 일상에서의 실화에 초점을 맞추었기 때문이라 여겨진다.

『엽기적인 그녀』의 서술방식은 문체와 시점에서 두드러진다. 『엽기적인 그녀』의 문체를 살펴보면, '입니다'와 같은 회화체로 일관되게 기술된 점이 눈에 띈다. '입니다'는 '이다'의 높임말에 해당하는 합쇼체의 종결어미로 소설에서는 일반적으로 잘 쓰이지 않는다. 그래서 『엽기적인 그녀』를 읽는 독자는 사건에 대해 그것을 경험한 사람으로부터 직접 듣고 있다는 낯선 느낌을 받게 된다.

> 서울 시내에는 딱하면 떠오르는 명물 동네들이 몇 군데 이씀미다. 떠뽀끼 하면?? 신당동!!! 족발 하면?? 장충동!! 순대 하면?? 네.
>
> 순대하면 신림동이 떠오름미다. 서울에 안 살아도 신림동을 모르시는 분들은 아마 거의 엄슬껌미다.

위의 인용문은 『엽기적인 그녀-전반전』의 시작 부분이다. 전체적인 어투가 구술적이지만, 굵은 글씨로 나타낸 부분은 서술자가 독자와 대화하고 있다는 인상마저 준다. 질문을 던진 후, 줄을 바꾸고 '네'라고 표현한 것은 질문에 대한 생각의 여지를 주겠다는 의도로 보이는데, 이 같은 형태는 작가와 독자의 관계가 일방향적인 기존 소설의 소통방식에선 상상할 수 없는 것이다. 또 『엽기적인 그녀』의 시점은 사이버공간에서 창작된 대부분의 로맨스물이 그러하듯, 1인칭 시점이다. 그런데 이 소설은 1인칭 관찰자시점을 취한다. 그래서 『엽기적인 그녀』의 독자는 견우의 입장에서 인물과 사건을 바라보며 그의 내면을 통해 사건의 추이를 살피게 된다. 이때 이야기를 서술해나가는 주체인 서술자와 등장인물인 견우는 외관상 일치할 때가 많다. "순대 하면? 네. 순대하면 신림동이 떠오름미다"와 같은 문장에서는 견우의 목소리라고 하기보다는 내포작가와 밀착된 다른 서술자의 존재를 상정하게 된다. 즉 '서술자의 교체'가 일어난 것[10]이라고 말할 수 있다.

2) 영화 〈엽기적인 그녀〉의 서사 전달 방식의 특징

영화 〈엽기적인 그녀〉는 인물 구도 면에서 소설과 달라진 부분이 있다. 소설의 경우, 견우와 '그녀'의 캐릭터가 평면적이었고, 두 사람의 역할관계도 영화 종반부까지 고정적이었다. 그러나 영화에서 '그녀'의 캐릭터는 소설에 비해 입체적이며 이는 〈엽기적인 그녀〉가 코미디로 시작해서 멜로드라마로 마무리되는 데 큰 역할을 한다. 영화는 '전반전'·'후반전'·'연장전'으로 나뉘어 진행되는데, '전반전'에 나오는 '그녀'의 말투와 행동은 앞으로의 이야기 구도를 무난하게 이끌어가는 역할을 한다. 즉 '엽기적'이라는 수식어가 붙은 '그녀'의 낯선 언행은 코미디를 위해 의도된 것이라고 할 수 있다. 그런데 '후반전'을 지나면, '그녀'는 남성성을 체화한 여성에서 기존 멜로드라마의 여주인공이 갖는 '여성성'을 가진 존재로 바뀌어가면서 영화의 내용적인 변화를 주도한다. 이에 따라 영화는 '전반전'에서 '그녀'의 남다른 말투와 행동이 집중적으로 조명된 데에 비해, '후반전'엔 '그녀' 자체를 주목하게 된다. 그래서 〈엽기적인 그녀〉의 서술자(카메라)가 '전반전'에서는 '그녀'의 행위에 집중하고, '그녀'의 캐릭터가 관객들에게 명료해진 '후반전'에는 '그녀' 자체의 심리와 감정선을 따라가는 데 주력하는 것은 효과적인 촬영방식이었다고 할 수 있다.

〈엽기적인 그녀〉는 흥미 위주의 에피소드들이 분절적으로 진행되던 소설과는 달리, 영화에서는 개연성을 고려한 흔적이 발견된다. 이야기

영화 〈엽기적인 그녀〉의 전지현 · 차태현

진행 중에 서사적 완결구도를 고려한 장치들이 정교하게 구조화된 채 등장하는 것이다. 첫째, 등장인물을 통해 서사진행이 완결성을 기한 부분인데, 영화 속에서 견우의 고모·약속장소의 노인·탈영병의 세 인물을 통해 실현된다.

① 견우의 고모: 영화 초반부에 견우는 친구들과 어울리고 있는 자리에서 엄마로부터 전화를 받는다. 엄마는 고모가 견우를 보고 싶어한다는 것과 견우에게 여자친구를 소개시켜주려 한다는 사실을 견우에게 알린다. 그 후 영화가 진행되는 도중에 고모의 실체는 등장하지 않는다. 그런데 영화 종결부에 이르러 '그녀'가 사랑했던 전 남자친구의 어머니가 견우의 고모라는 사실이 밝혀진다. 이는 '그녀'의 대사 속에 자주 언급된 '운명적 사랑'을 떠올리게 하며 극적 감동을 위한 서사적 봉합의 사례라고 할 수 있다.

② 약속장소의 노인: 영화 초반부 지하철 신에서 약 1초간 스치듯 등

장하는 노인이 있다. 그는 구토 직전의 '그녀'와 '그녀'를 관찰 중인 견우를 모두 바라볼 수 있는 지하철 좌석에 앉아 있다. 이 노인은 영화 후반부에 다시 등장하는 데, 견우와의 약속장소에 찾아온 '그녀'에게 나무의 비밀을 들려주며, '그녀'와 견우를 연결해주는 데 기여한다. 이 노인에 대해서는 미래로부터 온 견우라는 추측이 가능하다. 그것은 영화 곳곳에서 '그녀'가 미래인에 대한 소망을 밝혔다는 데서 드러난다. 결정적으로 노인과 '그녀'가 약속장소에서 대화를 마치고 '그녀'가 견우의 마음을 확인한 뒤 UFO가 하늘로 사라지는 장면에서 확실해진다.

③ 탈영병: '전반전'에서 전 남자친구를 잊지 못하는 '그녀'의 모습을 본 견우가 '그녀'에게 거리를 두려 하는 신이 나온다. 그런데 견우가 친구들과 어울려 술자리를 갖고 있는 가운데 탈영병에 관한 뉴스 소식이 계속 들린다. 그리고 얼마 후, '그녀'의 생일 이벤트를 하려는 견우 앞에 그 탈영병이 나타난다. 이 탈영병을 계기로 견우와 '그녀'는 사랑에 대해 재고하는 기회를[11] 갖게 된다.

둘째, 등장인물의 대사를 통해 미래가 암시되고 결말에 가서 그 대사를 이루는 경우다. 이는 '그녀'가 탈영병에게 충고를 하는 대목에서 찾아볼 수 있다. '그녀'는 울면서 "정말 사랑한다면, 사랑하는 사람 놓아줄 줄도 알아야 해요. 그렇게 하지 않으면 사랑한 게 아니에요"라는 말을 한다. 이 말은 '그녀'가 전 남자친구를 기억 속에서 놓아주기 위해 노력하고 있다는 것을 보여준다. 또 견우가 소중하지만, 아직 사랑의 준비가 되어 있지 않기에 견우를 놓아줄 수밖에 없다는 후반전 막판의 자기 모습과 연결된다.

셋째, 영화 소재를 통해 서사진행의 방향에 힌트를 부여하는 경우다. 영화 진행 중, '그녀'는 직접 쓴 두 편의 시나리오 시놉시스를 견우에게 보여준다. 그런데 「데몰리션 터미네이터」·「비천무림애가」라는 제목을 가진 이 시나리오에는 미래인이 등장한다는 공통점이 있다. '그녀'는 종종 타임머신을 타고 다니는 미래인을 만나고픈 강박을 드러낸다. 클라이맥스에서 '그녀'가 바라던 운명적 사랑이 이루어진 순간, "나 미래인 만난 것 같아!"라는 말을 던진 것은 영화 소재로 등장한 시나리오들이 서사적으로 성취된 장면이라 하겠다.

넷째, 시간적 배경이 일종의 복선 역할을 하면서 미래를 예견하는 대목이다. 견우가 '그녀'의 부모님을 대면하며 좌절하는 순간은 항상 밤으로 설정되어 있다. 이 신들의 공통점은 낮에 행복한 데이트를 즐긴 날 밤이라는 점이다. 서로에게 마음이 있다는 것을 확인한 견우와 '그녀'가 2년간 헤어지기로 약속하는 순간도 밤이라는 시간적 배경 속에서다. 그래서 〈엽기적인 그녀〉에서의 밤은 두 주인공의 갈등이 서사를 이끌어내는 시간적 배경이 되며 오랜 시간 헤어질 것을 암시하는 복선으로 기능[12]한다.

다섯째, 똑같은 공간적 배경을 이야기의 초반부와 종반부에 대칭적으로 보여주면서 등장인물의 변화상을 드러낸 경우다. 견우와 '그녀'가 처음 만나는 장소는 신도림역 지하철 플랫폼이다. 종반부에서도 같은 장소에서 두 사람은 만난다. 그런데 '그녀'의 옷차림과 표정이 상반된다. 처음 만남의 신에서 '그녀'는 비정상적으로 남성성을 체화한 면모를 보인다. 그에 비해 종반부의 '그녀'는 훨씬 여성적인 캐릭터로 변모되어 있다. 이때 카메라 워킹과 음악은 서정성을 더한다.

서술시점에 있어서 영화 〈엽기적인 그녀〉는 1인칭 관찰자시점을 택한다. 화면 안에 등장하는 견우는 '현재의 견우'(체험자아)이고, 화면 밖에서 목소리를 들려주는 견우는 '미래의 견우'(서술자아)이다. 이처럼 〈엽기적인 그녀〉는 이야기의 세계에 포함된 서술자아와 담론의 세계에 포함된 체험자아가 분리된 상황에서 진행된다. 그런데 담론의 세계에 속한 서술자아가 지속적으로 화면 속 사건들의 상황을 설명해주고 견우(체험자아)의 의식을 드러내준다는 점에서 〈엽기적인 그녀〉는 방식 면에서 반영자 – 인물 서술방식을 따른다[13]고 할 수 있다.

3) 〈엽기적인 그녀 2〉와 드라마 제작과정

김호식 작가가 자신의 실화를 바탕으로 만든 동명 소설을 원작으로 한 〈엽기적인 그녀〉는 제멋대로인 그녀와 순진무구한 남자가 만나 벌이는 아찔하고 코믹한 로맨스를 다룬 작품이다. 완벽한 외모로 한창 주가를 올리던 전지현이 〈엽기적인 그녀〉에서 '그녀'를 맡으며 상상을 초월하는 코믹 연기로 폭발적인 관심을 얻었고 여기에 편안하고 안정적인 차태현의 매력이 더해지며 약 200만 명의 관객을 동원하는 데 성공했다. 100만 관객을 돌파하기도 어려웠던 시절, 지금의 1,000만 돌파만큼 의미 있는 흥행이었다. 그야말로 '대박'을 터트린 셈이다. 그리고 '엽기적인 그녀'로 전지현은 단번에 CF 스타에서 진짜 배우로 입지를 다졌고 차태현은 '흥행킹'이 됐다.

영화 〈엽기적인 그녀 2〉

로코의 전설로 남은 〈엽기적인 그녀〉는 이후에도 속편 제작, 리메이크 등 다양한 시도가 계속됐다. 그러나 형보다 뛰어난 아우를 만들어야 한다는 부담감에 누구도 섣불리 판을 벌일 수 없었다. 그렇게 세월이 흘렀고 무려 15년 만에 속편, 〈엽기적인 그녀 2〉(조근식 감독)가 등장했다.

〈엽기적인 그녀 2〉는 〈엽기적인 그녀〉에 이어진 스토리로, 운명인 줄 알았던 긴 생머리의 그녀(전지현)가 돌연 비구니가 돼 사라진 뒤 견우(차태현)의 이야기로 시작된다. 견우에게 우연히 찾아온, 어린 시절 첫사랑이자 중국으로 떠났던 그녀(빅토리아)와 신혼 수난기를 그렸다. 속편에서 가장 중요했던 '그녀' 전지현은 떠났고 대신 새로운 '그녀' 빅토리아가 고군분투했지만 결과는 '참패'였다. 누적 관객 수 7만 7,118명으로 처참한 성적을 보인 것이다. 허술한 스토리와 연출, 시대에 뒤떨어진 코미디가 실패의 요인이었고 〈엽기적인 그녀〉 팬들로부터 '속편은 만들지 않느니만 못하다'며 비난을 받아야만 했다.[14] 그나마 앞서 2016년 4월에 중국에서 개봉한 〈엽기적인 그녀 2〉는 한국보다는 많은 관객이 들었다. 중국에 먼저 개봉한 〈엽기적인 그녀 2〉는 개봉 첫 주 2,406만 위안을 벌어들이는 데 그쳤다. 29일부터는 일일 박스오피스 10위권으로 밀리며 더욱 안타까운 행보를 보였다. 평점도 5점대로 〈엽기적인 그녀 2〉가 10위권에 마지막으로 이름을 올린 28일 일일 박스오피스 10위권 작품 중 최저치다. 2016년 4월 30일까지의 누적매출은 3,388만 위안이었다.

충격적인 속편의 실패에 이어 〈엽기적인 그녀〉는 또 한 번 위기를 맞았다. 이번엔 드라마 리메이크가 말썽을 일으킨 것이다. 드라마 제작사 래몽래인과 화이브라더스가 공동으로 제작에 착수한 〈엽기적인 그녀〉는 현대극을 사극으로 변형해 2017년 상반기에 SBS에서 방송될 예정이었다. 〈엽기적인 그녀〉의 드라마 리메이크이기도 하지만 주원이 입대 전 마지막 작품으로 선택하면서 폭발적인 관심을 받았지만 첫 촬영이 진행되기도 전 문제가 터졌다. 국내 최초로 여주인공인 '그녀'를 신인 오디션으로 선발했지만 막상 촬영을 앞두고 오디션을 무효화시킨 것이다. 결국 1,800대 1의 경쟁률을 뚫고 주연을 꿰찬 신예 김주현은 '울며 겨자 먹기' 식으로 퇴출당했고 대신 인지도가 있는 오연서가 〈엽기적인 그녀〉의 주인공이 됐다. 사건 내막에는 편성권을 쥔 SBS가 여주인공으로 톱스타를 지목했고 이런 SBS의 입김에 주인공까지 교체된 것이다. 물론 SBS의 외압만이 주인공 교체의 이유는 아니다. 제작사가 주최한 오디션 자체가 투명하지 못했으므로 첫 단추부터 잘못 낀 프로젝트로 전락[15]해버린 셈이다.

미주

제Ⅰ부 문화콘텐츠의 개념과 범주

제1장 문화콘텐츠의 개념

1) 박태상,『문화콘텐츠와 이야기담론』, 한국문화사, 2012, 6쪽.
2) 미디어문화교육연구회 편,『문화콘텐츠학의 탄생』, 다홀 미디어, 2005, 16~17쪽.
3) 같은 책, 18쪽.
4) 같은 책, 20~21쪽.
5) 같은 책, 21~23쪽.
6) 같은 책, 23~24쪽.
7) 문병호,『문화산업시대의 문화예술교육』, 자연사랑, 2007, 15쪽.
8) 같은 책, 16~17쪽.
9) 같은 책, 17~18쪽.
10) 같은 책, 19쪽.
11) 같은 책, 27~28쪽.
12) 같은 책, 28~30쪽.
13) 앤서니 기든스,『현대사회학』, 김미숙 외 옮김, 을유문화사, 1999, 392쪽; 문병호, 위의 책, 31~32쪽 재인용.
14) 울리히 벡,『지구화의 길』, 거름, 2000, 30쪽.
15) 문병호, 앞의 책, 41~42쪽.
16) 같은 책, 43~44쪽.
17) 존 톰린슨,『세계화와 문화』, 김승현 외 옮김, 나남, 2004; 문병호, 위의 책, 47쪽 재인용.

제2장 디지털 시대의 문화콘텐츠와 문화콘텐츠학

1) 신광철,「인문학과 문화콘텐츠」,『국어국문학』143호, 2006, 214~215쪽.
2) 태지호,「문화콘텐츠학의 체계 정립을 위한 기반 구축에 대한 연구」,『인문콘텐츠』제5호, 2005, 190쪽.
3) 같은 책, 190~191쪽.
4) 같은 책, 191~192쪽.
5) 같은 책, 193~194쪽.
6) 같은 책, 194~195쪽.

제3장 대중문화론과 영화

1) 박태상,『문화콘텐츠와 이야기담론』, 한국문화사, 2012, 35쪽.
2) 강현두 편,『현대사회와 대중문화』, 나남출판, 1998, 22쪽.
3) 같은 책, 23쪽.
4) 같은 책, 29~30쪽.
5) 김창남,『대중문화의 이해』, 한울아카데미, 2003, 34쪽.
6) 김성기,「한국에서의 문화연구·문화포퓰리즘」, 강현두 편,『현대사회와 대중문화』, 나남, 1998, 86쪽.
7) 강현두 편, 앞의 책, 31~34쪽.
8) 박태상, 앞의 책, 39~40쪽.
9) 스트리나티 도미니크,「포스트모더니즘과 대중문화」, 강현두 편,『현대사회와 대중문화』, 나남출판, 2000, 554~555쪽.
10) 같은 글, 554~558쪽.
11) 같은 글, 559~560쪽.
12) 이명천·김요한,『문화콘텐츠 마케팅』, 커뮤니케이션북스, 2006, 39쪽.
13) 박장순,『문화콘텐츠학개론』, 커뮤니케이션북스, 2006, 69쪽.
14) 같은 책, 70쪽.
15) 같은 책, 74~75쪽.
16) 같은 책, 79쪽.

제II부 영화로 바라본 한국 사회문화사

제1장 자유연애와 불신시대에 대한 저항 —— 1950년대 사회현실과 〈자유부인〉

1) 강만길,『고쳐 쓴 한국현대사』, 창작과비평사, 1994, 218쪽.
2) 같은 책, 219쪽.
3) 같은 책, 219쪽.
4) 같은 책, 220쪽.
5) 같은 책, 220쪽.
6) 같은 책, 221쪽.
7) 같은 책, 222쪽.
8) 박완서,「초상화 그리던 시절의 박수근」,『우리의 화가 박수근』, 시공사, 1995, 174쪽.
9) 김동윤,「1950년대 신문소설의 위상」, 대중서사학회,『대중서사 연구』 17호, 2007, 9쪽.

10) 김영희, 「제1공화국 시기 수용자의 매체 접촉경향」, 『한국언론학보』 47권 6호, 한국언론학회, 2003, 311쪽.

11) 로버트 올리버, 김봉호 옮김, 『한국동란사』, 문교부, 1959, 205쪽; 『동아일보』 1957. 10. 24, 김영희, 위의 글, 311쪽 재인용.

12) 강준만, 『한국대중매체사』, 인물과사상사, 2007, 367~368쪽. 신문의 광고수입 의존도는 1950년대까지 20~30%에 불과했으나, 1970년대에 50%를 넘어선 데 이어 1990년대 이후에는 80% 이상으로 높아진다.

13) 원우현, 「한국언론제도의 구조에 관한 서술적 고찰」, 『한국언론학보』 제14호, 한국언론학회, 1981, 92쪽.

14) 이상우, 「언론 운영의 상업주의」, 강현두 편, 『한국의 대중문화』, 나남, 1991, 119쪽.

15) 김동윤, 앞의 글, 14~15쪽.

16) 정비석, 「작가의 말」, 『자유부인』, 고려원, 1996, 8쪽.

17) 박철우, 『1970년대 신문연재소설 연구』, 중앙대학교 박사학위논문, 1996, 7쪽.

18) 「문학과 신문 문화면」, 『자유문학』 1957. 9, 87쪽.

19) 같은 글, 91쪽.

20) 김동윤, 앞의 글, 16~17쪽.

21) 「미망인」 연재예고, 『한국일보』 1954. 6. 12.

22) 염상섭, 「소설과 현실」, 『한국일보』 1954. 6. 14.

23) 「민주어족」 연재 예고, 『한국일보』 1954. 12. 4.

24) 「낭만열차」 연재예고, 『한국일보』 1956. 4. 21.

25) 김동윤, 앞의 글, 22쪽.

26) 「애인」 연재예고, 『경향신문』 1954. 9. 22.

27) 「실낙원의 별」 연재예고, 『경향신문』 1956. 5. 16.

28) 정비석, 「신문소설론」, 『소설작법』, 문성당, 1957, 220~221쪽.

29) 「계절의 풍속도」 연재예고, 『동아일보』 1958. 10. 19.

30) 「실락원의 별」 연재예고, 『경향신문』 1956. 5. 16.

31) 김동윤, 앞의 글, 27쪽.

32) 같은 글, 31쪽.

33) 정종화, 『자료로 본 한국영화사』 2, 열화당, 1997, 16~17쪽.

34) 변재란, 「1950년대의 감독 연구: 홍성기 감독의 신문소설의 영화화 경향을 중심으로」, 『영화연구』 20, 한국영화학회, 2002, 185쪽.

35) 김동윤, 앞의 글, 34쪽.

36) 신문소설 「자유부인」은 1954년 1월 1일부터 8월 6일까지 『서울신문』에 연재된 것으로서 원래는 150회로 기획되었으나 폭발적인 인기를 얻게 되자 215회로 늘려 연재를 했다. 「자유부인」의 연재가 끝나자 『서울신문』의 가판이 5만 부나 줄었을 정도로 대중적으로 큰 반향을 일으켰다. 대학교수 부인의 타락상을 그려 화제를 불러일으킨 것에 이어 당시 법학자로 유명했던 황산덕(나중에 법무부장관을 지냄) 교수가 『대학신문』에 "왜 하필 교수부인인가? …

대학교수를 모욕했다"는 글을 게재함으로써 대중소설을 사이에 두고 법학자와 비평가 사이에서 예술과 현실의 차이라는 점을 두고 치열한 논쟁을 펼쳐 인구에 회자되었다.

37) 르네 지라르, 『낭만적 거짓과 소설적 진실』, 김치수·송의경 옮김, 한길사, 2001, 21~24쪽.

38) 같은 책, 26쪽.

39) 윤미애, 「짐멜의 문화이론과 미학적 모더니티」, 한국독어독문학회, 『독일문학』 103집, 2007, 131쪽.

40) 같은 글, 136쪽.

41) 소설에서는 최윤주의 죽음을 다르게 묘사하고 있다. 정비석의 신문소설인 「자유부인」에서 최윤주는이혼한 후 생활전선에 나가서 백광진의 사업 사기에 넘어가 돈을 모두 잃고 백광진의 아이까지 유산하여 병원에서 죽어가는 모습으로 묘사된다. 하지만 영화에서는 화려한 댄스홀 안에서 술잔에 탄 약을 마시고 댄서들 사이에서 쓰러지는 그녀의 아름답고 탐스러운 육체가 클로즈업되는 것으로 마무리됨으로써 상당히 다르게 그려지고 있다.

42) 윤미애, 「대도시와 거리 산보자: 짐멜과 벤야민의 도시 문화 읽기」, 한국독어독문학회, 『독일문학』 85집, 2003, 398쪽.

43) 같은 글, 399쪽.

제2장 멜로드라마를 통한 '여성 홀로서기'의 카타르시스 —— 1960년대와 〈미워도 다시 한번〉

1) 한국역사연구회, 『한국역사』, 역사비평사, 1994, 380~381쪽.

2) 같은 책, 382쪽.

3) 김성환·허버트 P. 빅스 외, 『1960년대』, 거름, 1984, 26쪽.

4) 같은 책, 26~27쪽.

5) 같은 책, 53~54쪽.

6) 같은 책, 54쪽.

7) 같은 책,181쪽.

8) 같은 책, 187~188쪽.

9) 홍승직, *The Intellectual and Modernization: A Study of Korean Attitude*, 고려대학교 사회조사연구소, 1967, 193쪽.

10) 김성환·허버트 P. 빅스 외, 앞의 책, 191~192쪽.

11) 서인숙, 「멜로드라마의 여성적 독해에 관한 비판적 고찰: 〈미워도 다시 한 번〉을 중심으로」, 『영화 연구』 제15호, 1999, 116~117쪽.

12) 같은 글, 117쪽.

13) 같은 곳.

14) 같은 곳.

15) 같은 글, 119~120쪽.

16) 같은 글, 120~121쪽.

17) 같은 글, 121~122쪽.

18) 유지나, 「멜로드라마와 신파, 한국 멜로드라마 원형과 의미작용 연구」, 『멜로드라마란 무엇인가: 〈자유부인〉에서 〈접속〉까지』, 민음사, 1999, 110~111쪽.

19) 같은 글, 111쪽.

20) 같은 글, 21쪽.

21) 서인숙, 앞의 글, 1999, 139쪽.

22) 같은 글, 139~140쪽.

23) 같은 글, 140~141쪽.

24) 같은 글, 141쪽.

25) 같은 글, 143쪽.

26) 김미현, 『한국영화역사』, 커뮤니케이션북스, 2014, 52쪽.

27) 이영일, 『한국영화전사』, 소도, 2004; 이현경, 「1960년대의 축도, 〈미워도 다시 한 번〉」, 대중서사장르연구회, 『대중서사장르의 모든 것』, 이론과실천, 2007; 임정택, 『동아시아 영화의 근대성과 탈식민성』, 연세대학교출판부, 2007.

28) 변재란, 「영화」, 한국예술종합학교 한국예술연구소 편, 『한국현대예·가대계 3』, 시공사, 2001; 김선아, 「근대의 시간, 국가의 시간: 1960년대 한국영화, 젠더 그리고 국가권력담론」, 주유신 외, 『한국영화와 근대성』, 소도, 2001.

29) 김훈순·김은영, 「모성과 낭만적 사랑의 담론경합: 멜로영화 〈미워도 다시 한 번〉 시리즈를 중심으로」, 한국여성커뮤니케이션학회, 『미디어, 젠더 & 문화』 제15호(2010.9.30), 134~135쪽.

30) 같은 곳.

제3장 경제적 소외계층의 아픔과 순결한 사랑 —— 〈영자의 전성시대〉

1) 한국역사연구회, 『한국역사』, 역사비평사, 1992, 391~392쪽.

2) 같은 책, 392~393쪽.

3) 같은 책, 393~394쪽.

4) 같은 책, 394쪽.

5) 같은 책, 394~396쪽.

6) 이재선, 『한국현대소설사 1945~1990』, 민음사, 1991, 293쪽.

7) 같은 책, 295~296쪽.

8) 같은 책, 298~299쪽.

9) 같은 책, 299~300쪽.

10) 같은 책, 287쪽.

11) 같은 책, 287~288쪽.

12) 김미현, 『한국영화역사』, 커뮤니케이션북스, 2014, 58쪽.

13) 같은 책, 58~59쪽.

14) 같은 책, 59~60쪽.

15) 같은 책, 61~62쪽.

16) 같은 책, 62쪽.

17) 김지혜, 「1970년대 대중소설의 영화적 변용 연구」, 『한국문학이론과 비평』 제58집(17권 1호), 2013, 360쪽.

18) 같은 글, 360쪽.

19) 김종원·정중헌, 『우리 영화 100년』, 현암사, 2001, 313쪽과 320쪽 참조. "1971년 하반기에 실시된 '우수영화 보상제도'는 심사 기준을 국책에 맞는 작품에 치중해 반공영화나 전쟁영화를 우대한 데 반해, 문예영화는 소홀히 다뤘다. 1973년에는 한국 영화 3편을 제작하면 외화 쿼터 1편을 주는 시책을 폈고, 1975년에는 외화 수입 쿼터를 각 회사당 연간 외화 1편으로 제한하는 등 매해 영화 정책을 바꾸며 혼란을 가중시켰다."

20) 김지혜, 앞의 글, 361~362쪽.

21) 『동아일보』 1974. 3. 29. 김병익, 「오늘날의 젊은 우상들」에서 논쟁이 시작되었는데, 청년문화의 본질과 현상 분석에서부터 청년문화의 퇴폐성, 사대주의적 특성에 대한 논쟁으로 이어졌다.

22) 노지승, 「영화 〈영자의 전성시대〉에 나타난 하층민 여성의 쾌락」, 『한국현대문학연구』 24호, 2008, 415쪽.

23) 김지혜, 앞의 글, 362~363쪽.

24) 같은 글, 364~365쪽.

25) 같은 글, 365쪽.

26) 같은 글, 373~374쪽.

27) 정현경, 「1970년대 혼성적 도시 표상으로서의 도시인의 우울: 〈별들의 고향〉, 〈영자의 전성시대〉, 〈바보들의 행진 〉, 〈어제 내린 비〉를 중심으로」, 『한국극예술연구』 제41집, 2013, 261~263쪽.

28) 같은 글, 265~266쪽.

29) 같은 글, 269~270쪽.

30) 같은 글, 272~273쪽.

31) 같은 글, 274쪽.

32) 같은 글, 275쪽.

제4장 이데올로기의 갈등과 남북화해의 두 가지 포즈
—— 〈쉬리〉와 〈공동경비구역 JSA〉의 심리적 거리

1) 한국역사연구회, 『한국역사』, 역사비평사, 1992, 308~309쪽.

2) 같은 책, 309쪽.

3) 같은 책, 400쪽.
4) 같은 책, 401~403쪽.
5) 같은 책, 406쪽.
6) 같은 책, 407쪽.
7) 같은 책, 410~411쪽.
8) 같은 책, 414~415쪽.
9) 박태상·권영민, 『문화통합론과 북한문학』, 한국방송통신대학교출판부, 2009, 20쪽.
10) 김화, 『새로 쓴 한국영화전사』, 다인미디어, 2003, 320~321쪽.
11) 같은 책, 322~323쪽.
12) 같은 책, 323~325쪽.
13) 같은 책, 325~326쪽.
14) 같은 책, 327~329쪽.
15) 정종화, 『한국영화사』, 한국영상자료원, 2007, 193쪽.
16) 위의 책, 193쪽.
17) 김화, 앞의 책, 332~334쪽.
18) 같은 책, 334~335쪽.
19) 정종화, 앞의 책, 197쪽.
20) 같은 책, 197~199쪽.
21) 같은 책, 204~206쪽.
22) 같은 책, 212~213쪽.
23) 같은 책, 213~214쪽.
24) 김화, 앞의 책, 346쪽.
25) 같은 책, 350~351쪽.
26) 정종화, 앞의 책, 217~218쪽.
27) 같은 책, 221쪽.
28) 같은 책, 221~223쪽.
29) 같은 책, 224~226쪽.
30) 같은 책, 232쪽.
31) 같은 책, 234쪽.
32) 김경욱, 「〈쉬리〉와 한국형 블록버스터」, 김미현 책임편집, 『한국영화사』, 커뮤니케이션북스, 2006, 369~370쪽.
33) 변재란, 「남한영화에 나타난 북한에 대한 이해: 〈쉬리〉, 〈간첩 리철진〉, 〈공동경비구역 JSA〉를 중심으로」, 『영화연구』 16호, 한국영화학회, 2001, 249~263쪽.
34) 김승경, 「문화연구를 통해 본 90년대 한국영화의 이데올로기와 정체성: 〈결혼이야기〉와 〈서편제〉, 〈쉬리〉와 〈공동경비구역 JSA〉를 중심으로」, 『현대영화연구』 6호, 2008, 48~49쪽.
35) 같은 글, 50쪽.
36) 같은 글, 51쪽.

37) 서인숙, 「한국형 블록버스터에서 분단의 재현방식: 한과 신파의 귀환」, K.A.L.F. , 『문학과 영상』 2011년 겨울, 1001쪽.

38) 김승경, 앞의 글, 52쪽.

39) 최윤식, 「한국영화에 드리워진 근대성의 그늘: 〈쉬리〉·〈공동경비구역 JSA〉·〈친구〉」, 『영상문화』 5호, 2002, 53쪽.

40) 같은 글, 53~54쪽.

41) 같은 글, 54~55쪽.

제5장 이순신 서사와 영화 〈명량〉

1) 전지니, 「박태원의 월북 전후를 통해 본 냉전기 남북의 이순신 표상 연구」, 『상허학보』 44호, 2015, 53쪽.

2) 「충무공을 본받아 잃었던 바다를 회복하자」, 『동아일보』 1949. 8. 26.

3) 강처중, 「충무공 이순신」, 『경향신문』 1947. 4. 27.

4) 전지니, 앞의 글, 55쪽.

5) 리청원, 『임진조국전쟁 1592~1598』, 국립출판사, 1955, 256쪽.

6) 같은 책, 264~265쪽.

7) 「임진조국전쟁 승리 360주년 기념보고회 진행」, 『로동신문』 1958. 12. 17.

8) 박시형, 「임진조국전쟁 승리 360주년」, 『로동신문』 1958. 12. 16. 5면.

9) 「신춘부터 본지 연재 장편소설 임진왜란」, 작가의 말 중, 『서울신문』 1948. 12. 26.

10) 전지니, 앞의 글, 64~65쪽.

11) 홍효민, 「문학과 비평문학 기타」, 『신천지』 1950. 3. 227쪽.

12) 이 선언의 의의에 대해서는 이봉범, 「상상의 자주적 통일 민족국가: 북조선, 1948년 체제 - 북조선기행기와 민족주의 문화지식인의 동향을 중심으로」, 『한국문화연구』 47, 동국대 한국문화연구소, 2014, 306~313쪽. 참조.

13) 이주영, 「재현의 관점에서 본 예술과 실재의 관계」, 『미학 예술학 연구』 22권, 2005, 5~6쪽.

14) 같은 글, 7~8쪽.

15) 같은 글, 10~11쪽.

16) 게오르기 루카치, 이영욱 옮김, 『역사소설론』, 거름, 1987, 379~381쪽.

17) 이주영, 앞의 글, 20쪽.

18) 같은 글, 21쪽.

19) 같은 글, 21쪽.

20) 같은 글, 23~24쪽.

21) 손희정, 「〈광해〉와 〈명량〉의 흥행은 무엇의 표상인가: 폐소공포증 시대의 천만 사극과 k-내셔널리즘」, 『영화연구』 65호, 2015, 117쪽.

22) 이주영, 앞의 글, 24~25쪽.

23) 배영달, 「보드리야르: 탈현대의 문화이론」, 『한국프랑스학논집』 제26집, 1999, 815쪽.
24) 같은 글, 815~816쪽.
25) 같은 글, 817~818쪽.
26) 같은 글, 818~819쪽.
27) 같은 글, 825~826쪽.
28) 같은 글, 826~827쪽.
29) 같은 글, 828쪽.
30) 신재훈, 「탈근대사회 대중영상예술의 성격」, 『반교어문연구』 제22집, 2007, 354~370쪽. 신재훈은 탈근대사회의 영상이미지가 '스펙터클 시대의 떠다니는 기호'라고 파악하면서 장 보드리야르의 '시뮬라크르' 이론을 수용하면서도 대중영상예술의 특성으로는 '상품성', '이데올로기성', '다의성'을 제시하여 절충주의적 입장을 취하고 있다.
31) 김훈, 『칼의 노래』 후기, 생각의나무, 2001, 424쪽.
32) 방민호, 『임진조국전쟁』 해설, 깊은샘, 2006, 319쪽.
33) 전지니, 「박태원의 월북 전후를 통해 본 냉전기 남북의 이순신 표상 연구」, 『상허학보』 44호, 2015, 56쪽.
34) 리청원, 『임진조국전쟁 1592~1598』, 평양 국립출판사, 1955, 256쪽.
35) 「임진조국전쟁 승리 360주년 기념보고회 진행」, 『로동신문』 1958. 12. 17.
36) 박시형, 「임진조국전쟁승리 360주년」, 『로동신문』 1958. 12. 16. 5면; 전지니, 앞의 글, 58쪽, 재인용.
37) 전지니, 앞의 글, 58쪽.
38) 박태원, 『임진조국전쟁』, 264~265쪽.
39) 같은 책, 281~282쪽.
40) 장성규, 「재현 너머의 흔적을 복원시키는 소설의 욕망: 2000년대 역사소설에 대한 성찰과 전망」, 『실천문학』 통권 86호, 2007년 여름, 209~210쪽.
41) 같은 글, 201쪽.
42) 김일환, 「포스트모더니즘의 조건과 미학」, 『전남도립대학교 논문집』 10호, 2007, 18쪽.
43) 같은 글, 20쪽.
44) 김훈, 앞의 책, 22쪽.
45) 김일환, 앞의 글, 19~20쪽.
46) 「〈명량〉 12일만에 역대 최단기간 1000만명 돌파…성웅 이순신의 힘」, 『뉴시스』 2014. 8. 10.
47) 「〈명량〉 600만 관객 돌파…200억 제작비 7일 만에 회수」, 『이데일리』 2014. 8. 5.
48) 「〈명량〉 반응, 해외 언론도 관심…주말 전세계 흥행수입 4위 쾌거」, 『티브이이데일리』 2014. 8. 4.
49) 설동훈, 「영화 〈명량〉 돌풍의 사회적 함의」, 『세계일보』 2014. 8. 22.
50) 윤성은, 「울돌목에서 찾은 비장미, 〈명량〉」, 『공연과 리뷰』 86호, 현대미학사, 2014.
51) 신원선, 「〈명량〉을 바라보는 세 가지 방식」, 『현대영화연구』 19호, 2014, 406~407쪽.
52) 백대현, 「〈명량: 회오리 바다〉의 재현적 특징」, 『씨네포럼』 제20호, 2015, 103~104쪽.

53) 같은 글, 121쪽.
54) 각본 전출홍·김한민, 『명량 회오리바람』 시나리오, (주) 빅스톤픽쳐스, 26쪽.
55) 같은 책, 23~24쪽.
56) 같은 책, 35~37쪽.
57) 같은 책, 49~50쪽.
58) 강영한, 『레비나스의 철학: 타인의 얼굴』, 문학과지성사, 2005, 154~155쪽.
59) 같은 책, 155쪽.
60) 각본 전출홍·김한민, 앞의 책, 113~115쪽.
61) 같은 책, 125~126쪽.
62) 찰스 샌더스 퍼스, 김성도 편역, 『퍼스의 기호사상』, 민음사, 2006, 41~42쪽.
63) 같은 책, 135~139쪽.

제III부 소설텍스트의 영상화

제1장 허세적 가부장제에 희생된 여성들의 목소리
── 장편 『김약국의 딸들』과 영화 〈김약국의 딸들〉의 거리

1) 이재선, 『한국현대소설사(1945~1990)』, 민음사, 1991, 84쪽.
2) 김윤식·정호웅, 『한국소설사』, 문학동네, 2000, 376쪽.
3) 같은 책, 377쪽.
4) 권영민, 『한국현대문학사』, 민음사, 2002, 126~127쪽.
5) 박태상, 「삶의 비극성이 가져다준 깊이: 박경리의 『김약국의 딸들』에 담겨진 의미」, 『방송대 논문집』 제29집, 2000, 99쪽.
6) 같은 글, 100쪽.
7) 같은 글, 102~103쪽.
8) 같은 글, 104~105쪽.
9) 조남현, 「『시장과 전장』론」, 조남현 편, 『박경리』, 서강대출판부, 1996.
10) 박태상, 앞의 글, 107쪽.
11) 같은 글, 109쪽.
12) 이영일, 「유현목, 그의 인간형성과 영화예술」, 『한국논단』 71권, 1995, 106~108쪽.
13) 같은 글, 108~109쪽.
14) 같은 글, 110쪽.
15) 박경리, 『문학을 지망하는 젊은이들에게』, 현대문학사, 1995, 220쪽.
16) 같은 책, 182쪽.
17) 같은 책, 243쪽.

18) 김영민, 「박경리의 문학관 연구: 고통과 창조, 그리고 생명의 글쓰기」, 『현대문학의 연구』 6권, 1996, 208쪽.

19) 같은 글, 208~209쪽.

20) 박경리, 앞의 책, 183쪽.

21) 김영민, 앞의 글, 209~210쪽.

22) 김영민은 박경리의 또 다른 문학관으로 자유로운 상상력을 통한 '창조적 글쓰기'와 우주에 존재하는 모든 개체는 균형과 긴장을 통한 생명력을 지니고 있다고 보는 '생명의 글쓰기'를 들고 있다.

23) 김은경, 「소설 『김약국의 딸들』과 영화 〈김약국의 딸들〉의 비교고찰」, 『비교문학』 제48집, 2009, 169쪽.

24) 같은 글, 161쪽.

25) 박경리, 『김약국의 딸들』(1993년판), 나남출판, 1962, 117쪽.

26) 같은 책, 214~215쪽.

27) 이채원, 「낭만과 혁명의 아이러니: 『김약국의 딸들』을 중심으로」, K.A.L.F, 『문학과 영상』 2015년 겨울호, 482~483쪽.

28) 김은경, 앞의 글, 176쪽.

제2장 추악하고 모순된 사회에 던진 순정미학 ── 소설 『우리들의 행복한 시간』과 영화의 소통방법

1) 「광복 70년, 책읽기 70년: 신경숙과 공지영, 90년대 여성문학 신호탄을 쏘다」, 『한겨레신문』 2015. 10. 30.

2) 같은 곳.

3) 같은 곳.

4) 「10년 최다 판매 작가 日 하루키. 국내 1위는 공지영」, 『문화일보』 2015. 3. 2.

5) 루이스 자네티, 김진해 역, 『영화의 이해』, 현암사, 2002. 399~402쪽; 지프리 와그너, *The Novel & Cinema*, Associated Uni Press, 1975, pp. 202~226; 이형식 외, 『문학텍스트에서 영화텍스트로』, 동인, 2004, 17~18쪽; 홍재범, 「소설의 시나리오 전환과정 고찰: 〈우리들의 행복한 시간〉의 경우」, 『한국근대문학연구』 19, 2009, 335~336쪽 재인용.

6) 스타니슬라브스키, 양혁철 옮김, 『번역에 대한 자신의 작업』, 신아출판사, 2000, 30쪽; 홍재범, 위의 글, 338쪽 재인용.

7) 홍재범, 위의 글, 339쪽.

8) 같은 글, 340쪽.

9) 공지영, 『우리들의 행복한 시간』, 푸른숲, 2005, 22쪽.

10) 홍재범, 앞의 글, 341~342쪽.

11) 공지영, 앞의 책, 294쪽.

12) 홍재범, 앞의 글, 343~344쪽.

13) 같은 글, 344쪽.

14) 카를 뢰비트, 강학철 옮김, 『헤겔에서 니체로: 마르크스와 키아케고어, 19세기 사상의 혁명적 결렬』, 민음사, 2006, 391쪽.

15) 이정호 외, 『철학의 이해』, 한국방송통신대학교출판부, 2000, 107~109쪽.

16) 같은 책, 109쪽.

17) 임신희, 「영화 〈우리들의 행복한 시간〉에 나타난 감성연구」, 『영화와 문학치료』 제6집, 2011.8, 174쪽.

18) 롤랑 바르트, 김희영 옮김, 『사랑의 단상』, 문학과지성사, 1991, 39~40쪽.

제IV부 소설텍스트의 영상화

제1장 북한 최초의 극영화, 〈내 고향〉

1) 김일성, 『위대한 수령 김일성동지 문학령도사 1』, 문예출판사, 1992, 11~12쪽.

2) 같은 책, 13쪽.

3) 같은 책, 12쪽.

4) 같은 책, 23쪽.

5) 이명자, 『북한영화사』, 커뮤니케이션북스, 2007, 15~16쪽.

6) 같은 책, 16쪽.

7) 같은 책, 16쪽.

8) 같은 책, 19~20쪽.

9) 같은 책, 21~22쪽.

제2장 혁명영화의 북한식 '원 소스 멀티 유스' 전략

1) 이명자, 『북한영화사』, 커뮤니케이션북스 2007, 79~80쪽.

2) 고철훈, 「장편소설 『피바다』에 대하여」, 『퇴계학과 한국문화』 제35호, 2004, 120~121쪽.

3) 같은 글, 121쪽.

4) 김성진, 「영화 〈꽃파는 처녀〉 연구」, 『드라마 연구』 22호, 2004, 163~164쪽.

5) 최척호, 『북한예술영화』, 신원문화사, 1989, 134쪽.

6) 같은 책, 134쪽.

제3장 '숨은 영웅 찾기'의 대중화 작업 —— 〈도라지꽃〉

1) 박태상, 『북한의 문화와 예술』, 깊은샘, 2004, 177~178쪽.
2) 이명자, 『북한영화사』, 커뮤니케이션북스, 2007, 115~116쪽.
3) 박태상, 앞의 책, 178~180쪽.

제4장 생산성 증대를 위한 관료주의의 타파 —— 〈심장에 남는 사람〉

1) 리현순, 『사회주의영화예술건설』, 평양, 문예출판사, 1998, 164쪽.
2) 박태상, 『북한의 문화와 예술』, 깊은샘, 2004, 172~173쪽.
3) 김정웅, 『주체적 문예리론의 기본』 2권, 평양, 문예출판사, 1992, 235쪽.
4) 같은 책, 243쪽.
5) 같은 책, 245쪽.
6) 박태상, 앞의 책, 173~176쪽.

제5장 세대 갈등 봉합과 '과학중시' 사상 —— 〈한 녀학생의 일기〉

1) 김선아, 「〈한 녀학생의 일기〉를 통해 본 북한영화 관객성 연구」, 『한민족문화연구』 제34집, 2010, 357~378쪽.
2) 김성남, 「생활속 더 깊은 곳으로」, 『조선예술』 10호, 2006, 10쪽.
3) 같은 글, 10쪽.
4) 이상은·정창현, 「대중성 강화로 관객 호응 이끌고 대외교류와 해외시장 개척에도 적극 나서」, 『민족 21』 2008. 8. 22.
5) 김선아, 앞의 글, 355~356쪽.
6) 같은 글, 365~366쪽.
7) 한승호, 「북한영화 〈한 녀학생의 일기〉 연구」, 『영화』 제2권 2호, 2009, 197~198쪽.

제Ⅴ부 한류로서의 문화콘텐츠
—— 도발적 여성상이 던져주는 신선함과 센티멘털리즘

1) 『뉴스엔』 2009. 9. 18.
2) 김의석 영화진흥위원회 위원장 인터뷰, 「내수시장 한계봉착… 중화권 손잡고 대륙시장 뚫어야」, 『서울신문』 2011. 4. 5.

3)「중국서 가장 흥행한 韓영화는? '디워' 1위③」,『머니투데이』(스타뉴스), 2010. 4. 9.
4)「극장 하루 평균 15개씩 늘어… 'Chollywood ' 시대 눈앞」,『문화일보』2015. 3. 4.
5)「밀려오는 中자본, 완성작 구입 넘어 공동제작-지분매입까지」,『동아일보』2015. 2. 12.
6) 김호연,「한류를 통해 바라본 한국영화의 확산현상 연구」,『코기토』11, 2011, 291~292쪽.
7) 안숭범,「영화의 서사요소 비교 연구:「엽기적인 그녀」와「내 사랑 싸가지」를 중심으로」,『인문콘텐츠』제8호, 2006, 276쪽.
8) 같은 글, 276~277쪽.
9) 같은 글, 278쪽.
10) 같은 글, 278~279쪽.
11) 같은 글, 287~288쪽.
12) 같은 글, 288쪽.
13) 같은 글, 288~289쪽.
14)「우리가 사랑했던 〈엽기적인 그녀〉의 퇴보」,『스포츠조선』2016. 8. 24.
15)『스포츠조선』2016. 8. 24.

참고문헌

강미자, 「새로운 문화 패러다임이 된 대중 영화: 〈쉬리〉, 〈공동경비 구역〉, 〈실미도〉, 〈태극기 휘날리며〉를 중심으로」, 『문학과 영상』 제5권1호, 문학과영상학회, 2004.

강성률, 「한국영화에 나타난 가족제도의 변화: 〈자유부인〉에서 〈아내가 결혼했다〉까지」, 『역사비평』 86, 2009.

강영안, 『타자의 얼굴: 레비나스의 철학』, 문학과지성사, 2005.

강옥희·이순진·이승희·이영미, 『식민지시대 대중예술인 사전』, 소도, 2006.

강옥희, 「식민지 시기 영화소설 연구」, 『민족문학사연구』 32권, 민족문학사학회 민족문학사연구소, 2006.

강유정, 「영화 〈겨울여자〉의 여대생과 70년대 한국사회의 감정구조」, 『대중서사연구』 제21권 제2호, 대중서사학회, 2015.

———, 「영화가 역사를 부르는 까닭, 왜 〈명량〉이고, 이순신일까?」, 『월간 중앙』 통권 466호, 중앙일보사시사미디어, 2014.

강정구 편, 『북한의 사회』, 을유문화사, 1990.

강현구, 「대중문화 시대의 영화소설」, 『어문논집』 48권, 민족어문학회, 2003.

———, 『문화콘텐츠의 서사전략과 인문학적 상상력』, 글누림출판사, 2008.

강현두, 『韓國의 大衆文化』, 나남, 1987.

강현두 편, 『현대사회와 대중문화』, 나남출판, 1998.

고경선, 「『겨울여자』의 영화적 스토리텔링과 한계성」, 『스토리앤이미지텔링』 제6호, 건국대학교 스토리앤이미지텔링연구소, 2013.

고부응 엮음, 『탈식민주의: 이론과 쟁점』, 문학과지성사, 2003.

고정민, 『문화콘텐츠 경영전략』, 커뮤니케이션북스, 2007.

고태우, 『북한사 100장면』, 가람기획, 1996.

공지영, 『우리들의 행복한 시간』, 푸른숲, 2005.

과학백과사전 종합출판사 편, 『문학예술사전』(상·중·하), 평양, 과학백과 사전종합출판사, 1988~1993.

권은선, 「'한국형 블록버스터'에서의 민족주의와 젠더: 〈쉬리〉와 〈공동경비구역 JSA〉를 중심으로」, 『여/성이론』 통권 제4호, 도서출판여이연, 2001.

———, 「영화 〈친구〉 다시 읽기: 최고주의적 정조로 떠오른 우리 시대의 정치적 무의식」, 『당대비평』 17, 2001.

김경식·정지훈, 「액션영화 〈광해, 왕이 된 남자〉의 흥행요소 분석 연구」, 『한국콘텐츠학회논문지』 15(6), 2015.

김경식, 「팩션영화 〈광해, 왕이 된 남자〉의 흥행 요소 분석 연구」, 『한국콘텐츠학회논문지』 제15권 제6호, 한국콘텐츠학회, 2015.

김경욱, 『블록버스터의 환상, 한국영화의 나르시시즘』, 책세상, 2002.

김귀옥, 『북한 여성들은 어떻게 살고 있을까』, 당대, 2000.

김기봉, 『'역사란 무엇인가'를 넘어서』, 푸른 역사, 2000.

김동인, 「감자」, 『김동인 단편선』, 문학사상사, 1993.

김동호 외, 『한국영화 정책사』, 나남출판, 2005.

김려숙, 「인텔리 형상과 지성세계 묘사」, 『조선문학』 1992년 8월호, 문예출판사.

김만수, 『문화콘텐츠유형론』, 글누림, 2006.

김만식, 『문화콘텐츠 개발전략』, 학연사, 2009.

김모세, 「〈별에서 온 그대(My Love from the Star)〉에 나타난 욕망의 형이상학: 르네지라르(Rene Girard)의 욕망이론을 중심으로」, 『기호학 연구』 46권, 한국기호학회, 2016.

김문환, 『문화경제론』, 서울대출판부, 1997.

김미지, 「〈별들의 고향〉을 통해 본 1970년대 대중 문화와 문학의 존재 양상에 관한 일 고찰」, 『한국현대문학연구』 제13집, 한국현대문학회, 2003.

김미현 책임편집, 『한국영화사』, 커뮤니케이션북스, 2006.

김미현, 『한국영화역사』, 커뮤니케이션북스, 2014.

———, 「전 지구화의 대중문화, 한류 담론과 한국영화산업의 동아시아 진출」, 『영화연구』 37호, 한국영화학회, 2008.

김선아, 「〈한 녀학생의 일기〉를 통해 본 북한영화 관객성 연구」, 『한국민족문화연구』 34권, 한민족문화학회, 2010.
김성진, 「영화소설 『피바다』의 서사구조 연구」, 『현대문학이론연구』 28권, 현대문학이론학회, 2006.
김성진, 「영화 〈꽃파는 처녀〉 연구」, 『드라마 연구』 22권, 한국드라마학회, 2004.
김성환 외, 『1960년대』, 거름, 1984.
김성훈, 「MBTI로 본 영화 속 인물성격 분석 연구: 〈주유소 습격사건〉을 중심으로」, 『영화연구』 28호, 한국영화학회, 2006.
김승경, 「문화연구를 통해 본 90년대 한국영화 이데올로기와 정체성: 〈결혼이야기〉와 〈서편제〉, 〈쉬리〉와 〈공동경비구역 JSA〉를 중심으로」, 『현대영화연구』 6권, 한양대 현대영화연구소, 2008.
김시무, 「곽경택 감독의 작품세계 〈친구〉에서 〈적〉까지」, 『공연과 리뷰』 78, 2012.
김영민, 「박경리의 문학관 연구: 고통과 창조, 그리고 생명의 글쓰기」, 『현대문학의 연구』 6권, 1996.
김영린, 「오병철 감독의 〈무소의 뿔처럼 혼자서 가라〉: 노골적 그러나 설득력 있는 남성비판」, 『중등우리교육』 69, 1993.
김영순 외, 『겨울연가: 콘텐츠와 콘텍스트 사이』, 다·미디어, 2005.
김은경, 「박경리 장편소설에 나타난 인물의 가치에 대한 태도와 정체성의 관련 양상: 『김약국의 딸들』, 『파시』, 『시장과 전장』을 중심으로」, 『국어국문학』 146, 2007.
———, 「소설 『김약국의 딸들』과 영화 〈김약국의 딸들〉의 비교고찰」, 『비교문학』 48권, 2009.
———, 「사랑 서사와 박경리 문학」, 『인문논총』 67권, 2012.
———, 「사랑 서사와 박경리 문학」, 제28회 한중인문학회 학술대회, 2011.11.
김재홍, 『주체의 미론』, 평양, 문예출판사, 1993.
김정웅, 『주체적 문예리론의 기본』 2, 평양, 문예출판사, 1992.
김정일, 『영화예술론』, 평양, 조선로동당출판사, 1973.
———, 『주체문학론』, 평양, 조선로동당출판사, 1992.

———, 『주체의 음악예술론』, 평양, 조선로동당출판사, 1992.
김정희, 「멜로영화 콘텐츠의 스토리텔링 전략 분석: 서사기호학의 방법론을 활용하여」, 『인문 콘텐츠』 10, 2007.
———, 「나도향 소설에 나타난 전망과 서술의 신뢰성 고찰: 「벙어리 삼룡이」를 중심으로」, 『韓民族語文學』 第67輯, 한민족어문학회, 2014.
김종욱 편, 『실록 한국영화총서 상·하』, 국학자료원, 2002.
김종철, 『북한용어 400선집』, 연합뉴스, 1999.
김지혜, 「최고주의적 정조로 떠오른 우리 시대의 정치적 무의식」, 『당대비평』 17, 2001.
———, 「1970년대 대중소설의 영화적 변용 연구」, 『한국문학이론과 비평』 제58집, 한국문학이론과 비평학회, 2013.
김창남, 『대중문화의 이해』, 한울아카데미, 2003.
김창윤, 「영화 〈외출〉의 소설화에 대한 연구: 이미지의 배열을 통한 여백과 인물과 서사의 확장을 통해」, 『어문연구』 39, 2011.
———, 「映畵「외출」의 小說化에 대한 硏究: 이미지의 配列을 통한 餘白과 人物과 敍事의 擴張을 통해」, 『語文硏究』 通卷 第149號, 한국어문교육연구회, 2011.
김평수·윤홍근, 『문화콘텐츠산업론』, 커뮤니케이션북스, 2012.
김학수, 『스크린 밖의 한국영화사 I·II』, 인물과사상사, 2002.
김한길, 『현대조선역사: 북한학술서(1983년판)』, 일송정, 1989.
김호연, 「한류를 통해 바라본 한국 영화의 확산 양상 연구」, 『코기토』 70호, 2011.
김화, 『새로 쓴 한국영화전사』, 다인 미디어, 2003.
김훈, 『칼의 노래』, 생각의 나무, 2001.
김훈순, 「모성과 낭만적 사랑의 담론 경합: 멜로 영화 〈미워도 다시 한 번〉시리즈를 중심으로」, 『미디어, 젠더&문화』 15, 2010.
나도향, 「벙어리 삼룡이」, 문학창조사, 2003.
나병철, 『영화와 소설의 시점과 이미지(*Viewpoint and image in film and fiction*)』, 소명, 2003.

나인자, 「『영자의 전성시대』에 나타난 피카레스크성 고찰」, 『스페인어문학』 36권, 2005.
노지승, 「영화 〈영자의 전성시대〉에 나타난 하층민 여성의 쾌락: 계층과 젠더의 문화사를 위한 시론」, 『한국현대문학연구』 24, 2008.
논장 편집부, 『미학사전』, 논장, 1988.
레오 로웬탈, 「대중문화론의 역사적 전개」, 강현두 편, 『현대사회와 대중문화』, 나남출판, 1998.
루나 찰스끼 외, 김휴 옮김, 『사회주의 리얼리즘』, 일월서각, 1987.
리수림, 『혁명송가문학』, 평양: 문예출판사, 1989.
마동훈·홍수림, 「성적응시의 소설과 영화: 〈우리들의 행복한 시간〉을 중심으로」, 『언론과 사회』 16(4), 2008.
마르크스·엥겔스, 김영기 옮김, 『마르크스·엥겔스의 문학예술론』, 논장, 1989.
민족문학사연구소, 『1970년대 문학연구』, 소명출판, 2000.
박경리, 『김약국의 딸들』, 나남출판, 1993.
박기성, 「대중문화론의 전개양상」, 『문화예술』, 문화예술, 1991.
박길자, 「〈친구〉 영화 텍스트에 대한 수용자의 의미 해석」, 『교육인류학연구』 6권, 한국교육인류학회, 2003.
박기현, 『문화콘텐츠를 위한 미디어학』, 만남, 2006.
박상환 외, 『예술과 문화콘텐츠』, 오스코월드, 2008.
박유희, 「영화원작으로서의 한국소설: 2000년 이후 한국소설의 영화화 동향을 중심으로」, 『대중서사연구』 12, 2006.
박장순, 『문화콘텐츠 해외마케팅』, 커뮤니케이션북스, 2005.
———, 『문화콘텐츠학 개론』, 커뮤니케이션북스, 2006.
박태상, 『영화, 어떤 문화코드로 읽을 것인가』, 집문당, 2002.
———, 『북한문학의 현상』, 깊은샘, 1999.
———, 『북한문학의 동향』, 깊은샘, 2002.
———, 『엽기·패러디시대의 한국문학』, 지식의날개, 2004.
———, 「생산성 증대를 위환 관료주의 타파와 도농갈등 해소: 북한영화 〈심장

에 남는 사람, 〈도라지꽃〉」, 『북한의 문화와 예술』, 깊은샘, 2004.
———, 『북한의 문화와 예술』, 깊은샘, 2004.
———, 『문화콘텐츠와 이야기담론』, 한국문화사, 2012.
박태원, 『임진조국전쟁』, 깊은샘, 2006.
박필현, 「꿈의 70년대의 청춘, 그 애도와 위안의 서사: 최인호의 〈별들의 고향〉을 중심으로」, 『현대소설연구』 제56호, 한국현대소설학회, 2014.
방금단, 「통영-그리움의 서사: 박경리의 『김약국의 딸들』, 『파시』를 중심으로」, 『돈암어문학』 25, 2012.
방형찬, 『작가의 창작적 사색과 예술적 환상』, 평양: 문예출판사, 1992.
방형찬 외, 『주체문학의 혁명전통』, 평양: 문예출판사, 2002.
백대현, 「〈명량: 회오리 바다〉의 재현적 특징」, 『씨네포럼』 제20호, 2015.
백승국, 『문화기호학과 문화콘텐츠』, 다홀미디어, 2004.
백현숙, 「새로운 민족적 성격 형상에 이바지한 랑만주의 수법」, 『조선문학』 1996년 3월호, 평양: 문예출판사.
변재란, 「남한영화에 나타난 북한에 대한 이해: 〈쉬리〉, 〈간첩 리철진〉, 〈공동경비구역 JSA〉를 중심으로」, 『영화 연구』 16호, 2001.
삐에르 부르디외, 최종철 옮김, 『구별짓기』 상권, 새물결, 2006.
서대숙, 「정권수립과 변천과정」, 최명 편, 『북한개론』, 을유문화사, 1990.
서동훈, 『문화콘텐츠의 이해』, 에듀컨텐츠, 2008.
———, 「소설의 영화화에 따른 서술 방식 변모양상 연구: 〈영자의 전성시대〉를 중심으로」, 『대중서사연구』 9, 2013.
서유석, 「330척 왜군에 맞선 조선, 역사를 바꾼 위대한 해전」, 『통일한국』 369호, 평화문제연구소, 2014.
서인숙, 「멜로드라마의 여성적 독해에 관한 비판적 고찰: 〈미워도 다시 한 번〉을 중심으로」, 『영화연구』 15, 1999.
———, 「한국형 블록버스터의 혼성성과 비극성에 대한 탈식민지적 고찰」, 『한국콘텐츠학회 논문지』 제8권 제11호, 2008.11.
———, 「한국형 블록버스트에서 분단의 재현방식: 한과 신파의 귀환」, 『문학과

영상』 제12권 4호, 2011.
서정남, 『북한영화탐사』, 생각의나무, 2002.
소련과학아카데미 편, 신승엽 외 옮김, 『마르크스 레닌주의 미학의 기초이론 I·II』, 일월서각, 1988.
소연방과학아카데미 역사연구소, 이경식·한종호 역, 『러시아문화사, 19세기 전반~볼셰비키 혁명』, 논장, 1990.
손영은, 「영화 〈엽기적인 그녀〉의 엽기성에 관한 시각 차이와 요구하기의 문제」, 『영화와 문학치료 4』, 2010.10.
신광철, 「킬러콘텐츠 분석 도구를 통해본 1000만 영화의 구조」, 『인문콘텐츠』 제29호, 2013.
———, 「인문학과 문화콘텐츠」, 『국어국문학』 143, 2006.9.
신언갑, 『주체의 인테리리론』, 평양: 과학백과사전출판사, 1986.
신원선, 「〈명량〉을 바라보는 세 가지 방식」, 『현대영화연구』 19호, 2014.
안남연, 「나도향 문학의 사실성과 낭만성 고찰: 〈벙어리 삼룡이〉, 〈물레방아〉, 〈뽕〉을 중심으로」, 『한국문예비평연구』 8권, 한국현대문예비평학회, 2001.
안숭범, 「영화의 서사요소 비교 연구: 〈엽기적인 그녀〉와 〈내 사랑 싸가지〉를 중심으로」, 『인문콘텐츠』 제8호, 인문콘텐츠학회, 2006.
양건열, 『비판적 대중문화론』, 현대미학사, 1997.
앤드류 달리, 김주환 옮김, 『디지털 시대의 영상 문화』, 현실문화연구, 2003.
에두아르트 푹스, 이기웅·박종만 옮김, 『풍속의 역사 IV: 부르조아의 시대』, 까치, 1986.
오영록, 「〈영자의 전성시대〉에 나타난 1970년대 사회적 양상」, 『문예시학』 26권, 2012.
———, 「소설과 영화의 플롯 짜기 양상 고찰: 「영자의 전성시대」와 그 영화화를 중심으로」, 『한국문학이론과 비평』 제69집, 한국문학이론과 비평학회, 2015.
오영환, 『작가의 문체』, 평양: 문예출판사, 1992.
유현목, 『유현목의 한국영화발달사』, 책누리, 1997.

유현미, 「형식의 이데올로기: 영화 〈경마장 가는 길〉을 통한 탐색」, 『오늘의 문예비평』 12, 1994.
윤기덕, 『수령형상문학』, 평양, 문예출판사, 1991.
윤성은, 「울돌목에서 찾은 비장미, 〈명량〉」, 『공연과 리뷰』 86호, 현대미학사, 2014.
윤재식 외, 「〈태양의 후예〉열풍과 K-드라마의 매력」, 『코카포커스』 16-03호, 2016.
윤종성 외, 『문예상식』, 평양, 문예출판사, 1994.
이강수, 『韓國大衆文化論』, 法文社, 1989.
이경, 「질병의 은유로 『토지』 읽기」, 『현상과 인식』 32권 4호, 2008.
———, 「『토지』와 겁탈의 변검술」, 『여성문학연구』 27호, 2012.
이경은, 「〈쉬리〉에서 〈공동경비구역〉까지」, 『영화 문화연구』 3호, 2001.
이경화, 「남북한 전쟁영화 연구」, 한양대 대학원 연극영화과, 1993.
이명자, 『북한 영화와 근대성』, 역락, 2005.
———, 『북한영화사』, 커뮤니케이션북스, 2007.
———, 「'7·1경제관리개선조치' 이후 북한영화에 나타난 혁명적 낭만주의와 리얼리즘의 긴장관계: 〈녀병사의 수기〉, 〈한 녀학생의 일기〉의 고백의 내러티브 전략을 중심으로」, 『정신문화연구』 통권 112호, 한국학중앙연구원, 2008.
이명찬·김요한, 『문화콘텐츠 마케팅』, 커뮤니케이션북스, 2006.
이상진, 「예외를 보는 시선과 더블: 박경리 소설의 결손인물」, 『여성문학연구』 35호, 2015.
이상훈, 『디지털기술과 문화콘텐츠산업』, 진한도서, 2003.
이상회, 「유형적 대중문화론에 대한 비판적 고찰」, 『한국언론학보』 4권, 한국언론학회, 1971.
이순진, 「한국영화사 연구의 현단계: 신파, 멜로드라마, 리얼리즘 담론을 중심으로」, 『대중서사연구』 10권 2호, 2004.12.
이승윤, 「박경리 연구자료: 박경리연보」, 『현대문학의 연구』 63권, 1996.

이영미,「탈신데렐라, 새로운 사랑 이야기를 모색하다: 〈태양의 후예〉와 〈또 오해영〉」,『황해문화』 2016년 가을, 2016.

———,「북한문학 연구와 텍스트의 해석: 남북한 '통합'문학사에서의 텍스트 『피바다』」,『한국현대문학연구』 제33집, 한국현대문학회, 2015.

———,「성장·희망에서 배제된 자들과 〈미워도 다시 한 번〉」,『인물과 사상』 212호, 2015.12.

이영일,『한국영화전사』, 소도, 2004.

———,「영화감독 유현목: 그의 인간 형성과 영화예술」,『한국논단』 71권, 1995.

이주호·황조윤,『광해: 왕이 된 남자』, 걷는나무, 2012.

이지영,「한국 현대 역사소설에 나타난 역사의식 연구」,『한국말글학』 제31집, 2014.

이채원,「낭만과 혁명의 아이러니: 〈김약국의 딸들〉을 중심으로」,『문학과 영상』 16, 2015.

이덕화,「〈경마장 가는 길〉의 메타픽션적 글쓰기와 영상적 이미지」,『현대소설연구』 제22호, 한국현대소설학회, 2004.

이재선,『현대한국소설사 1945~1990』, 민음사, 1991.

이제영,「한·중 인터넷 이용자들의 한국영화 이해에 관한 비교 연구: 〈엽기적인 그녀〉 영화 사이트의 관람후기 게시판을 중심으로」,『한국언론정보학보』 통권 34호, 한국언론정보학회, 2006.

이종석,『현대 북한의 이해』, 역사비평사, 1995.

이효인,『한국영화역사강의』, 이론과실천, 1992.

———,『북한의 수령형상창조 영화 연구』, 중앙대 첨단영상대학원 영상예술학과 박사학위논문, 2001.

이형관,「혁명을 주제로 한 영화연구」, 숭실대 통일정책대학원 교육문화정책학과, 1997.

이흥재,『문화정책』, 논형, 2006.

임대근,「중국 내 한류콘텐츠의 빛과 그림자: 〈태양의 후예〉를 통해 본 한류 영상콘텐츠의 중국진출 모델」,『성균차이리나브리프』 4권 3호, 2016.

임신영,「영화에서 소설로의 매체 전환 연구: 『외출』의 경우」,『겨레어문학』 43권, 겨레어문학회, 2009.
임신희,「영화 〈우리들의 행복한 시간〉에 나타난 '감성'연구」,『영화와 문학치료』 6, 2011.
임은희,「김동인의 초기 단편소설에 나타난 '성' 연구: 〈약한 자의 슬픔〉, 〈감자〉를 중심으로」,『국제어문』 제22집, 국제어문학회, 2000.
자현,「싸이의 강남스타일을 통해서 본 한국문화의 재발견」,『문학철학』 제31~32호, 2015.
장 보드리야르, 이규현 옮김,『기호의 정치경제학 비판』, 문학과지성사, 1992.
장 보드리야르, 이상률 옮김,『소비의 사회: 그 신화와 구조』(개정판), 문학과지성사, 2015.
장미영,「박경리 1960, 70년대 장편소설 연구: 가족관계의 갈등과 화해를 중심으로」,『여성문학연구』 26권, 한국여성 문학학회, 2011.
전충헌,『문화콘텐츠 전략기획론』, 글누림, 2009.
전흥남,「한국 근대소설과 영화의 교섭 양상 연구: 1930년대 소설의 영화적 기법과 영화인식을 중심으로」,『현대문학이론연구』 18권, 현대문학이론학회, 2002.
정비석,『자유부인』 1·2, 고려원, 1985.
정재형 편,『북한영화에 대해 알고 싶은 다섯 가지: 제2세대 북한영화 연구』, 집문당, 2004.
정종화,『한국영화사』, 한국영상자료원, 2007.
정창권,『문화콘텐츠 교육학』, 북코리아, 2009.
———,『문화콘텐츠 스토리텔링』, 북코리아, 2009.
정창영,「한국의 문화콘텐츠 현황과 활용 방안」,『동아시아문화연구』 제44권, 동아시아문화연구소, 2008.
정철현,『문화정책론』, 서울경제경영, 2006.
정현경,「1970년대 혼성적 도시 표상으로서의 도시인의 우울: 〈별들의 고향〉, 〈영자의 전성시대〉, 〈바보들의 행진〉, 〈어제 내린 비〉를 중심으로」,『한국극예술연구』41, 2013.
정희모,『1950년대 한국문학과 서사성』, 깊은샘, 1998.
조미숙,「소설과 영화의 상호작용, 스토리텔링과 이미지텔링」,『스토리&이미지텔링』 제4호, 건국대학교 스토리앤이미지텔링연구소, 2012.
조선로동당 중앙위원회,『김정일선집』1·2, 평양: 조선로동당출판사, 1992·1993.
조선작,『영자의 전성시대』, 일선기획, 1987.
조성면,「『꽃 파는 처녀』의 신파성과 대중성 그리고 상호텍스트성」,『대중서사연구』 제20권 제1호, 대중서사학회, 2014.
조용상·김혜정,「중국내 한류드라마의 스토리와 캐릭터 분석: 〈별에서 온 그대〉, 〈태양의 후예〉를 중심으로」,『글로벌 창의 문화 연구』 제5권 제1호(통권7호), 2016.6.
조한범,「남북 사회문화 교류·협력의 평가와 발전방향」, 서울, 통일연구원, 1999.
찰스 샌더스 퍼스, 김성도 편역,『퍼스의 기호 사상』, 민음사, 2006.
채명식,「소설과 시나리오의 비교를 통한 〈경마장 가는 길〉 꼼꼼히 읽기」,『한국문화연구』20, 1998.
최두영,「영화 표절연구: 영화 〈광해, 왕이 된 남자〉의 표절논란을 중심으로」,『영화연구』58, 2013.
최민성,『멀티미디어 상상력과 문화 콘텐츠: 미디어를 넘나들며 상상하고 창조하기』, 논형, 2006.
최민재,「영상텍스트 수용자의 환상적 동일시에 관한 연구: 영화 〈친구〉에 대한 수용자 분석을 중심으로」,『韓國言論學報』 제48권 3호, 한국언론학회, 2004.
최성희,「대중영화와 문화적 구별: 왜, 어떻게 대중영화인가?」,『문학과영상학회 학술대회 발표논문집』, 문학과영상학회, 2004.
최연구,『문화콘텐츠란 무엇인가』, 살림출판사, 2006.
최연용,「북한 인기배우의 스타성 연구」, 동국대 대학원 연극영화학과, 2001.
최윤식,「한국영화에 드리워진 근대성의 그늘: 〈쉬리〉, 〈공동경비구역〉, 〈친구〉」,『영상문화』5호, 2002.

최은영,「박경리의『김약국의 딸들』에 나타난 장소 연구」,『현대문학이론연구』 57권, 2014.
최창호,『민족수난기의 가요들을 더듬어』, 평양: 평양출판사, 1997.
최척호,『북한영화사』, 집문당, 2000.
최혜실,『문화콘텐츠, 스토리텔링을 만나다』, 삼성경제연구소, 2006.
타일러 코웬, 임재서 외 옮김,『상업문화예찬』, 나누리, 2003.
토머스 소벅·비비안 C 소벅, 주창규 옮김,『영화란 무엇인가』, 거름, 1998.
태지호,「문화콘텐츠 연구 방법론의 토대에 대한 모색: '문화'와 '콘텐츠'를 어떻게 다룰 것인가?,『인문콘텐츠』 제41호, 인문콘텐츠학회, 2016.
———,「문화콘텐츠학의 체계 정립을 위한 기반 구축에 대한 연구: 분과학문으로서의 위상정립을 중심으로」,『인문콘텐츠』 제5호, 2005.6.
표정옥,「김동인 소설의 탈신화적 여성성과 전략적 죽음을 통한 근대성 고찰: 『감자』,『배따라기』,『광화사』를 중심으로」,『정신문화연구』 2007 가을호 제30권 제3호(통권 108호), 한국학중앙연구원, 2007.
하일지,『경마장 가는 길』, 민음사, 1998.
하정일 외,『1980년대 문학』, 깊은샘, 2003.
한영현,「문예영화에 나타난 육체표상과 서울의 물질성: 영화 〈자유부인〉을 중심으로」,『돈암 어문학』 22, 2009.
한영현,「박경리 소설의 문학적 상상력과 영화적 변용: 영화 〈김약국의 딸들〉을 중심으로」,『여성문학연구』 33호, 2014.
한점돌,「박경리 문학 사상 연구」,『현대소설연구』 42호, 2009.
한중모,『주체적 문예리론의 기본』 1~2, 평양: 문예출판사, 1992.
한중모·김정웅,『주체적 문예리론의 기본』 3권, 평양: 문예출판사, 1992.
호현찬,『한국영화 100년』, 문학사상사, 2000.
홍재범,「소설의 시나리오 전환 과정 고찰: 〈우리들의 행복한 시간〉의 경우」,『한국근대문학 연구』 19, 2009.
홍재원,「한류 콘텐츠의 온라인 확산에 관한 연구: 국가 간 문화적 차이를 중심으로」,『마케팅 관리연구』 19권1호, 한국마케팅관리학회, 2014.

황진미,「〈명량〉을 극찬할 수밖에 없는 세 가지 요인」,『엔터미디어』2015. 3. 15.
황혜진,「1950년대 한국영화의 여성 재현과 그 의미: 〈자유부인〉과 〈지옥화를 중심으로」,『대중서사연구』13, 2007.
미디어문화교육연구회,『문화콘텐츠학의 탄생』, 다홀미디어, 2005.
영화진흥위원회 편,『한국영화 배급사 연구』, 영화진흥위원회, 2003.
인문콘텐츠학회,『문화콘텐츠 입문』, 북코리아, 2006
중앙대학교 한일문화연구원,『현대 일본의 문화콘텐츠』, 한누리미디어, 2008.
한국역사연구회,『한국역사』, 역사비평사, 1992.
한국역사연구회 편,『북한의 역사 만들기』, 푸른역사, 2003.
한국영화자료원 편, 이효인 외,『한국영화사 공부 1960~1979』, 이채, 2005.
한국영화자료원 편, 유지나 외,『한국영화사 공부 1980~1997』, 이채, 2005.
한국예술연구소 편,『이영일의 한국영화사 강의록』, 소도, 2002.

찾아보기

[ㄱ]

[ㄴ]

[ㄷ]

[ㄹ]

[ㅇ]

[ㅈ]